GRUPA WYDAWNICZA
PUBLICAT S.A.

Firma rozpoczęła swoją działalność w 1990 roku pod nazwą **Podsiedlik-Raniowski i Spółka.**
W 2004 roku przyjęto nazwę **PUBLICAT S.A.**, w tym samym roku w skład grupy **PUBLICAT**
weszło wrocławskie **Wydawnictwo Dolnośląskie.** W 2005 roku dołączyło do niej katowickie
Wydawnictwo Książnica. Rok 2006 to objęcie nazwą **Papilon** programu książek dla dzieci.
W roku 2007 częścią grupy stała się warszawska **Elipsa.**

Papilon	**Publicat**	**Elipsa**	**Wydawnictwo Dolnośląskie**	**Książnica**
baśnie i bajki, klasyka polskiej poezji dla dzieci, wiersze i opowiadania, -książki edukacyjne, nauka języków obcych dla dzieci	książki kulinarne, poradniki, książki popularnonaukowe, literatura krajoznawcza, hobby, edukacja	albumy tematyczne: malarstwo, historia, krajobrazy i przyroda, albumy popularnonaukowe	literatura faktu i poradnikowa, historia, biografie, literatura współczesna, kryminał i sensacja, fantastyka, literatura dziecięca i młodzieżowa	literatura kobieca, powieść historyczna, powieść obyczajowa, fantastyka, sensacja, thriller i horror, beletrystyka w wydaniu kieszonkowym, książki popularnonaukowe

P.C. CAST + KRISTIN CAST

Kuszona

Tom VI cyklu

Przełożyła z angielskiego
Iwona Michałowska-Gabrych

Wydawnictwo „Książnica"

Tytuł oryginału
Tempted

Opracowanie graficzne
Mariusz Banachowicz

Koncepcja okładki
Michael Storrings

Fotografia na okładce
© Herman Estevez

Polish edition © Publicat S.A. MMXI

ISBN 978-83-245-7895-5

Wydawnictwo „Książnica"
40-160 Katowice
Al. W. Korfantego 51/8
oddział Publicat S.A. w Poznaniu
tel. 32 203-99-05
faks 32 203-99-06
www.ksiaznica.com
e-mail: ksiaznica@publicat.pl

Wydanie pierwsze
Katowice

*Kristin i ja pragniemy zadedykować tę książkę
naszej niezrównanej redaktorce, Jennifer Weis, z którą
współpracuje się tak przyjemnie, że nawet poprawianie
staje się znośne. Wielkie dzięki, Jen!*

Po raz kolejny składamy serdeczny pokłon naszej wspaniałej ekipie z wydawnictwa St. Martin's Press. Traktujemy ją już jak rodzinę i doceniamy jej życzliwość, wspaniałomyślność, kreatywność i wiarę w nas. Dzięki, dzięki i jeszcze raz dzięki niech przyjmą: Jennifer Weis, Anne Bensson, Matthew Shear, Anne Marie Tallberg, Brittney Kleinfelter, Katy Hershberger i Sally Richardson. Uściski także dla naszych genialnych projektantów okładek: Michaela Storringsa i Elsie Lyons.

Dziękujemy Jenny Sullivan za wyśmienitą i przerażająco dokładną korektę.

Nie zapominamy oczywiście o naszej rewelacyjnej agentce Meredith Bernstein, która zmieniła życie nas wszystkich czterema prostymi słowami: szkoła dla młodocianych wampirów.

I wreszcie serdeczne podziękowania dla wszystkich fanów, a w szczególności tych, którzy piszą do nas i zwierzają się z tego, jak bardzo wzruszył ich Dom Nocy.

ROZDZIAŁ PIERWSZY

Zoey

Nocne niebo nad Tulsą rozświetlał magiczny półksiężyc. Lód pokrywający miasto i opactwo benedyktyńskie, w którym przed chwilą stoczyliśmy walkę z upadłym nieśmiertelnym i zbuntowaną najwyższą kapłanką, połyskiwał jak pobłogosławiony przez boginię. Spojrzałam na skąpany w świetle krąg przed Grotą Maryjną, siedliskiem mocy, gdzie nie tak dawno temu uosobienia ducha, krwi, ziemi, człowieczeństwa i nocy połączyły się, by zatriumfować nad nienawiścią i ciemnością. Wyrzeźbiona figurka Marii Panny otoczona kamiennymi różami i osadzona na wysokiej półce przypominała srebrną latarnię. Matka Boska patrzyła na mnie spokojnie, a jej oblodzone policzki lśniły, jakby spływały po nich łzy radości.

Uniosłam wzrok ku niebu. *Dziękuję*, posłałam milczącą modlitwę w stronę cudnego półksiężyca symbolizującego moją boginię, Nyks. *Żyjemy. Kalona i Neferet odeszli.*

— Dziękuję — szepnęłam do księżyca.

Wsłuchaj się w siebie...

Słowa przetoczyły się przeze mnie subtelnie i słodko jak liście poruszone letnią bryzą, muskając świadomość tak leciutko, że ledwie je pochwyciłam. Moja dusza zarejestrowała jednak szeptaną komendę Nyks.

9

Miałam mglistą świadomość, że wokół mnie znajduje się mnóstwo osób — zakonnice, adepci i kilkoro wampirów. Słyszałam mieszaninę okrzyków, rozmów, płaczu, a nawet śmiechu, ale wszystko to zdawało mi się niezwykle odległe. Naprawdę rzeczywisty był dla mnie jedynie świecący w górze księżyc i blizna biegnąca ponad piersią od jednego do drugiego ramienia, która w odpowiedzi na zew bogini poczęła mrowić, lecz nie boleśnie, raczej znajomo, ciepło, dając do zrozumienia, że Nyks po raz kolejny postanowiła mnie naznaczyć. Wiedziałam, że gdybym zerknęła pod dekolt, znalazłabym nowy tatuaż zdobiący tę długą gniewną szramę filigranowym szafirowym wzorem — dowodem na to, że wciąż podążam ścieżką bogini.

— Erik, Heath, znajdźcie Stevie Rae, Johnny'ego B. i Dallasa, a potem obejdźcie cały teren opactwa i upewnijcie się, że wszystkie kruki odleciały z Kaloną i Neferet! — zakomenderował Darius, wyrywając mnie z ciepłego, słodkiego transu. Nagle zalał mnie chaos doznań, jakby ktoś zbyt głośno nastawił iPoda.

— Przecież Heath jest człowiekiem! Kruk Prześmiewca może go zabić w ciągu sekundy! — wykrzyknęłam, po raz kolejny dowodząc swojego debilizmu, nim zdążyłam się ugryźć w język.

Heath oczywiście nadął się jak nadmuchana ropucha.

— Zo, do cholery, nie rób ze mnie jakiejś pieprzonej cipy!

Wyglądający przy nim na bardzo wysokiego, bardzo dorosłego i bardzo pewnego siebie wampira Erik prychnął drwiąco.

— Nie, ty jesteś tylko pieprzonym człowiekiem. Ale czekaj no... czy to nie oznacza właśnie cipy?

— Świetnie. Nie minęło pięć minut, odkąd wygnaliśmy stąd zło, a ci dwaj już skaczą sobie do oczu. To było do przewidzenia — mruknęła Afrodyta z typowym dla niej sarkazmem. Potem podeszła do Dariusa i jej twarz zupełnie się zmieniła. — Cześć, przystojniaku. Wszystko w porządku?

— Nie o mnie powinnaś się martwić — odparł wojownik i spojrzał na nią tak, że wszystko wokół dosłownie zaczęło iskrzyć. Zamiast jednak swoim zwyczajem zacząć się do niej ślinić, pozostawał skupiony na postaci Starka.

Afrodyta też przeniosła na niego wzrok.

— No fakt — stwierdziła. — Wygląda jak dobrze przysmażona frytka.

James Stark stał pomiędzy Dariusem a Erikiem, choć słowo „stał" nie w pełni oddaje to, co naprawdę z nim się działo. W rzeczywistości chwiał się i wyglądał, jakby zaraz miał stracić równowagę.

Erik zignorował Afrodytę.

— Darius, chyba powinieneś go zaprowadzić do budynku. Ja i Stevie Rae będziemy koordynować rekonesans i dopilnujemy, żeby na zewnątrz nie wydarzyło się nic nieprzewidzianego. — Jeśli brać pod uwagę tylko słowa, brzmiało to naturalnie; ton jednak wskazywał, że Erik ma się za nie wiadomo kogo. — Zgadzam się nawet, żeby Heath nam pomógł — dodał, wychodząc już na kompletnego dupka.

— Zgadzasz się, żebym wam pomógł? — wybuchnął Heath. — Niech lepiej twoja stara ci pomoże!

— Hej, to niby który z nich jest twoim facetem? — zapytał Stark.

Spojrzałam na niego i zobaczyłam, że chociaż głos ma ochrypły i słaby, w oczach igrają mu wesołe ogniki.

— Ja! — odpowiedzieli jednocześnie Heath i Erik.

— Zoey, do cholery, to dwaj debile! — podsumowała Afrodyta.

Stark parsknął śmiechem, który przeszedł w kaszel i skończył się bolesnym jękiem. Oczy uciekły mu w głąb głowy i osunął się jak szmaciana lalka.

Z szybkością stanowiącą wrodzoną cechę Syna Ereba Darius złapał go, nim uderzył o ziemię.

— Muszę go zabrać do budynku — oznajmił.

Miałam wrażenie, że głowa zaraz mi eksploduje. Stark zwisał bezwładnie w ramionach Dariusa, jakby miał wyzionąć ducha.

— N...nie wiem nawet, gdzie mają punkt medyczny — wyjąkałam.

— Nie ma sprawy. Zaraz spytam jakiegoś pingwina — rzekła Afrodyta. — Hej, siostro! — zawołała w stronę jednej z ubranych w czarno-biały strój zakonnic, które wybiegły z opactwa, gdy bitewny zgiełk przeobraził się w pobitewny chaos.

Darius pobiegł za siostrą, a Afrodyta za nim.

— Nie idziesz z nami, Zoey? — zapytał wojownik, oglądając się na mnie przez ramię.

— Zaraz dołączę.

Nim jednak zdążyłam się rozprawić z Erikiem i Heathem, humor poprawił mi znajomy głos z akcentem oklahomskiej prowincji.

— Idź z nimi, Zo. Ja się zajmę Głupim i Głupszym i przypilnuję, żeby żaden potwór się tu nie kręcił.

— Stevie Rae, jesteś najlepszą przyjaciółką na świecie.

Odwróciłam się i przytuliłam ją szybko. Sprawiała krzepiące wrażenie bardzo solidnej i zwyczajnej — tak zwyczajnej, że przeżyłam dziwny wstrząs, gdy się odsunęła i wyszczerzyła do mnie, a ja po raz pierwszy ujrzałam szkarłatne tatuaże ciągnące się od wypełnionego półksiężyca pośrodku czoła w dół obu policzków. Przeszedł mnie dreszcz niepewności.

— Nie przejmuj się tymi dwoma debilami — powiedziała, błędnie odczytując moje wahanie. — Już się nauczyłam ich rozdzielać. — Kiedy tak stałam i gapiłam się na nią, szeroki uśmiech powoli znikał z jej warg. — Hej, z babcią już wszystko w porządku! Kramisha zawiozła ją do łóżka, jak tylko wygnaliśmy Kalonę, a siostra Mary Angela przed chwilą mi powiedziała, że idzie zobaczyć, co u niej.

— Tak, pamiętam, jak Kramisha pomagała jej usiąść na wózku. Po prostu... — Umilkłam. Po prostu co? Jak miałam ująć w słowa dręczące mnie poczucie, że coś jest nie tak z moją najlepszą przyjaciółką i grupką dowodzonych przez nią adeptów? I jak miałam powiedzieć jej to w twarz?

— Jesteś zmęczona i masz za wiele zmartwień — mruknęła łagodnie Stevie.

Czy tylko mi się zdawało, czy zobaczyłam w jej oczach błysk zrozumienia? A może to było coś innego, bardziej mrocznego?

— Wiem, jak to jest, Zo. Zajmę się wszystkim. Ty sprawdź, co ze Starkiem. — Raz jeszcze przygarnęła mnie do siebie, a potem popchnęła lekko w kierunku opactwa.

— Dobra. Dzięki — mruknęłam głupio, ruszając do budynku i kompletnie olewając dwóch stojących obok mnie palantów.

— Hej! — zawołała za mną Stevie. — Przypomnij Dariusowi albo komuś, żeby pilnowali czasu. Za jakąś godzinę wzejdzie słońce, a wiesz, że ja i czerwoni adepci nie możemy być wtedy na dworze.

— Jasne, będę pamiętać — odparłam.

Problemem było raczej to, że nie potrafiłam zapomnieć, iż Stevie Rae jest teraz kimś innym niż dawniej.

ROZDZIAŁ DRUGI

Stevie Rae

— Słuchajcie no, wy dwaj. Powiem to tylko raz: zachowujcie się! — Stevie stanęła naprzeciw Erika i Heatha i gapiła się na nich spode łba, trzymając dłonie na biodrach. — Dallas! — wrzasnęła, nie odrywając od nich wzroku. Chłopak podbiegł do niej w mgnieniu oka.

— Co jest, Stevie Rae?

— Zawołaj Johnny'ego B. Niech weźmie Heatha i sprawdzi, czy przed opactwem, od strony Lewis Street, nie ma żadnych Kruków Prześmiewców. Ty i Erik przeszukajcie południową stronę, a ja przejdę się wzdłuż szpaleru drzew przy Dwudziestej Pierwszej.

— Sama? — zapytał Erik.

— Tak, sama! — fuknęła zniecierpliwiona. — Zapominasz, że wystarczy mi tupnąć, żeby ziemia pod tobą zadrżała? Mogę cię też podnieść i tak tobą rzucić, że sobie obijesz ten swój durny zazdrosny tyłek. Więc chyba przeszukać drzewa też potrafię.

Stojący obok niej Dallas parsknął śmiechem.

— Myślę, że czerwona wampirka z darem komunikacji z ziemią ma wyższą wartość niż niebieski wampir.

Heath prychnął, a Erik oczywiście się nastroszył.

— Spokój! — rzuciła groźnie Stevie Rae, nie czekając, aż zaczną się okładać pięściami. — Jeśli nie potraficie powiedzieć nic miłego, to się po prostu zamknijcie!

— Wołałaś mnie, Stevie? — odezwał się Johnny B., podchodząc do dziewczyny. — Spotkałem Dariusa, jak niósł tego gościa od łuku do opactwa. Mówił, żebym do ciebie przyszedł.

— Tak — odparła z ulgą Stevie Rae. — Chcę, żebyś razem z Heathem przeszukał teren przed opactwem od strony Lewis. Sprawdźcie, czy wszystkie kruki się wyniosły.

— Nie ma sprawy! — rzucił Johnny B., udając, że szturcha Heatha w ramię. — Chodź, piłkarzu, sprawdzimy, co się święci.

— Zwracajcie uwagę na drzewa i wszystkie ciemne miejsca — powiedziała Stevie, kręcąc głową na widok Heatha, który uchylił się, a potem dał Johnny'emu parę szybkich szturchańców.

— Jasne — mruknął Dallas i zaczął się oddalać w towarzystwie milczącego Erika.

— Pospieszcie się! — zawołała Stevie za oboma parami chłopaków. — Niedługo wzejdzie słońce. Spotykamy się przed grotą za jakieś pół godziny. Jak coś znajdziecie, zawołajcie głośno, to wszyscy przybiegniemy.

Przez chwilę spoglądała za nimi, by się upewnić, że idą tam, dokąd ich wysłała, a potem odwróciła się i z westchnieniem ruszyła do swojego rewiru. O rany, jak oni ją wkurzali! Uwielbiała Zo bardziej niż kogokolwiek na świecie, ale to ciągłe poskramianie jej facetów było już ponad jej siły. Kiedyś uważała Erika za najatrakcyjniejszego chłopaka w szkole, lecz po kilku dniach w jego towarzystwie stwierdziła, że to zwykły palant z przerośniętym ego. Heath z kolei był słodki, Zo jednak miała rację, obawiając się o jego bezpieczeństwo: w końcu był tylko człowiekiem, a ludzie bez wątpienia umierają łatwiej niż wampiry czy nawet adepci.

Obejrzała się przez ramię, usiłując dostrzec Johnny'ego, tyle że lodowata ciemność i drzewa zupełnie jej przesłaniały widok.

Szczerze mówiąc, nie miała nic przeciwko odrobinie samotności. Wiedziała, że Johnny B. przypilnuje Heatha, a sama czuła ulgę, że na jakiś czas ma z głowy jego i zazdrosnego Erika. Zachowanie tej dwójki pozwoliło jej docenić Dallasa, który był prostym, zwyczajnym chłopakiem. I w pewnym sensie jej chłopakiem. Coś ich łączyło, ale to w niczym nie przeszkadzało. Dallas wiedział, że Stevie ma mnóstwo spraw na głowie, i nie wtrącał się. A kiedy chciała od tego wszystkiego odpocząć, zawsze był przy niej. Słowem — chodzący ideał. A przy tym normalny gość.

„Zo mogłaby się ode mnie czegoś nauczyć, jeśli chodzi o postępowanie z facetami" — pomyślała, przedzierając się przez zagajnik otaczający Grotę Maryjną i odgradzający teren opactwa od ruchliwej Dwudziestej Pierwszej Ulicy.

Jedno było pewne — pogoda niewiele się poprawiła. Stevie nie uszła nawet dziesięciu kroków, a już jasne loki miała kompletnie zmoczone. Do licha, nawet z nosa kapała jej woda! Wierzchem dłoni otarła twarz z zimnej mieszanki deszczu i lodu. Wszystko było dziwacznie ciemne i ciche, a do tego przerażające, bo na Dwudziestej Pierwszej nie paliła się ani jedna latarnia. Ulicą nie przejeżdżały żadne samochody — nawet patrolowe wozy policji. Stevie poślizgnęła się i zsunęła z nasypu na drogę, zachowując orientację jedynie dzięki wyjątkowo ostremu wzrokowi czerwonej wampirki. Wyglądało na to, że uciekając, Kalona zabrał ze sobą całe światło i dźwięk.

Odgarnęła z twarzy przemoknięte włosy i wzięła się w garść. „Zachowujesz się jak głupi tchórzliwy kurczak" — ofuknęła się na głos i jeszcze bardziej zdenerwowała, kiedy własne słowa wróciły do niej dudniącym echem, jakimś cudem wzmocnione przez lód i mrok.

Czego ona, u licha, tak się bała? „Może wszystko przez to, że ukrywasz coś przed przyjaciółką" — mruknęła i zaraz zasłoniła sobie usta dłonią, bo słowa znów rozniosły się hałaśliwie w lodowatej ciemności nocy.

Zamierzała opowiedzieć Zoey o wszystkim. Naprawdę! Po prostu nie było kiedy. Poza tym Zo miała zbyt dużo problemów, żeby dokładać jej kolejne. I w dodatku... w dodatku... w dodatku trudno było o tym rozmawiać nawet z nią.

Stevie Rae kopnęła złamaną zlodowaciałą gałąź. Wiedziała, że musi pogadać z Zoey niezależnie od trudności, jaką jej to sprawi. I zrobi to. Później. Być może znacznie później.

Na razie lepiej się skupić na teraźniejszości.

Mrużąc oczy i osłaniając je dłonią przed ukłuciami mroźnego deszczu, zaglądała pomiędzy gałęzie drzew. Mimo ciemności i burzy widziała całkiem nieźle i z ulgą stwierdziła, że nad jej głową nie czają się żadne mroczne stwory. Idąc poboczem Dwudziestej Pierwszej, bo tak było łatwiej, oddalała się od opactwa, cały czas spoglądając w górę.

Wyczuła to dopiero przy samym płocie odgradzającym posiadłość zakonu od sąsiadującej z nią elitarnej wspólnoty mieszkaniowej.

Krew!

Zły rodzaj krwi.

Zatrzymała się i niuchała w powietrzu jak zwierzę, wdychając mokry stęchły zapach pokrywającego ziemię lodu, rześki cynamonowy aromat zimowych drzew i sztuczną nutkę asfaltu pod stopami. Ignorując wszystkie te wonie, skupiła się na krwi. Nie była to krew człowieka czy nawet adepta, więc nie pachniała jak słońce i wiosna, miód i czekolada, miłość i życie — nie pachniała jak wszystko, o czym kiedykolwiek marzyła Stevie Rae. Była zbyt mroczna, zbyt gęsta, zbyt mocno przesycona czymś nieludzkim. A jednak była to krew, toteż przyciągała wampirkę mimo świadomości jej niewłaściwego charakteru.

Pachniała czymś dziwnym, egzotycznym, jakby z innego świata. Podążając za tą wonią, Stevie dotarła do pierwszych karmazynowych plam, które w burzowej ciemności przedświtu nawet jej sokoli wzrok zarejestrował jedynie jako kałuże na lodzie pokrywającym drogę i trawę. Ale Stevie Rae wiedziała, że to krew. Mnóstwo krwi.

Nie należącej ani do zwierzęcia, ani do człowieka.

Ścieżka płynnej ciemności wsiąkała w głąb lodowej pokrywy, gęstniejąc w miarę oddalania się od ulicy i znikając w najgłębszej części zagajnika za opactwem.

Odnalazła go w końcu pod jednym z największych drzew, skulonego pod olbrzymim, świeżo złamanym konarem, jakby dowlókł się tam, by skonać w ukryciu.

Przeszył ją dreszcz przerażenia. Patrzyła na Kruka Prześmiewcę.

Był gigantyczny. Większy, niż on i jego bracia wydawali się z daleka. Leżał na boku ze wspartą o ziemię głową, więc nie widziała dobrze jego twarzy, ale ogromne skrzydło było ewidentnie złamane, a ludzka ręka dziwnie wygięta i skąpana we krwi. Nogi, także ludzkie, miał podkurczone do pozycji embrionalnej. Pamiętała, że Darius strzelał do kruków, gdy wraz z Zo i resztą uciekinierów pędził wzdłuż Dwudziestej Pierwszej. Najwyraźniej i tego zestrzelił.

— Cholerka — mruknęła pod nosem Stevie. — Musiał spaść z bardzo wysoka.

Otoczyła usta rękoma, by zawołać Dallasa i pozostałych chłopaków i kazać im wytaszczyć stąd to ciało, gdy nagle Kruk Prześmiewca drgnął i otworzył oczy.

Zamarła. Przez chwilę wpatrywali się w siebie. Czerwone oczy kruka rozszerzyło zdumienie, dzięki czemu wyglądały w ptasiej twarzy niewiarygodnie ludzko. Stevie instynktownie przykucnęła, unosząc ręce w obronnym geście, gotowa wezwać ziemię, by dodała jej sił.

Wtedy kruk przemówił.

— Zabij mnie. Skończ to — wycharczał.

Głos też miał ludzki. Kompletnie oszołomiona dziewczyna opuściła ręce i zatoczyła się do tyłu.

— Ty umiesz mówić! — wyrwało jej się.

Kruk wtedy zrobił coś, co wstrząsnęło nią do głębi i na zawsze zmieniło jej dalsze życie: roześmiał się.

Oschły sarkastyczny rechot szybko przeszedł w jęk, ale jednak niewątpliwie był śmiechem i nadał jego słowom ludzki wymiar.

— Owszem — wychrypiał stwór, walcząc o oddech. — Mówię. Krwawię. Umieram. Zabij mnie i niech to się skończy. — Usiłował usiąść, jakby nie mógł się doczekać spotkania ze śmiercią. Krzyknął z bólu, niepokojąco ludzkie oczy uciekły mu w głąb głowy i zwalił się nieprzytomny na zmarzniętą ziemię.

Stevie Rae instynktownie podbiegła do niego, nim zdążyła się zastanowić, co robi. Zawahała się tylko na moment. Kruk opadł twarzą do ziemi, więc bez trudu odsunęła skrzydła i chwyciła go pod pachami. Był naprawdę wielki, przygotowała się zatem, że będzie też ciężki, ale nie — był tak leciutki, że bez najmniejszego problemu wlokła go w pojedynkę, podczas gdy jej umysł wrzeszczał jak opętany: „Co ty, do diabła, robisz?".

Właśnie — co ona robiła?

Nie wiedziała. Wiedziała jedynie, czego nie zrobi — nie miała najmniejszego zamiaru zabić Kruka Prześmiewcy.

ROZDZIAŁ TRZECI

Zoey

— Wyjdzie z tego? — Próbowałam szeptać, by nie zbudzić Starka, ale najwyraźniej mi się nie udało, bo jego powieki zatrzepotały, a usta wykrzywiły się lekko w bolesnej parodii zawadiackiego półuśmieszku.

— Jeszcze nie umarłem — mruknął.

— Nie do ciebie mówię — odparłam tonem znacznie bardziej zirytowanym, niż zamierzałam.

— Opanuj się, *u-we-tsi-a-ge-ya* — skarciła mnie łagodnie babcia Redbird, którą przeorysza klasztoru benedyktynek, siostra Mary Angela, wprowadzała właśnie do klasztornego szpitalika.

— Babcia! Jesteś! — Podbiegłam do niej i pomogłam siostrze posadzić ją na krześle.

— Ona po prostu się o mnie martwi. — Stark znów zamknął oczy, a po ustach błąkał mu się cień uśmiechu.

— Wiem, *tsi-ta-ga-a-s-ha-ya*. Zoey jest jednak przyszłą najwyższą kapłanką i musi się nauczyć panować nad emocjami.

Tsi-ta-ga-a-s-ha-ya! Roześmiałabym się w głos, gdyby babcia nie była tak blada i słaba, a ja bym się nie zamartwiała... hm... zbyt wieloma rzeczami.

— Przepraszam, babciu. Powinnam się lepiej kontrolować, ale to dość trudne, gdy ludzie, których kocham, co chwila próbują umrzeć! — dokończyłam szybko i wzięłam głęboki oddech, by się uspokoić. — Nie powinnaś być w łóżku?

— Wkrótce będę, *u-we-tsi-a-ge-ya*, wkrótce będę.

— Co znaczyło to *tsi-ta-ga-a-s*-coś tam? — zapytał Stark zbolałym głosem, bo Darius właśnie smarował mu ranę gęstą maścią. Był jednak wyraźnie zaintrygowany i rozbawiony.

— *Tsi-ta-ga-a-s-ha-ya* — poprawiła go babcia — znaczy „kogucik".

Oczy znów zabłysły mu wesoło.

— Wszyscy mówią, że mądra z pani kobieta.

— Znacznie ciekawsze jest to, co mówią o tobie, *tsi-ta-ga-a-s-ha-ya* — rzekła babcia.

Stark parsknął śmiechem, po czym skrzywił się z bólu, wciągając gwałtownie powietrze.

— Spokój! — uciszył go Darius.

— Siostro, podobno macie tu lekarza? — zapytałam, starając się nie okazywać paniki.

— Ludzki lekarz mu nie pomoże — rzekł Darius, nim siostra Mary Angela zdążyła odpowiedzieć. — Potrzebuje odpoczynku, spokoju i...

— Wystarczy odpoczynek i spokój — przerwał mu Stark. — Jak już powiedziałem: jeszcze nie umarłem. — Spojrzał wojownikowi w oczy. Zauważyłam, że Syn Ereba wzrusza ramionami i lekko kiwa głową, jakby wyrażał na coś zgodę.

Nie powinnam w ogóle zwracać uwagi na ich gierki, ale moja cierpliwość wyparowała już kilka godzin wcześniej.

— Może mi łaskawie powiecie, o co chodzi?

Pomagająca Dariusowi siostra rzuciła mi długie chłodne spojrzenie.

— Czy ranny nie powinien wiedzieć, że jego poświęcenie nie poszło na marne?

Jej ostre słowa zamknęły mi usta. W poczuciu winy nie mogłam wydobyć z siebie głosu. Wiedziałam, o co chodzi siostrze: Stark chciał oddać życie w zamian za moje. Usiłowałam przełknąć ślinę, choć gardło miałam suche. Ile było warte moje życie? Miałam dopiero siedemnaście lat. Ciągle coś psułam. Byłam wcieleniem dziewczyny stworzonej po to, by wciągnąć w pułapkę upadłego anioła, a to znaczyło, że w głębi duszy jestem zmuszona go kochać, choć wiem, że nie powinnam... że nie mogę...

Nie. To nie było warte życia Starka.

— Już to wiem — rzekł chłopak. Tym razem jego głos brzmiał pewnie i mocno. Zamrugałam, by powstrzymać łzy, i spojrzałam mu w oczy. — Zrobiłem tylko to, co do mnie należało — kontynuował. — Jestem wojownikiem. Oddałem się w służbę Zoey Redbird, najwyższej kapłance i ulubienicy Nyks. A to oznacza, że działam na rzecz bogini i jeśli tylko pomogłem Zoey pokonać zło, nie szkodzi, że zostałem przy tym powalony na ziemię i lekko przypalony.

— Dobrze powiedziane, *tsi-ta-ga-a-s-ha-ya* — pochwaliła babcia.

— Siostro Emily, zwalniam siostrę ze szpitalnych obowiązków do końca dzisiejszej nocy. Proszę przysłać na swoje miejsce siostrę Biancę. Może przydałaby się siostrze odrobina rozważań nad Łukaszem, rozdział szósty, werset trzydziesty siódmy — oznajmiła siostra Mary Angela.

— Dobrze, siostro — rzekła tamta i szybko opuściła pomieszczenie.

— Łukasz, rozdział szósty, werset trzydziesty siódmy? Co to takiego? — zapytałam.

— „Nie sądźcie, a nie będziecie sądzeni; nie potępiajcie, a nie będziecie potępieni; odpuszczajcie, a będzie wam odpuszczone"* — odparła babcia, wymieniając uśmiech z siostrą Mary Angelą.

---

* Ewangelia św. Łukasza 6, 37, tł. O. Walenty Prokulski TJ, Biblia Tysiąclecia, wyd. V, Pismo Święte Starego i Nowego Testamentu, w przekładzie z języków oryginalnych; oprac. zespół biblistów polskich z inicjatywy Benedyktynów Tynieckich, Wydawnictwo Pallottinum, Poznań 2008.

W tym momencie w uchylone drzwi zapukał cicho Damien.

— Możemy wejść? Jest tu ktoś, kto bardzo chce zobaczyć Starka. — Zerknął przez ramię i gestem nakazał temu komuś zostać w miejscu. W odpowiedzi usłyszeliśmy stłumione szczeknięcie sugerujące, że chodzi nie tyle o kogoś, ile o pewnego zwierzaka.

— Nie wpuszczajcie jej. — Stark gwałtownie odwrócił głowę, by nie patrzeć na drzwi, i skrzywił się z bólu. — Powiedz Jackowi, że mu ją daję.

— Nie. — Powstrzymałam Damiena, nim zdążył się wycofać. — Niech Jack ją wprowadzi.

— Zoey, nie, ja... — zaczął Stark, ale wzrokiem dałam mu do zrozumienia, żeby milczał.

— Po prostu ją wprowadźcie. — Spojrzałam mu w oczy. — Ufasz mi?

Patrzył na mnie przez czas, który wydawał mi się wiecznością. Wyraźnie dostrzegałam w jego spojrzeniu ból i obawę przed zranieniem; w końcu jednak chłopak skinął głową.

— Ufam — rzekł.

— No to jazda, Damien — zakomenderowałam.

Ten wymamrotał coś przez ramię do kogoś za swoimi plecami, po czym odsunął się na bok. Pierwszy do pokoju wszedł jego chłopak, Jack. Miał zaróżowione policzki i podejrzanie błyszczące oczy. Po kilku krokach przystanął i odwrócił się z powrotem do drzwi.

— Wejdź. Wszystko w porządku. On tu jest — powiedział.

Jasna labradorka zdumiewająco cicho jak na tak dużego psa wdreptała do pokoju i na chwilę zatrzymała się obok Jacka, merdając ogonem.

— Wszystko w porządku — powtórzył Jack, uśmiechając się do psa, a potem otarł łzy, które wymknęły mu się spod powiek i płynęły po policzkach. — Już mu lepiej.

Wskazał łóżko. Cesarzowa odwróciła głowę i spojrzała prosto na Starka.

— Cześć, ślicznotko — odezwał się z wahaniem chłopak, ledwie wydobywając głos ze ściśniętego wzruszeniem gardła.

Labradorka uniosła uszy i przekrzywiła głowę.

Stark wyciągnął rękę i przywołał psa gestem.

— Chodź, Cesa.

Jakby tym poleceniem zerwał jakąś tamę w jej duszy, Cesarzowa rzuciła się naprzód, skomląc, podskakując i poszczekując, czyli mówiąc krótko — zachowując się jak szczeniak, którym raczej nie mogła być, wziąwszy pod uwagę jej ponadstufuntowe cielsko.

— Nie! — rzucił ostro Darius. — Na łóżko nie wolno!

Cesarzowa usłuchała i zadowoliła się przystawieniem pyska do tułowia Starka oraz wetknięciem mu pod pachę swego wielkiego nochala, a on z rozanieloną twarzą głaskał ją i bez końca opowiadał, jak za nią tęsknił i jaki wspaniały z niej psiak.

Nie zauważyłam, że sama płaczę jak bóbr, póki Damien nie podał mi chusteczki.

— Dzięki — wymamrotałam i otarłam twarz.

Uśmiechnął się lekko, po czym podszedł do Jacka, objął go i poklepał po ramieniu, przy okazji jemu też wręczając chusteczkę.

— Chodź — powiedział — poszukajmy pokoju, który siostry dla nas przygotowały. Musisz odpocząć.

Jack chlipnął, pokiwał głową i pozwolił mu wywlec się z pomieszczenia.

— Jack, czekaj! — zawołał za nimi Stark.

Chłopak cofnął się i spojrzał na łóżko, na którym spoczywała głowa Cesarzowej wtulona w Starka, który z kolei otaczał szyję psa ramieniem.

— Świetnie się nią opiekowałeś, gdy mnie nie było.

— Cała przyjemność po mojej stronie. Nigdy wcześniej nie miałem psa, więc nawet sobie nie wyobrażałem, jakie to fajne. — Głos Jacka załamał się tylko troszeczkę; chłopak szybko odchrząknął i kontynuował: — Hm... cieszę się, że nie jesteś już zły, okropny i tak dalej i że Cesa znów może z tobą być.

— Skoro o tym mowa... — Stark urwał na moment, krzywiąc się z bólu. — Nie jestem jeszcze całkiem zdrowy, a nawet gdy wyzdrowieję, nie wiem, jaki będę miał plan zajęć, więc pomyślałem, że może moglibyśmy opiekować się nią wspólnie? Wyświadczysz mi wielką przysługę, jeśli się zgodzisz.

— Serio? — zapytał Jack z błyskiem w oku.

Znużony Stark pokiwał głową.

— Serio. Może zabralibyście ją teraz do swojego pokoju i przyprowadzili tu znowu za jakiś czas?

— Pewnie! — wykrzyknął Jack, po czym znów odchrząknął. — Jak już mówiłem, bardzo fajnie nam się współpracowało.

— To dobrze — skwitował Stark, unosząc w dłoni pysk Cesarzowej i patrząc jej w oczy. — Już dobrze, ślicznotko. Idź z Jackiem, żebym mógł wypocząć.

Wiedziałam, że musi mu to sprawiać potworny ból, ale usiadł i pochylił się, by pocałować psa i dać się polizać po twarzy.

— Dobry piesek... moja ślicznotka... — szeptał, całując ją ponownie. — A teraz idź z Jackiem! Idź! — rzucił, wskazując chłopaka.

Cesa raz jeszcze liznęła jego twarz, zaskomlała krótko i posłusznie przydreptała do Jacka, merdając ogonem i łasząc się do niego, podczas gdy on jedną ręką ją głaskał, a drugą ocierał łzy.

— Będę się o nią bardzo troszczył i przyprowadzę do ciebie dzisiaj zaraz po zachodzie słońca — obiecał. — Dobra?

Stark uśmiechnął się z wysiłkiem.

— Dobra. Dzięki, Jack. — I opadł na poduszki.

— On musi wypoczywać. — Darius ich wygonił i kontynuował zabiegi lecznicze.

— Zoey — rzekła siostra Mary Angela — pomożesz mi zaprowadzić babcię do pokoju? Ona też potrzebuje odpoczynku i spokoju. Wszyscy mieliśmy długą noc.

Wodziłam wzrokiem między dwojgiem ludzi, na których tak mi zależało i o których tak się martwiłam.

Stark pochwycił moje spojrzenie.

— Hej, zajmij się babcią. Czuję, że słońce wkrótce wzejdzie. Do tej pory będę już spał jak suseł.

— No dobra. — Podeszłam do łóżka i stałam tam niezręcznie, nie bardzo wiedząc, co zrobić. Pocałować go? Uścisnąć za rękę? Pokazać, że trzymam kciuki, i uśmiechnąć się debilnie? Wiecie, co mam na myśli: oficjalnie nie był moim chłopakiem, ale łączyła nas więź wykraczająca daleko poza zwykłą przyjaźń. Skonsternowana, zaniepokojona i lekko zażenowana położyłam mu rękę na ramieniu. — Dzięki za uratowanie mi życia — szepnęłam.

Gdy spojrzał mi w oczy, wszystko inne jakby zniknęło.

— Zawsze będę strzegł twojego serca, nawet gdyby to oznaczało, że moje musi przestać bić — odparł cicho.

Pochyliłam się i ucałowałam go w czoło.

— Postarajmy się, żeby to nie nastąpiło, zgoda? — wymamrotałam.

— Zgoda — odszepnął.

— Do zobaczenia po zachodzie słońca — powiedziałam na pożegnanie i podeszłam szybko do babci. Siostra Mary Angela i ja wzięłyśmy ją pod ramiona i niemal zaniosłyśmy długim korytarzem do kolejnej szpitalnej salki. Babcia sprawiała wrażenie tak maleńkiej i kruchej, że aż brzuch mnie rozbolał z obawy o nią.

— Nie frasuj się, *u-we-tsi-a-ge-ya* — powiedziała, gdy siostra układała jej pod głową poduszki i mościła łóżko.

— Przyniosę ci środek przeciwbólowy — zwróciła się do babci. — Sprawdzę też, czy żaluzje w pokoju Starka są dobrze zaciągnięte, więc macie parę minut dla siebie, ale kiedy wrócę, przypilnuję, żebyś wzięła tabletkę i zasnęła.

— Twarda z ciebie sztuka, Mary Angelo — skomentowała babcia.

— Trafił swój na swego, Sylvio — odparła siostra i szybko opuściła pokój.

Babcia uśmiechnęła się do mnie i poklepała łóżko obok siebie.

— Siadaj tu, *u-we-tsi-a-ge-ya*.

Usiadłam przy niej, podkurczając nogi i uważając, żeby za bardzo się nie wiercić. Twarz babci była posiniaczona i poparzona w wyniku eksplozji poduszki powietrznej, która uratowała jej życie. Na części wargi i policzka widniały ciemne szwy. Na głowie miała bandaż, a prawą rękę okrywał gips robiący okropne wrażenie.

— Czyż to nie ironiczne, że moje rany tak strasznie wyglądają, a jednak są znacznie mniej bolesne i groźne niż te niewidzialne, które ty w sobie nosisz? — zapytała.

Próbowałam jej mówić, że przecież nic mi nie jest, lecz kolejne słowa sprawiły, że dalsze wypieranie się straciło sens.

— Od kiedy wiesz, że jesteś wcieleniem A-yi?

ROZDZIAŁ CZWARTY

Zoey

— Czułam przyciąganie Kalony od chwili, w której pierwszy raz go ujrzałam — powiedziałam wolno. Nie chciałam okłamywać babci, co jednak wcale nie znaczyło, że wyjawienie jej prawdy przyjdzie mi łatwo. — Z tym że czuli je prawie wszyscy adepci, a nawet wampiry, jak gdyby rzucił na nich jakiś czar.

Babcia skinęła głową.

— Słyszałam to już od Stevie Rae. Ale z tobą to było coś innego, prawda? Coś więcej niż tylko magiczne przyciąganie?

— Tak. Właściwie nie byłam pod wpływem jego czaru. — Próbowałam przełknąć ślinę mimo suchości w gardle. — Nie dałam się nabrać, że jest Erebem, który zstąpił na ziemię, i wiedziałam, że knuje wraz z Neferet coś bardzo złego. Widziałam w nim mrok. Zarazem jednak chciałam z nim być. Nie wierzyłam, że może wybrać dobro; po prostu go pragnęłam, choć doskonale wiedziałam, że nie powinnam.

— Mimo to walczyłaś z tym pragnieniem, *u-we-tsi-a-ge-ya*. Wybrałaś własną drogę, drogę miłości, dobra i swojej bogini. Wygnałaś stąd demona. Wybrałaś miłość — powtórzyła powoli. — Niech ta świadomość będzie balsamem dla twojej rozdartej duszy.

Napięcie i strach, które do tej pory odczuwałam, poczęły słabnąć.

— Mogę podążyć własną drogą — powiedziałam pewniej, niż się czułam, odkąd zrozumiałam, że jestem nową A-yą. Potem zmarszczyłam brwi. Nie miałam wątpliwości, że coś mnie z nią łączy. Nazwijcie to esencją, duchem, czymkolwiek; w każdym razie było to coś, co wiązało mnie z nieśmiertelnym równie mocno jak ziemię, która przez wieki go więziła. — Nie jestem A-yą — rzekłam wolniej — ale nie do końca pozbyłam się Kalony. Co robić, babuniu?

Ujęła i ścisnęła moją dłoń.

— Sama już powiedziałaś, że podążasz własną ścieżką. A ta w tej chwili prowadzi cię do miękkiego ciepłego łóżka, w którym prześpisz cały dzień.

— Jeden kryzys naraz wystarczy?

— Jeden problem — poprawiła.

— Czas, żebyś posłuchała własnej rady, Sylvio — odezwała się siostra Mary Angela, wpadając do pokoju z plastikowym kubkiem wody w jednej ręce i tabletkami w drugiej.

Babcia rzuciła jej zmęczony uśmiech i odebrała tabletki. Gdy kładła je sobie na języku i popijała, zauważyłam, że drżą jej ręce.

— Zostawię cię teraz, żebyś odpoczęła, babciu.

— Kocham cię, *u-we-tsi-a-ge-ya*. Świetnie się dziś spisałaś.

— Bez ciebie niczego bym nie dokonała. Ja też cię kocham, babuniu. — Nachyliłam cię i ucałowałam ją w czoło, a gdy zamknęła oczy i opadła na poduszki z błogim uśmiechem, wyszłam z salki za siostrą i kiedy tylko znalazłyśmy się na korytarzu, zasypałam ją pytaniami.

— Znalazły się pokoje dla wszystkich? Jak się czują czerwoni adepci? Nie wie siostra, czy Stevie z Erikiem, Heathem i innymi przeszukali teren wokół opactwa? Jesteśmy bezpieczni?

Siostra uniosła rękę, powstrzymując potok pytań.

— Dziecko, odetchnij i daj mi dojść do słowa.

Powstrzymałam westchnienie i w wymuszonym milczeniu ruszyłam za nią korytarzem, słuchając opowieści o tym, jak to siostry wydzieliły dla czerwonych adeptów przytulny kącik w suterenie, bo Stevie Rae twierdziła, że najlepiej im będzie pod ziemią.

Moja ekipa znajdowała się na górze, w pokojach gościnnych. Owszem, teren wokół opactwa został dokładnie przeszukany i nie znaleziono na nim Kruków Prześmiewców.

— Siostra jest naprawdę niesamowita. — Uśmiechnęłam się do niej, gdy przystanęłyśmy przed zamkniętymi drzwiami na końcu korytarza. — Dziękuję.

— Nie ma za co — odparła po prostu. — Służę Maryi. — Otworzyła mi drzwi. — To schody prowadzące do sutereny. Większość adeptów podobno już tam jest.

— Zoey! Wreszcie cię znalazłem. Musisz to zobaczyć na własne oczy. Nie uwierzysz, co zrobiła Stevie Rae — rzucił Damien, biegnąc w naszą stronę po schodach.

Poczułam ucisk w żołądku.

— Co? — zapytałam pełna najgorszych przeczuć. — Coś złego?

Wyszczerzył się od ucha do ucha.

— No coś ty. Przeciwnie. To niewiarygodne! — Ujął mnie za rękę i pociągnął za sobą.

— Damien ma rację — rzekła siostra Mary Angela, schodząc za nami. — Myślę jednak, że „niewiarygodne" nie jest właściwym słowem.

— Czyżby lepiej pasowało „okropne" albo „potworne"? — zapytałam.

Damien ścisnął moją dłoń.

— Przestań być taką panikarą. Pokonałaś dziś Kalonę i Neferet. Wszystko będzie dobrze!

Odpowiedziałam uściskiem na uścisk i zmusiłam się do uśmiechu, choć w głębi duszy wiedziałam, że to co wydarzyło się minionej nocy, nie było zakończeniem ani nawet zwycięstwem. Było okropnym, potwornym początkiem.

— Kurczę! — Rozglądałam się dookoła w zdumieniu.

— Raczej: „kurczę do kwadratu" — poprawił mnie Damien.

— Stevie Rae to zrobiła?

— Tak twierdzi Jack — odparł. Staliśmy obok siebie wpatrzeni w mrok świeżo wydrążonego tunelu.

— Trochę straszne... — mruknęłam.

Spojrzał na mnie dziwnie.

— Co masz na myśli?

— No... — urwałam, wiedząc jedynie, że tunel wzbudza we mnie dreszcz. — Jest taki ciemny...

Damien parsknął śmiechem.

— A jaki ma być? Przecież to nora wydrążona w ziemi.

— Dla mnie to coś bardziej naturalnego niż nora w ziemi — wtrąciła siostra Mary Angela, dołączając do nas u wylotu tunelu i razem z nami zaglądając w ciemność. — Z jakiegoś powodu poprawia mi nastrój. Może podoba mi się zapach.

Wszyscy wciągnęliśmy powietrze. Jeśli o mnie chodzi, poczułam... hm, ziemię. Damien powiedział jednak:

— Żyzny i zdrowy.

— Jak świeżo zaorane pole — przytaknęła siostra.

— No widzisz? — zwrócił się do mnie chłopak. — Nie ma w tym nic strasznego. Z wielką chęcią ukryłbym się tu podczas tornada.

Poczułam się przewrażliwiona i trochę śmieszna, więc po długim wydechu ponownie zajrzałam w głąb tunelu, usiłując ujrzeć go w innym świetle i ocenić w oparciu o właściwy instynkt.

— Mogę na chwilę pożyczyć od siostry latarkę?

— Pewnie.

Podała mi dużą, solidną prostokątną latarkę, którą przyniosła z głównej piwnicy do tej niewielkiej jej części nazywanej spiżarnią. Burza lodowa, która przez kilka ostatnich dni szalała nad Tulsą, pozbawiła opactwo i niemal całe miasto prądu. Siostry miały generatory gazowe, więc w głównym budynku świeciło kilka lamp elektrycznych (w towarzystwie mnóstwa uwielbianych przez zakonnice świec), ale nie marnowały elektryczności na oświetlanie piwnicy, wskutek czego poza światłem latarki panowała tu całkowita ciemność. Skierowałam promień w głąb tunelu.

Nie był zbyt wielki. Gdybym rozłożyła ręce, mogłabym bez trudu dotknąć obu jego ścian. Spojrzałam w górę. Sufit był o jakąś stopę nad moją głową. Znów wciągnęłam powietrze, usiłując wyczuć ten poprawiający nastrój zapach, który rzekomo czuli siostra i Damien. Zmarszczyłam nos. Śmierdziało ciemnością i wilgocią, korzeniami i czymś wyłaniającym się spod powierzchni. Podejrzewałam, że to coś pełza i skrada się... Na samą myśl o tym przeszedł mnie dreszcz.

Szybko jednak wzięłam się w garść. Niby dlaczego tunel wykopany w ziemi tak mnie przerażał? Miałam dar komunikacji z ziemią. Potrafiłam przywołać ją do siebie. Nie powinnam się jej bać. Zacisnęłam zęby i zrobiłam krok naprzód. Potem kolejny. I jeszcze jeden.

— Hej, Zo, nie wchodź za głęboko. Masz nasze jedyne światło, a nie chcę, żeby siostra została w ciemnościach. Może się wystraszyć.

Pokręciłam głową i odwróciłam się z uśmiechem, kierując promień latarki ku wylotowi tunelu i oświetlając zaniepokojoną twarz Damiena oraz spokojne oblicze siostry.

— Myślisz, że siostra zakonna mogłaby się przestraszyć ciemności?

Damien wiercił się nerwowo.

Siostra położyła mu rękę na ramieniu.

— Miło, że o mnie myślisz, Damienie, ale ja nie lękam się mroku.

Dawałam mu właśnie znak, żeby nie był takim lalusiem, kiedy uderzyła mnie nagła zmiana w powietrzu za moimi plecami. Od razu się zorientowałam, że w tunelu jest ktoś jeszcze. Przeszedł mnie potworny dreszcz i miałam ochotę wziąć nogi za pas, wydostać się stąd jak najszybciej i nigdy, przenigdy nie wracać.

Już miałam ruszyć biegiem, gdy dopadł mnie gniew na samą siebie. Przed chwilą walczyłam z nieśmiertelną istotą, z którą łączyło mnie głęboko ukryte duchowe pokrewieństwo, i nie uciekłam.

Teraz też tego nie zrobię.

— Zoey, co się dzieje? — usłyszałam dobiegający jakby z bardzo daleka głos Damiena.

Już odwracałam się twarzą do mroku.

Niespodziewanie zmaterializowało się przede mną migotliwe światełko przywodzące na myśl rozjarzone oko podziemnego potwora. Nie było duże, ale tak jasne, że wywoływało plamki w moim polu widzenia i chwilami mnie oślepiało, więc gdy podnosiłam wzrok, miałam wrażenie, że potwór posiada trzy głowy, wielką zmierzwioną grzywę i wykręcone groteskowo ramiona.

Wtedy zrobiłam to, co zrobiłby na moim miejscu każdy rozsądny człowiek. Wciągnęłam wielki haust powietrza i wypuściłam najlepszy dziewczyński wrzask, na jaki było mnie stać. Troje ust jednookiego potwora odpowiedziało tym samym. Za sobą słyszałam równie imponujący krzyk Damiena i — przysięgam! — cichutki pisk siostry Mary Angeli. Wbrew swemu postanowieniu brałam właśnie nogi za pas, gdy jedna z potwornych głów przestała wrzeszczeć i weszła w zasięg promienia mojej latarki.

— Kurde, Zoey, odwaliło ci? To tylko ja i Bliźniaczki. Przez ciebie o mało nie dostałyśmy zawału! — powiedziała znajomym głosem.

— Afrodyta? — Przycisnęłam dłoń do serca, żeby mi nie wyskoczyło z piersi.

— No a kto? — burknęła, przechodząc koło mnie z niesmakiem. — Na boginię, weź się w garść!

Bliźniaczki wciąż stały w tunelu. Erin tak mocno obejmowała dłonią wysoką świecę, że aż zbielały jej knykcie. Shaunee niemal wciskała się ramieniem w przyjaciółkę. Obie znieruchomiały i miały szeroko rozwarte oczy.

— Yyy... cześć — powiedziałam. — Nie wiedziałam, że tu jesteście.

Pierwsza ocknęła się Shaunee.

— Coś ty? — Delikatnie otarła czoło drżącą ręką i zwróciła się do Erin: — Bliźniaczko, czy jestem blada jak kreda?

Erin zamrugała.

— Wątpię, czy to możliwe. — Zmrużyła oczy, by lepiej się jej przyjrzeć. — Nie, wciąż wyglądasz jak słodkie cappuccino. — Uniosła wolną rękę do swoich gęstych złotych włosów i zaczęła je gorączkowo macać. — A czy ja wyłysiałam albo przedwcześnie obrzydliwie osiwiałam?

Zmarszczyłam brwi.

— Erin, nie wyłysiałaś ani nie osiwiałaś. Shaunee, nie możesz zblednąć jak kreda. Do licha, najpierw to wyście mnie przestraszyły!

— Słuchaj no, jak jeszcze kiedyś będziesz chciała przegonić Neferet i Kalonę, to po prostu wrzaśnij tak jak teraz — zasugerowała Erin.

— Właśnie. Ryknęłaś, jakbyś straciła resztki rozumu — dodała Shaunee, mijając mnie szybko.

Wyszłam za nimi do spiżarni, w której Damien wachlował się, wyglądając bardziej gejowsko niż zazwyczaj, a siostra Mary Angela właśnie kończyła robić znak krzyża. Położyłam latarkę światłem do góry na stoliku pełnym słoików z czymś, co dziwnie przypominało unoszące się w płynie płody.

— Co tu właściwie robicie? — zapytałam.

— Ten cały Dallas powiedział, że właśnie tędy przedostali się spod dworca — wyjaśniła Shaunee.

— Mówił, że to robota Stevie Rae i że jest tu fajnie — dodała Erin.

— No więc stwierdziłyśmy, że zejdziemy i same obadamy sprawę — kontynuowała Shaunee.

— A ty czemu tu z nimi jesteś? — zapytałam Afrodytę.

— Dynamiczny Duet potrzebował ochrony, więc oczywiście zwrócił się do mnie.

— Jak to się stało, że tak nagle wyszłyście z tunelu? — zapytał Damien, nie czekając, aż Bliźniaczki zaczną kłótnię.

— Pikuś. — Erin szybko ruszyła w głąb tunelu, wciąż niosąc świecę. Przeszła parę kroków więcej, niż przedtem zrobiłam ja, i odwróciła się do nas. — W tym miejscu tunel skręca ostro w lewo. — Skręciła i jej światło znikło, by za chwilę pojawić się z powrotem. — Dlatego zobaczyłyśmy się dopiero w ostatniej chwili.

— To niesamowite, że Stevie Rae jakimś cudem zdołała zrobić coś takiego — zauważył Damien, nie zbliżając się do tunelu ani na krok i pozostając w snopie światła.

Siostra z kolei podeszła do samego wylotu, z czcią dotykając ściany nowo powstałego przejścia.

— Zrobiła to z pomocą siły wyższej — rzekła.

— Czy ma siostra na myśli swoją teorię, że Matka Boska to inne wcielenie Nyks?

Podskoczyliśmy na dźwięk przeciągłej mowy Stevie Rae dobiegającej z drugiego końca spiżarni.

— Tak, moje dziecko. Właśnie to mam na myśli.

— Nie chcę siostry urazić, ale to chyba najdziwniejsza rzecz, jaką w życiu słyszałam — odparła Stevie, podchodząc do nas. Wydała mi się blada. Gdy się zbliżyła, poczułam od niej dziwny zapach, lecz z uśmiechem na twarzy wyglądała uroczo i znajomo. — Zo, czy to ty wydałaś ten okropny dziewczyński wrzask, który przed chwilą słyszałam?

— Niestety tak. — Wyszczerzyłam się mimowolnie. — Byłam w tunelu i niespodziewanie wyskoczyły na mnie Bliźniaczki i Afrodyta.

— Ach, teraz rozumiem. Afrodyta rzeczywiście jest trochę straszna — przyznała Stevie.

Zaśmiałam się zadowolona ze zmiany tematu.

— Skoro o tym mowa, nie znaleźliście żadnych Kruków Prześmiewców?

Odwróciła wzrok.

— Teren jest bezpieczny — powiedziała szybko. — Nie ma powodów do obaw.

— Tak się cieszę — odparła siostra. — Te stworzenia są takie wstrętne... pół ludzie, pół zwierzęta... — Zadrżała. — Co za ulga, żeśmy się ich pozbyli.

— Ale to nie była ich wina! — rzuciła gwałtownie Stevie.

— Co takiego? — Siostra wyglądała na mocno zaskoczoną obronnym tonem dziewczyny.

— One się nie prosiły na świat w takiej formie! Są ofiarami zrodzonymi z gwałtu i zła!

— Mnie tam ich nie żal — mruknęłam, zastanawiając się, dlaczego moja przyjaciółka mówi, jakby broniła tych obrzydliwych stworów.

Damien aż zadrżał.

— Czy musimy o nich rozmawiać?

— Nie — odparła pospiesznie Stevie. — Jasne, że nie.

— To świetnie. Nawiasem mówiąc, przyprowadziłem tu Zoey, żeby jej pokazać wykopany przez ciebie tunel. Jest niesamowity, wiesz?

— Dzięki, Damien! To było naprawdę fajne uczucie, gdy odkryłam, że potrafię to zrobić.

Stevie zrobiła parę kroków naprzód, mijając mnie i wchodząc w głąb tunelu, gdzie natychmiast połknęła ją ciemność ciągnąca się w dal niczym wnętrzności wielkiego hebanowego węża. Uniosła ręce, przyciskając wnętrza dłoni do ziemistych ścian, i nagle przypomniała mi się scena z *Samsona i Dalili*, starego filmu, który jakiś miesiąc wcześniej oglądałam z Damienem. Przez głowę przemknął mi obraz Dalili, która przyprowadziła niewidomego Samsona pomiędzy ogromne kolumny podtrzymujące stadion pełen okropnych, dokuczających ślepcowi ludzi, a on odzyskał swoją magiczną siłę, odepchnął kolumny i zniszczył siebie oraz...

— Prawda, Zoey?

— Co? — ocknęłam się z zamyślenia zasmucona posępną sceną, którą odtwarzałam w pamięci.

— Mówiłam, że Matka Boska nie przesuwała dla mnie ziemi, gdy tworzyłam tunel. Dokonała tego moc otrzymana od Nyks. O rany, w ogóle mnie nie słuchałaś! — westchnęła Stevie Rae, która oderwała już ręce od ścian tunelu i patrzyła na mnie z miną sugerującą, że myśli: „Co, u diabła, dzieje się w jej głowie?".

— Jeszcze raz. Co powiedziałaś o Nyks?

— Że nie sądzę, żeby Nyks i ta cała Maryja miały ze sobą coś wspólnego. Co jak co, ale mamuśka Jezusa z całą pewnością nie pomogła mi przesuwać ziemi, żeby wydrążyć ten tunel. — Stevie wzruszyła jednym ramieniem. — Nie chcę siostry urazić ani nic takiego, po prostu tak właśnie myślę.

— Masz prawo do własnej opinii, Stevie Rae — rzekła zakonnica z typowym dla niej spokojem. — Powinnaś jednak wiedzieć, że mówienie, iż w coś nie wierzysz, nie sprawia automatycznie, że to coś nie istnieje.

— Cóż — wtrącił się Damien — trochę o tym myślałem i wcale nie uważam tej hipotezy za szczególnie dziwną. Pamiętajcie, że w *Vademecum adepta* Matka Boska jest przedstawiona jako jedno z wielu obliczy Nyks.

— O — mruknęłam — serio?

Rzucił mi surowe spojrzenie, ponad wszelką wątpliwość mówiące: „Naprawdę powinnaś się pilniej uczyć", po czym kontynuował profesorskim tonem:

— Tak. Istnieją niepodważalne dowody, że podczas eksplozji chrześcijaństwa w Europie świątynie poświęcone Gai, a także Nyks przerabiano na świątynie maryjne na długo przed nawróceniem się mieszkańców na nową...

Uspokojona jego nudziarską nawijką zajrzałam w głąb tunelu. Ciemność była gęsta i nieprzenikniona. Kilka cali za Stevie Rae nie widziałam kompletnie nic. Gapiłam się, wyobrażając sobie, że ktoś się tam kryje. Ktoś albo coś mogło się czaić o kilka stóp od nas i pozostawać w ukryciu, dopóki nie zechciałoby się ujawnić. Byłam tym przerażona.

Przecież to śmieszne! — ofuknęłam się. To po prostu zwykły tunel! Mimo to zawładnął mną irracjonalny lęk, który niestety denerwował mnie do tego stopnia, że miałam ochotę z nim walczyć. Niczym typowa blondynka z horroru zrobiłam więc krok w ciemność. Potem następny.

Otoczyła mnie całkowita czerń.

Wiedziałam, że znajduję się o kilka kroków od spiżarni i swoich przyjaciół. Słyszałam, jak Damien gada o religii i bogini. Ale serce kołatało mi w piersi jak szalone, całkowicie przysłaniając wszelki rozsądek. Dusza, instynkt — nazwijcie to, jak chcecie — bezgłośnie wołały do mnie: „Uciekaj! Wiej stąd! Już!".

Czułam nacisk ziemi, jakbym się znajdowała nie w wydrążonej norze, lecz w dole, do którego sypano piach, dusząc mnie... dławiąc... więżąc...

Oddychałam coraz szybciej. Wiedziałam, że mam atak paniki, i nie potrafiłam go powstrzymać. Chciałam uciec z tej dziury, która usuwała mi się spod nóg jak śliski wąż,

ale zdołałam jedynie zrobić pół chwiejnego kroku do tyłu...
Nogi nie chciały mnie słuchać! Przed oczami pojawiły się
jasne oślepiające plamki, a wszystko wokół zrobiło się szare.
Potem już tylko spadałam i spadałam...

ROZDZIAŁ PIĄTY

Zoey

Ciemność była nieprzenikniona. Oślepiała nie tylko wzrok, lecz wszystkie zmysły. Przypuszczałam, że spazmatycznie łapię oddech i macham rozpaczliwie rękami, usiłując znaleźć cokolwiek, czego mogłabym dotknąć, co mogłabym usłyszeć lub poczuć. Cokolwiek, co pozwoli mi na nowo uchwycić rzeczywistość. Niestety byłam całkowicie pozbawiona wrażeń zmysłowych, jak gdyby istniał jedynie kokon ciemności i oszalałe bicie mojego serca.

Czyżbym umarła?

Nie, raczej nie. Pamiętałam, że chwilę wcześniej znajdowałam się w tunelu pod opactwem benedyktynek, zaledwie o kilka stóp od swoich przyjaciół. Ciemność mnie przeraziła, ale chyba nie na śmierć?

Pamiętałam jednak strach. Potworny strach.

Potem była już tylko ciemność.

Co się ze mną stało? Nyks! — *krzyczał mój umysł.* — *Bogini, ratuj! Błagam, pokaż mi jakieś światło!*

Wsłuchaj się w swoją duszę...

Chyba krzyknęłam, czując w głowie ten słodki, pokrzepiający głos, ale kiedy umilkł, znów pozostała tylko absolutna cisza i mrok.

Jak, u diabła, miałam się wsłuchać w swoją duszę?

Próbowałam się uspokoić i coś usłyszeć, lecz była tylko ta cisza — wysysająca wszystko czarna, pusta, nieskończona cisza niepodobna do niczego, co dotąd przeżyłam. Nie miałam pojęcia, co robić, wiedziałam jedynie...

Nagłe olśnienie na moment aż mnie zamroczyło.

Zrozumiałam, co muszę zrobić! Pewna część mnie już kiedyś doświadczyła takiej ciemności.

Nie widziałam. Nie czułam. Nie mogłam uczynić nic z wyjątkiem skoncentrowania się na sobie w poszukiwaniu tej części, która może odnaleźć w tym wszystkim sens i wyprowadzić mnie stamtąd.

Wspomnienie nabrało kształtów i zaniosło mnie w daleką przeszłość. Lata odpływały do tyłu, aż wreszcie znów zaczęłam czuć.

Powoli budziły się zmysły. Zaczęłam słyszeć coś więcej niż tylko własne myśli. Wokół mnie pulsował rytm werbli, w który wplatały się głosy kobiet. Powrócił też węch — rozpoznałam wilgotny zapach przywodzący na myśl tunel pod opactwem. W końcu poczułam także dotyk ziemi pod swymi nagimi plecami. Miałam tylko moment na przesianie tych wszystkich odzyskanych wrażeń, nim w pełni odzyskałam świadomość, otworzyłam oczy i zorientowałam się, że nie jestem sama. Leżałam przyciśnięta do ziemi przez czyjeś ręce.

Potem ten ktoś się odezwał.

— O bogini! Nie, to nie może być prawda!

Poznałam głos Kalony. Instynktownie krzyknęłam i próbowałam się szamotać, ale nie panowałam nad swoim ciałem, a słowa płynące z moich ust nie były moje.

— Ciii, nie rozpaczaj. Jestem z tobą, najdroższy.

— Uwięziłaś mnie! — wykrzyknął, jednocześnie wzmacniając uścisk. Rozpoznałam zimną namiętność jego nieśmiertelnych objęć.

— Uratowałam — odpowiedział mój, a zarazem obcy głos, ciało zaś przywarło do niego swobodnie. — Nie zosta-

łeś stworzony do chodzenia po tym świecie. Dlatego byłeś
tak nieszczęśliwy, tak nienasycony.

— Nie miałem wyjścia! Śmiertelni tego nie pojmują.

Obejmowałam rękami jego szyję. Moje palce wplatały się
w jego miękkie ciężkie włosy.

— Ja pojmuję. Rozluźnij się przy mnie, daj odpocząć
smutnej niecierpliwości. U mnie znajdziesz pociechę.

Poczułam jego uległość, jeszcze zanim się odezwał.

— Tak — wymruczał. — Pogrzebię smutek w tobie
i w końcu pozbędę się tej rozpaczliwej tęsknoty.

— Tak, mój kochany, mój małżonku i wojowniku... tak...

W tym momencie zatraciłam się w A-yi. Nie potrafiłam
określić, gdzie się kończy jej pragnienie, a zaczyna moja
własna dusza. Nawet jeśli wciąż miałam wybór, nie chciałam
go. Wiedziałam jedynie, że jestem tu gdzie moje przeznacze-
nie — w ramionach Kalony.

Okrył nas skrzydłami, nie pozwalając, by mnie spalił
chłód jego ciała. Nasze wargi się zetknęły i poznawaliśmy
się powoli, dokładnie, w poczuciu zachwytu i poddania. Gdy
ciała zaczęły się poruszać w równym rytmie, poznałam smak
całkowitej rozkoszy.

I wtedy nagle zaczęłam się rozpuszczać.

— Nie! — wyrwało się z mojego gardła i duszy. Nie chcia-
łam znikać! Chciałam z nim zostać! Tu było moje miejsce!

Ale nadal nie miałam władzy nad sobą. Poczułam, jak się
rozpadam, powracam do ziemi, a w głowie huczał mi szloch
A-yi: „Pamiętaj”...

Poczułam palące uderzenie w policzek i wciągnęłam głęboki oddech, który oczyścił mój umysł z resztek ciemności.
Otworzyłam oczy i zaraz je zmrużyłam, bo poraził mnie
ostry promień światła latarki.

— Pamiętam — powiedziałam głosem równie zardze-
wiałym jak mój umysł.

— Pamiętasz, kim jesteś, czy mam ci jeszcze raz przywalić z liścia? — zapytała Afrodyta.

Mój umysł pracował bardzo wolno, bo w duchu wciąż krzyczałam: „Nie!", buntując się przeciw wyrwaniu mnie z mroku. Zamrugałam i potrząsnęłam głową, próbując rozjaśnić myśli.

— Nie! — wykrzyknęłam tak rozdzierająco, że Afrodyta instynktownie się odsunęła.

— Świetnie — powiedziała. — Podziękować możesz później.

Siostra Mary Angela pochyliła się nade mną, odgarniając mi włosy ze spoconej zimnej twarzy.

— Zoey, wiesz, gdzie jesteś?

— Tak — odparłam łamiącym się głosem.

— Co się stało? Co cię tak przeraziło?

— Chyba nie będziesz rzygać, co? — zapytała lekko drżącym głosem Erin.

— Nie masz zamiaru wypluć płuc ani nic z tych rzeczy? — dodała Shaunee równie zaniepokojona jak jej przyjaciółka.

Stevie Rae odepchnęła Bliźniaczki na bok i podeszła do mnie.

— Odezwij się, Zo. Naprawdę nic ci nie jest?

— Wszystko w porządku. Nie umieram ani nic podobnego. — Udało mi się w miarę uporządkować myśli, choć nie potrafiłam się pozbyć resztek rozpaczy, której zaznałam, będąc A-yą. Moi przyjaciele zapewne się przestraszyli, że zaczynam odrzucać Przemianę. Zmuszając się do koncentracji na teraźniejszości, wyciągnęłam rękę do Stevie Rae. — Pomóż mi wstać. Już jest dobrze.

Pociągnęła mnie i ostrożnie podtrzymywała za łokieć, gdy usiłowałam złapać równowagę.

— Co się stało, Zo? — zapytał Damien, przyglądając mi się uważnie.

Niby co miałam powiedzieć? Przyznać się przed nimi wszystkimi do tego, że przeżyłam niewiarygodnie żywe wspomnienie poprzedniego życia, w którym oddałam się swojemu obecnemu wrogowi? Nie miałam nawet czasu przedrzeć się przez labirynt nieznanych emocji wywołanych we mnie przez tę wizję. Jak mogłam ją wyjaśnić przyjaciołom?

— Po prostu nam opowiedz, kochanie. Wypowiedziana prawda zawsze jest mniej przerażająca niż podejrzenia — rzekła siostra Mary Angela.

Westchnęłam.

— Tunel mnie przeraził! — palnęłam.

— Przeraził? Coś w nim było? — Damien wreszcie przestał się na mnie gapić i zamiast tego wpatrywał się nerwowo w wylot tunelu.

Bliźniaczki zrobiły parę kroków w tył.

— Nie, nic... — Zawahałam się. — Przynajmniej tak sądzę. W każdym razie nie to mnie przeraziło.

— Chcesz nam wmówić, że zemdlałaś, bo się przestraszyłaś ciemności? — zapytała z powątpiewaniem Afrodyta.

Wszyscy wlepili we mnie wzrok.

Odchrząknęłam.

— Hej, może Zoey po prostu nie chce mówić o pewnych rzeczach — wtrąciła nagle Stevie Rae.

Spojrzałam na nią i uświadomiłam sobie, że jeśli teraz nie opowiem o tym, co mi się przed chwilą przydarzyło, nie będę zdolna stawić czoła jej tajemnicom.

— Masz rację — przyznałam. — Nie chcę o tym mówić, ale zasługujecie na to, by poznać prawdę. — Rozejrzałam się po wszystkich zebranych. — Tunel tak mnie przeraził, bo moja dusza go rozpoznała. — Odchrząknęłam raz jeszcze i kontynuowałam: — Przypomniałam sobie czas, kiedy zostałam uwięziona w głębi ziemi wraz z Kaloną.

— Chcesz powiedzieć, że w tobie naprawdę tkwi cząstka A-yi? — zapytał łagodnie Damien.

Kiwnęłam głową.

— Jestem sobą, ale jakimś sposobem jestem też częścią niej.

— Ciekawe... — Damien westchnął ciężko.

— Tylko co to, u diabła, oznacza dla ciebie i Kalony dziś? — zapytała Afrodyta.

— Nie wiem! Nie wiem! Nie mam pojęcia! — wybuchnęłam, gotując się z nerwów i kompletnej konsternacji w obliczu tego, co się przed chwilą wydarzyło. — Myślicie, że znam wszystkie odpowiedzi? Mam tylko to wspomnienie i zero czasu na jego analizę. Może byście się łaskawie trochę wycofali i pozwolili mi to wszystko przetrawić?

Przestępowali z nogi na nogę, mrucząc „dobra" i patrząc na mnie, jakby myśleli, że postradałam zmysły. Ignorując ich spojrzenia i pozostające bez odpowiedzi pytania, które niemal materializowały się w otaczającym nas powietrzu, zwróciłam się do Stevie Rae:

— Wyjaśnij mi, jak konkretnie wykopałaś ten tunel.

Z jej pytającego spojrzenia wnosiłam, że mój ton ją zaniepokoił. Wypowiedziane przeze mnie słowa nie zabrzmiały, jakbym chciała zmienić temat z zażenowania, że okazałam się nowym wcieleniem jakiejś przedpotopowej ślicznotki. Zabrzmiały jak słowa najwyższej kapłanki.

— No cóż, to nie było nic takiego. — Wyglądała na niespokojną i spłoszoną. Od razu się zorientowałam, że jej obojętność jest całkowicie udawana. — Jesteś pewna, że nic ci nie jest? Może powinniśmy iść na górę i znaleźć dla ciebie trochę coli czy czegoś? No wiesz, skoro to miejsce wywołuje w tobie wspomnienia, to chyba lepiej będzie pogadać gdzie indziej.

— Nic mi nie jest. W tej chwili chcę poznać historię twojego tunelu. — Spojrzałam jej prosto w oczy. — Opowiadaj, jak go wykopałaś.

Czułam, że pozostałe osoby, z siostrą Mary Angelą włącznie, obserwują nas z zaciekawieniem i odrobiną konsternacji, ale całą uwagę koncentrowałam na Stevie Rae.

— No dobra. Wiesz, że tunele z czasów prohibicji biegną prawie pod wszystkimi budynkami w centrum, no nie?

Skinęłam głową.

— Owszem.

— I pamiętasz, jak ci mówiłam, że zrobiłam mały wywiad, dokąd prowadzą?

— Pamiętam.

— No więc odkryłam, że to zablokowane wejście, o którym kiedyś mówił Ant, no wiesz, to pod Philtower... — znów kiwnęłam niecierpliwie głową — ...było częściowo zasypane, ale jak pogrzebałam w otworze, który został, i odgarnęłam trochę ziemi, poczułam chłodne powietrze i pomyślałam, że z drugiej strony może być większy tunel. Więc zaczęłam pchać rękami, umysłem i swoim żywiołem. No i ziemia mnie posłuchała.

— Posłuchała? W sensie zatrzęsła się czy coś? — zapytałam.

— Raczej przesunęła. Tak jak chciałam. Jak sobie wymyśliłam. — Urwała. — Trochę trudno to wytłumaczyć. Po prostu ziemia, która wypełniała tunel, skruszyła się i utworzyła większy otwór, przez który przeszłam do bardzo, bardzo starego tunelu.

— I ten stary tunel był zrobiony z ziemi, a nie otoczony betonem jak te pod dworcem i centrum miasta, tak? — zapytał Damien.

Stevie pokiwała głową z uśmiechem, potrząsając szopą jasnych loków.

— Tak! I zamiast do centrum leciał do Midtown.

— Aż tutaj? — Nie potrafiłam sobie wyobrazić, jak długi musi być ten tunel. Nawet taka oślica matematyczna jak ja wiedziała, że to strasznie daleko.

— Nie. Jak już go znalazłam i tak jakby otworzyłam, ruszyłam na rekonesans. Tunel zaczyna się jako jedna z odnóg tego pod Philtower. Zaciekawiło mnie, że oddala się od centrum.

— Skąd wiedziałaś? — przerwał jej Damien. — Jak mogłaś wiedzieć, w którą stronę biegnie?

— To dla mnie pikuś! Zawsze potrafię odnaleźć północ, kierunek mojego żywiołu. A jak już ją mam, potrafię też znaleźć wszystko inne.

— Hm... — mruknął Damien.

— Mów dalej — pogoniłam Stevie.

— Potem tunel się skończył. Nagle. Początkowo nie grzebałam dalej, ale to było, zanim mi przekazałaś, że mamy się spotkać u sióstr. Znaczy miałam zamiar jeszcze trochę tam powęszyć, tylko mi się nie spieszyło. Jak napisałaś, że może będę musiała przeprowadzić wszystkich do opactwa, nie mogłam przestać myśleć o tym tunelu. Pamiętałam, że biegł we właściwym kierunku. No więc poszłam tam znowu. Myślałam o tym, gdzie chcę się dostać, i chciałam, żeby tunel szedł właśnie tam. Potem znowu naparłam na ziemię, tak jak wtedy przy poszerzaniu otworu, tylko mocniej. I nagle rach-ciach, ziemia zaczęła robić to, co jej kazałam, i raz-dwa znaleźliśmy się tutaj. — Zakończyła zamaszystym gestem i szerokim uśmiechem.

W ciszy, która zapadła po wyjaśnieniach Stevie, głos siostry Mary Angeli zabrzmiał bardzo zwyczajnie i rozsądnie, dzięki czemu moje uwielbienie dla niej jeszcze wzrosło.

— Interesujące, prawda? Stevie Rae, możemy się nie zgadzać w kwestii źródła twojego daru, lecz mimo to jestem pod wrażeniem jego wielkości.

— Dzięki, siostro! Ja też uważam, że siostra jest niesamowita, zwłaszcza jak na zakonnicę!

— Jakim sposobem widziałaś coś w tym mroku? — zapytałam.

— E, ja w ogóle dobrze widzę w ciemnościach, ale moi adepci trochę gorzej, więc wzięłam z tuneli pod dworcem parę latarek. — Wskazała kilka latarni olejnych, których wcześniej nie dostrzegłam w zacienionych kątach spiżarni.

— Mieliście do przejścia szmat drogi — zauważyła Shaunee.

— Fakt. Musiało tam być ciemno i strasznie — dodała Erin.

— Oj tam, ja się ziemi nie boję. Moi adepci też nie. — Stevie wzruszyła ramionami. — Już mówiłam, że to nie było nic takiego. Bułka z masłem.

— I udało ci się przyprowadzić tu bezpiecznie wszystkich czerwonych adeptów? — zapytał Damien.

— No!

— To znaczy których? — zapytałam.

— Jak to „których"? Co ty gadasz, Zo? — obruszyła się. — Przyprowadziłam wszystkich czerwonych, których już poznaliście, a oprócz nich Erika i Heatha. O kim jeszcze mówisz? — Jej głos brzmiał normalnie, ale cały czas unikała mojego wzroku, a na koniec roześmiała się nerwowo.

Poczułam ucisk w żołądku. Ona nadal mnie okłamywała! A ja nie miałam pojęcia, co z tym zrobić.

— Może Zoey wciąż czuje się oszołomiona z powodu wyczerpania, które z pewnością odczuwa po dzisiejszych przeżyciach — odezwała się siostra kojącym głosem i położyła mi na ramieniu ciepłą dłoń. — Wszyscy jesteśmy zmęczeni. — Uśmiechnęła się do każdego po kolei. — Wkrótce zaświta. Chodźcie, rozlokuję was po pokojach. Gdy dobrze wypoczniecie, wszystko stanie się prostsze.

Pokiwałam znużoną głową i pozwoliłam jej wyprowadzić nas z podziemi schodami, którymi nie tak dawno zeszliśmy tutaj. Zamiast jednak wyjść na korytarz opactwa, siostra na półpiętrze otworzyła boczne drzwi, których nie dostrzegłam wcześniej, gdy biegłam za Damienem. Krótsze schody prowadziły do głównej piwnicy, całkiem zwyczajnej, choć dużej, obecnie przerobionej z wielkiej pralni na zbiorową sypialnię. Wzdłuż dwóch przeciwległych ścian stały polowe łóżka z kocami i poduszkami. Sprawiały wrażenie wygodnych. Na jednym widniało wybrzuszenie wielkości człowieka, a wystający spod koca strąk marchewkowych włosów dał mi do zrozumienia, że to Elliott odsypia już nocne trudy. Reszta czerwonych adeptów zebrała się przy suszarkach do ubrań — siedzieli na składanych krzesłach, na których zawsze marznie mi tyłek, i wpatrywali się w duży płaski telewizor stojący na jednej z suszarek. Strasznie ziewali, co znaczyło, że świt zbliża się wielkimi krokami, lecz jednocześnie wydawali się pochłonięci czymś, co pokazywano w telewizorze. Zerknęłam na ekran i mimo zmęczenia uśmiechnęłam się od ucha do ucha.

Dźwięki muzyki? Oni naprawdę oglądali ten stary film? Roześmiałam się głośno.

Siostra Mary Angela spojrzała na mnie i uniosła brew.

— To jedna z naszych ulubionych płyt. Pomyślałam, że może się spodobać także adeptom.

— Klasyka! — rzekł Damien z podziwem.

— Kiedyś uważałam, że ten młody faszysta jest niezłym ciachem — mruknęła Shaunee.

— Nie licząc tego, że wkopuje Von Trappów — dodała Erin.

— Przez co okazał się znacznie mniej fajny — dokończyła Shaunee, po czym obie wzięły sobie krzesła i dołączyły do oglądających.

— Za to Julie Andrews wszyscy lubią — powiedziała Stevie Rae.

— Powinna zlać te zasrane bachory — odezwała się sprzed ekranu Kramisha, obracając się i rzucając siostrze zmęczony uśmiech. — Przepraszam za „zasrane", siostro, ale są rozpuszczone jak dziadowski bicz.

49

— Potrzebowały tylko miłości, troski i zrozumienia, jak wszystkie dzieci — odparła siostra.

— Zaraz się porzygam — mruknęła Afrodyta. — Zanim zaczniecie się roztkliwiać nad problemem nieszczęsnej Marii i będę musiała poprzegryzać swoje smukłe nadgarstki, odmeldowuję się i idę szukać Dariusa oraz mojego pokoju. — Zatrzepotała powiekami i ruszyła do wyjścia.

— Afrodyto! — zawołała za nią siostra, a kiedy dziewczyna zatrzymała się i spojrzała na nią, kontynuowała: — Myślę, że Darius jest u Starka. Możesz iść powiedzieć mu „dobranoc". Twój pokój jest na trzecim piętrze. Będziesz spać z Zoey, a nie z wojownikiem.

— Ups — mruknęłam pod nosem.

Afrodyta przewróciła oczami.

— Czemu mnie to nie dziwi? — I mamrocząc coś do siebie, znów ruszyła do wyjścia.

— Wybacz, Zo — zwróciła się do mnie Stevie Rae, zerkając na nią z politowaniem. — Chętnie znów dzieliłabym z tobą pokój, ale myślę, że powinnam zostać tutaj. Po wschodzie słońca lepiej się czuję pod ziemią, a poza tym muszę się trzymać blisko moich adeptów.

— Nie ma sprawy — odpowiedziałam nieco zbyt szybko.

Hm... więc nie miałam już nawet ochoty przebywać sam na sam ze swoją najlepszą przyjaciółką?

— Reszta jest na górze? — zapytał Damien. Zauważyłam, jak się rozgląda, i nie miałam wątpliwości, że szuka Jacka.

Ja z kolei nie rozglądałam się za ż a d n y m ze swoich chłopaków. Szczerze mówiąc, po idiotycznym pokazie buzującego testosteronu, jaki dali przed opactwem, zaczęłam dochodzić do wniosku, że bycie samotną jest całkiem niezłą opcją.

A potem pojawił się Kalona i wspomnienie, którego wolałabym nigdy nie mieć.

— Tak, wszyscy są na górze, w łóżkach albo w jadalni. Hej, ziemia do Zoey! Koniecznie musisz tam zajrzeć. Siostry mają niesamowity wybór twoich ulubionych doritos. Znalazłem nawet dla ciebie prawdziwą colę z kofeiną i cukrem! — zawołał Heath, zeskakując z trzech ostatnich schodków i lądując w piwnicy.

ROZDZIAŁ SZÓSTY

Zoey

— Dzięki, Heath. — Stłumiłam westchnienie, gdy do mnie podchodził, podając mi serowe doritos i puszkę coli.

— Zo, jeśli naprawdę nic ci nie jest, chciałbym teraz odszukać Jacka, sprawdzić, co z Cesarzową, a potem zdrzemnąć się przez jakiś fragment wieczności — rzekł Damien.

— Nie ma sprawy — odparłam szybko, nie chcąc, żeby w obecności Heatha napomknął o moim wspomnieniu A-yi.

— Gdzie Erik? — zapytała Stevie Rae, gdy zajęłam się chłeptaniem coli.

— Na dworze. Wciąż zgrywa ważniaka — mruknął Heath.

— Znaleźliście coś, jak już poszłam? — zapytała Stevie Rae tak ostro, że kilkoro czerwonych adeptów oderwało wzrok od Marii i Von Trappów śpiewających *My Favorite Things* i spojrzało na nią.

— Nie, Erik po prostu robi z siebie palanta i uważa, że musi jeszcze raz sprawdzić teren, który już dokładnie przeszukałem z Dallasem.

Na dźwięk swojego imienia Dallas oderwał wzrok od telewizora.

— Wszystko w porządku, Stevie.

Stevie Rae dała mu znak, żeby podszedł, a kiedy pospiesznie do nas dołączył, powiedziała cicho:

— Gadaj.

— Już ci powiedziałem na zewnątrz — odparł, co chwila zerkając na telewizor, na beżowe kucyki i świeże francuskie ciasto z jabłkami.

Stevie szturchnęła go w ramię.

— Skup się, do cholery! Teraz nie jesteśmy na zewnątrz, a ja chcę wszystko usłyszeć jeszcze raz.

Chłopak westchnął, przestał się oglądać i uśmiechnął do niej słodko i pobłażliwie.

— Dobra, dobra. Ale zrobię to tylko dlatego, że mnie tak grzecznie poprosiłaś. — Stevie zmarszczyła brwi, a on mówił dalej: — Erik, Johnny B., Heath — urwał i wskazał chłopaka ruchem głowy — i ja przeszukaliśmy teren, który nam przydzieliłaś, choć wcale nie było to fajne, bo lód jest strasznie śliski i zimno jak diabli. — Umilkł, lecz Stevie Rae wciąż gapiła się na niego, więc po chwili wznowił opowieść.

— W każdym razie, jak już doskonale wiesz — ostatnie słowa wyrzekł z naciskiem — robiliśmy to w czasie, gdy ty przeszukiwałaś okolice Dwudziestej Pierwszej. Potem spotkaliśmy się przy grocie i powiedzieliśmy ci, że znaleźliśmy trzy ciała na rogu Lewis i Dwudziestej Pierwszej. Kazałaś nam się nimi zająć, a potem poszłaś. No więc się zajęliśmy, a później ja, Heath i Johnny B. przyszliśmy do środka, żeby się wysuszyć, najeść i pooglądać filmy, a Erik chyba wciąż przeszukuje teren.

— Po co? — zapytała ostro Stevie Rae.

Wzruszył ramionami.

— Może dlatego, że jest palantem, tak jak mówi Heath.

— Mówiłeś coś o ciałach? — zapytała siostra Mary Angela.

Skinął głową.

— Tak, znaleźliśmy trzy ciała Kruków Prześmiewców. Widać, że to te zestrzelone przez Dariusa, bo miały dziury po kulach.

Siostra ściszyła głos.

— Co z nimi zrobiliście?

— Wrzuciliśmy do kubła za opactwem, tak jak nam kazała Stevie. Strasznie tam zimno, więc się nie rozłożą. Zresztą w najbliższym czasie raczej nie przyjedzie żadna śmieciarka, biorąc pod uwagę lód i tak dalej. Stwierdziliśmy, że mogą tam poleżeć, póki nie zdecydujecie, co z nimi zrobić.

— Na Boga... — Zakonnica zbladła jak ściana.

— Wrzuciliście je do kubła? Nie kazałam wam ich wrzucać do kubła! — wrzasnęła na chłopaka Stevie Rae.

— Ciii... — skarciła ją Kramisha, a pozostali kinomani spojrzeli na nią wymownie.

Siostra dała nam znak, by iść za nią. Szybko wyszliśmy w pięcioro z piwnicy, wspięliśmy się po schodach i znaleźliśmy w holu opactwa.

— Dallas! Nie mogę uwierzyć, że wrzuciliście kruki do kubła! — zaatakowała adepta Stevie Rae, gdy tylko znaleźliśmy się poza zasięgiem słuchu pozostałych.

— A myślałaś, że co z nimi zrobimy? Wykopiemy grób i odśpiewamy mszę? — żachnął się, po czym rzucił okiem na zakonnicę. — Przepraszam, nie chciałem bluźnić, siostro. Moi rodzice są katolikami.

— Jestem pewna, że nie miałeś złych intencji, moje dziecko — odparła nieco drżącym głosem siostra. — Ciała... W ogóle o nich nie pomyślałam.

— Niech się siostra nie martwi. — Heath niezręcznie poklepał ją po ramieniu. — My się nimi zajmiemy. Rozumiem, że to straszne: skrzydlaty facet, Neferet, Kruki Prześmiewcy, trudno to wszystko...

— Nie mogą zostać w tym cholernym kuble! — przerwała Heathowi Stevie, jakby w ogóle go nie słyszała. — To nieuczciwe!

— Dlaczego? — spytałam spokojnie. Do tej pory milczałam, bo przyglądałam się jej i doskonale widziałam, że staje
się coraz bardziej nerwowa.

Tym razem nie miała najmniejszego problemu ze spojrzeniem mi w oczy.

— Po prostu nieuczciwe — powiedziała.

— Były częściowo nieśmiertelnymi potworami, które ro-
biły co w ich mocy, żeby nas zabić, i uczyniłyby to w ułamku
sekundy, gdyby tylko Kalona dał im sygnał — zauważyłam.

— Częściowo nieśmiertelnymi, a częściowo...? — zapytała Stevie.

Zmarszczyłam brwi, ale nim zdążyłam odpowiedzieć,
zrobił to Heath.

— Ptakami?

— Nie. — Stevie nawet na niego nie spojrzała. Wciąż
patrzyła mi w oczy. — Ptasia część to ta nieśmiertelna. Ich
krew jest w połowie ludzka. Ludzka, Zoey. Jest mi żal tej
ludzkiej części i uważam, że zasługuje na więcej niż wyrzu-
cenie do kubła.

W jej spojrzeniu i głosie było coś, co naprawdę mnie zanie-
pokoiło. Powiedziałam pierwsze, co mi przyszło do głowy.

— Potrzeba czegoś więcej niż przypadkowe pokrewieństwo, by zacząć komuś współczuć.

Oczy jej zabłysły i drgnęła, jakbym ją spoliczkowała.

— Wygląda na to, że w tej sprawie się różnimy.

I nagle zrozumiałam, dlaczego Stevie potrafi współczuć
Krukom Prześmiewcom. W jakiś przewrotny sposób musiała widzieć w nich siebie. Umarła, a potem poprzez coś, co
można by nazwać przypadkiem, zmartwychwstała, nie odzyskując jednak większości swego człowieczeństwa. Później
z kolei, przez kolejny „przypadek", odzyskała to człowieczeństwo. Patrząc na sprawę w ten sposób, prawdopodobnie
współczuła im dlatego, że wiedziała, jak to jest być częściowo potworem, a częściowo człowiekiem.

— Hej — powiedziałam łagodnie, żałując, że nie jesteśmy w Domu Nocy i nie możemy porozmawiać tak swobodnie jak kiedyś — jest duża różnica między przypadkiem powodującym, że ktoś się rodzi jako dziwoląg, a czymś strasznym, co przytrafia się komuś już po narodzinach. Z jednej strony jesteś, jaka jesteś, a z drugiej ktoś próbuje przerobić cię na coś innego...

— Co? — zdziwił się Heath.

— Zoey chyba próbuje powiedzieć, że rozumie, dlaczego Stevie Rae może współczuć zabitym Krukom Prześmiewcom, nawet jeśli tak naprawdę nic jej z nimi nie łączy — wyjaśniła siostra Mary Angela. — I ma rację. Te stworzenia są mroczne i musiały umrzeć, a jednak ja także jestem zasmucona ich śmiercią.

— Obie się mylicie! — powiedziała gwałtownie Stevie, odwracając ode mnie wzrok. — Wcale tak nie myślę, ale nie mam zamiaru z nikim o tym rozmawiać! — Ruszyła szybko wzdłuż korytarza, oddalając się od nas.

— Stevie! — zawołałam za nią.

Nawet się nie odwróciła.

— Poszukam Erika, sprawdzę, czy wszystko w porządku, i przyślę go tu. Potem pogadamy. — Skręciła i znikła za drzwiami prowadzącymi prawdopodobnie na zewnątrz, zatrzaskując je głośno.

— Zwykle się tak nie zachowuje — rzekł Dallas.

— Będę się za nią modlić — szepnęła siostra.

— Nie martwcie się — mruknął Heath. — Niedługo wróci. Zaraz wzejdzie słońce.

Otarłam dłonią twarz. Powinnam pójść za Stevie Rae, przyprzeć ją do muru i zmusić, żeby mi powiedziała, o co tu chodzi. W tej chwili jednak miałam zbyt wiele problemów, by dokładać kolejny. Nie poradziłam sobie jeszcze ze wspomnieniem A-yi. Czułam, jak wciąż telepie się gdzieś na tyłach mojego umysłu niczym grzeszny sekret.

— Zo, wszystko w porządku? Wyglądasz na kogoś, kto rozpaczliwie potrzebuje snu. Jak my wszyscy — rzekł Heath i ziewnął.

Zamrugałam i obdarzyłam go zmęczonym uśmiechem.

— Fakt. Idę spać. Ale najpierw zajrzę jeszcze na moment do Starka.

— Na bardzo krótki moment — powiedziała siostra.

Skinęłam głową.

— Dobra — mruknęłam, nie patrząc na Heatha — to widzimy się za jakieś osiem godzin, co?

— Dobranoc, moje dziecko. — Siostra objęła mnie i szepnęła: — I niech Matka Boska ma cię w opiece.

— Dziękuję — odszepnęłam i lekko odwzajemniłam uścisk.

Gdy odeszła, Heath ni stąd, ni zowąd wziął mnie za rękę. Spojrzałam na niego pytająco.

— Odprowadzę cię do pokoju Starka — oznajmił.

Czując, że nie mam w tej sprawie wiele do powiedzenia, wzruszyłam ramionami i pomaszerowaliśmy korytarzem, trzymając się za ręce. Szliśmy obok siebie w milczeniu. Jego dłoń była ciepła i znajoma, więc zaczęłam się rozluźniać, aż nagle Heath chrząknął.

— Yyy, wiesz, chciałem cię przeprosić za tę głupią kłótnię z Erikiem. To było bez sensu. Nie powinienem się przejmować jego gadaniem — rzekł.

— Fakt, nie powinieneś, ale on potrafi być wkurzający — przyznałam.

Heath uśmiechnął się szeroko.

— Coś o tym wiem. Niedługo go rzucisz, co?

— Heath, nie zamierzam dyskutować z tobą o Eriku.

Uśmiechnął się jeszcze szerzej, a ja przewróciłam oczami.

— Mnie nie nabierzesz. Za dobrze cię znam. Nie lubisz facetów, którzy tak się rządzą.

— Zamknij się i idź — burknęłam, lecz ścisnęłam jego dłoń, a on odwzajemnił uścisk.

Miał rację — nie lubiłam facetów, którzy się rządzili. I rzeczywiście bardzo dobrze mnie znał.

Dotarliśmy do zakrętu. Było tam fajne duże okno widokowe, a przed nim wykusz z wyłożoną poduszkami ławeczką wyglądającą na idealne miejsce do czytania. Na parapecie stała piękna porcelanowa figurka Maryi, wokół której paliło się kilka świeczek wotywnych. Zwolniliśmy i zatrzymaliśmy się przy oknie.

— Ładne — powiedziałam cicho.

— Tak, nigdy nie zwracałem zbytniej uwagi na Matkę Boską, ale te wszystkie jej figury oświetlone świecami są naprawdę niezłe. Myślisz, że siostra ma rację? Że Maryja to Nyks, a Nyks to Maryja?

— Nie mam pojęcia.

— Myślałem, że rozmawiasz z Nyks.

— Tak, czasami. Nigdy jednak nie poruszyła tematu Matki Boskiej — odparłam.

— No cóż, może następnym razem po prostu ją zapytasz?

— Może.

Staliśmy tak, trzymając się za ręce i patrząc, jak ciepłe żółte płomyki tańczą na tle połyskującej figurki. Myślałam o tym, jak byłoby miło, gdyby bogini odwiedziła mnie w czasach, kiedy nie zaprzątały mnie sprawy życia i śmierci, gdy nagle Heath zapytał:

— Podobno Stark ślubował zostać twoim wojownikiem?

Przyjrzałam mu się badawczo, szukając oznak złości albo zazdrości, lecz jego błękitne oczy wyrażały jedynie ciekawość.

— Tak.

— Słyszałem, że więź kapłanki z wojownikiem jest czymś wyjątkowym.

— Owszem — przyznałam.

— To ten chłopak, który nigdy nie chybia celu, prawda?

— Tak.

— Więc kiedy masz go po swojej stronie, to jakby cię chronił Terminator?

Uśmiechnęłam się.

— No cóż, Stark nie jest taki wielki jak Arnold, ale to chyba dość dobre porównanie.

— On też cię kocha?

Zaskoczył mnie tym pytaniem. Nie wiedziałam, co odpowiedzieć. Taki był Heath od czasów podstawówki — zawsze trafiał w sedno.

— Hej, po prostu powiedz prawdę.

— Tak. Myślę, że mnie kocha.

— A ty jego?

— Może — odparłam niechętnie. — Ale to nie zmienia moich uczuć do ciebie.

— W takim razie co to oznacza dla nas dwojga?

Dziwne, że niemal powtórzył pytanie Afrodyty o to, co oznacza dla Kalony i dla mnie wspomnienie A-yi. Czułam się przytłoczona, bo nie umiałam odpowiedzieć na żadne z tych pytań. Potarłam prawą skroń, która zaczynała mi pulsować od migreny.

— Pewnie to, że jesteśmy skojarzeni i rozzłoszczeni.

Heath milczał. Patrzył na mnie tylko tym swoim znajomym słodkim, smutnym wzrokiem, który więcej mówił o tym, jak bardzo go ranię, niż mogłoby powiedzieć dziesięć hałaśliwych kłótni.

Łamał mi serce.

— Heath, strasznie mi przykro. Ja po prostu... po prostu... — Głos mi się załamał, więc spróbowałam raz jeszcze. — Po prostu nie wiem w tej chwili, co zrobić z mnóstwem rzeczy.

— A ja wiem. — Usiadł na ławce i wyciągnął do mnie ramiona. — Chodź tu, Zo.

Pokręciłam głową.

— Heath, nie mogę...

— O nic cię nie proszę — przerwał mi stanowczo. — Ja tylko ci coś daję. Chodź.

Gdy tak patrzyłam na niego z konsternacją, westchnął, chwycił mnie za ręce i łagodnie pociągnął moje sztywne, lecz nie stawiające oporu ciało na swoje kolana i w ramiona. Przygarnął mnie, opierając policzek o czubek mojej głowy, tak jak robił, odkąd mnie przerósł, czyli mniej więcej od ósmej klasy. Wtuliłam twarz w jego szyję i wdychałam znajomy zapach, zapach mojego dzieciństwa przywodzący wspomnienie długich letnich wieczorów, gdy siedzieliśmy na podwórzu przy pułapce na komary, słuchając muzyki i gadając; imprez pomeczowych, gdy wciśnięta pod ramię Heatha słuchałam zachwytów mnóstwa dziewczyn (chłopaków zresztą też) nad jego grą; długich pocałunków na dobranoc i emocji towarzyszących odkryciu miłości.

I nagle uświadomiłam sobie, że w jego znajomych bezpiecznych objęciach zaczęłam się rozluźniać. Westchnęłam i wtuliłam się w niego.

— Lepiej? — wymruczał.

— Lepiej — odparłam. — Heath, ja naprawdę nie wiem...

— Przestań! — Na moment przygarnął mnie mocno, potem rozluźnił ramiona. — Nie masz się teraz martwić o mnie, o Erika ani o tego nowego chłopaka. Teraz masz tylko wspominać. Pamiętać, jak było między nami od lat. Jestem tu dla ciebie, Zo. Jestem tu mimo wszystkich tych okropności, które nie bardzo rozumiem. Jesteśmy sobie przeznaczeni. Tak mówi moja krew.

— Dlaczego? — zapytałam, wciąż przytulona do niego.

— Dlaczego wciąż tu jesteś i wciąż chcesz ze mną być, choć wiesz o Eriku i Starku?

— Bo cię kocham — rzekł najzwyczajniej w świecie. — Kocham cię, odkąd pamiętam, i będę kochał do końca życia.

Łzy szczypały mnie w oczy i musiałam mocno mrugać, by nie wypuścić ich spod powiek.

— Heath, Stark nie zniknie z mojego życia. A w sprawie Erika jeszcze nie zdecydowałam, co zrobić.

— Wiem.

Wzięłam głęboki oddech.

— Łączy mnie też więź z Kaloną, której nie potrafię się pozbyć — wyrzuciłam z siebie jednym tchem.

— Ale postawiłaś mu się i wygnałaś go.

— Owszem, tylko że... mam wyryte głęboko w duszy wspomnienia innego życia, a osoba, którą wtedy byłam, była związana z Kaloną.

Zamiast zadawać setki pytań albo odsunąć się ode mnie, Heath przygarnął mnie jeszcze mocniej.

— Wszystko będzie dobrze — powiedział, sprawiając wrażenie, że naprawdę tak myśli. — Znajdziesz jakieś wyjście.

— Niby jakie? Nie wiem nawet, co zrobić z tobą.

— Nie musisz ze mną nic r o b i ć. Jestem z tobą. I tyle. — Urwał i zaraz dodał, jakby chciał jak najszybciej wyrzucić z siebie te słowa: — Jeśli muszę się tobą dzielić z wampirami, niech tak będzie.

Odchyliłam się w jego ramionach, by spojrzeć mu w oczy.

— Heath, jesteś stanowczo zbyt zazdrosny, żebym uwierzyła, że nie przeszkadza ci obecność w moim życiu innego faceta.

— Nie powiedziałem, że mi nie przeszkadza. Na pewno nie będzie mi się to podobało, ale nie chcę cię stracić, Zoey.

— To wszystko jest stanowczo zbyt dziwaczne — stwierdziłam.

Gdy próbowałam się odwrócić, ujął mnie pod brodę.

— Owszem, dziwaczne. Prawda jest jednak taka, że dopóki jesteśmy skojarzeni, łączy cię ze mną więź, której nie ma nikt inny. Mogę ci dać coś, o czym każdy z tych drakulo-podobnych gości może najwyżej pomarzyć.

Gapiłam się na niego. Oczy lśniły mu od łez. Wyglądał na znacznie więcej niż osiemnaście lat i niemal mnie to przeraziło.

— Nie chcę cię zasmucać — powiedziałam. — Nie chcę ci zniszczyć życia.

— W takim razie przestań się mnie pozbywać. Jesteśmy sobie przeznaczeni.

Wiem, że nie powinnam tego robić, ale zamiast mu powiedzieć, że nasz związek nie może się udać, wtuliłam się w niego i pozwoliłam mu się obejmować. Było to z mojej strony samolubne. Po prostu zatraciłam się w nim i w swojej przeszłości. Objęcia Heatha były wprost idealne — nie próbował mnie całować, nie obściskiwał, nie obmacywał. Nawet nie proponował, że się zrani i pozwoli mi pić swoją krew, co natychmiast wyzwoliłoby w nas niepohamowaną namiętność. Trzymał mnie łagodnie, mrucząc, jak bardzo mnie kocha. Mówił, że wszystko będzie dobrze. Czułam bicie jego serca, pompowanie smacznej kuszącej krwi, tak ciepłej i bliskiej; ale w tym momencie bardziej niż jej potrzebowałam poczucia jego bliskości, naszej wspólnej historii i siły jego zrozumienia.

W tamtej właśnie chwili Heath Luck, mój chłopak z liceum, został prawdziwym partnerem najwyższej kapłanki Zoey Redbird.

ROZDZIAŁ SIÓDMY

Stevie Rae

Stevie Rae zatrzasnęła drzwi opactwa i wyszła w lodowatą noc. Czuła się jak kompletna palantka. Tak naprawdę wcale nie była zła na Zoey ani na bardzo miłą, choć nieco pomyloną zakonnicę. W gruncie rzeczy była zła jedynie na siebie.

— Cholera jasna! Co ja wyprawiam! — wrzasnęła na siebie. Nie zamierzała wszystkiego tak dokumentnie spieprzyć, ale miała wrażenie, że przedziera się przez ogromną górę łajna, która powiększa się i powiększa niezależnie od tego, jak szybko się kopie.

Zoey nie była idiotką. Wiedziała, że coś jest nie tak. To było oczywiste, lecz Stevie nie miała pojęcia, jak mogłaby w ogóle zacząć rozmowę z nią na ten temat. Zbyt wiele trzeba by wyjaśniać. No i jak można wyjaśnić to? A przecież ona wcale tego wszystkiego nie chciała. Zwłaszcza tej części, która dotyczyła Kruka Prześmiewcy. Do diabła, nim go tam znalazła prawie martwego, nawet nie myślała, że coś takiego jest możliwe! Gdyby ktoś wcześniej jej o nim powiedział, roześmiałaby i powiedziała: „Daj spokój, to jakaś bajka".

A jednak to się zdarzyło. On się zdarzył.

Maszerując w lodowatej ciszy w poszukiwaniu tego durnego Erika, który mógł odkryć jej ostatni, najstraszliwszy sekret i na dobre uruchomić lawinę nieszczęść, zastanawiała się, jakim cudem wpakowała się w tak potworny bałagan. Po co go ratowała? Dlaczego po prostu nie zawołała Dallasa i pozostałych, żeby go dobili?

Sam przecież mówił, że tego chce, nim stracił przytomność.

Wszystko przez to, że przemówił. Tak ludzko! Nie potrafiła go zabić.

— Erik! — Gdzie on, do licha, się podział? — Erik! — wołała w mrok, przerywając swoją wewnętrzną walkę. A skoro o mroku mowa... Stevie zmrużyła oczy i spojrzała na wschód, gdzie ciemność zaczynała już przybierać śliwkową barwę przedświtu. — Erik! — wrzasnęła po raz trzeci. — Wracaj! — Zatrzymała się i rozejrzała po milczącym terenie opactwa.

Jej wzrok spoczął na szklarni zamienionej w tymczasową stajnię dla koni, na których Zo i jej towarzysze przyjechali z Domu Nocy. Ale wzrok Stevie przyciągnęła nie tyle sama szklarnia, ile niewinnie wyglądająca szopa obok niej — całkiem zwyczajna nieduża dobudówka bez okien, której siostry nawet nie zamykały. Stevie Rae dobrze o tym wiedziała, bo niedawno tam była.

— Hej, co się dzieje? Zauważyłaś tam coś?

— Rany! — Stevie podskoczyła i obróciła się gwałtownie. Serce tak jej waliło, że z trudem łapała oddech. — Erik! Przeraziłeś mnie na śmierć! Mógłbyś łaskawie następnym razem robić jakiś hałas, zamiast podkradać się bezszelestnie i straszyć ludzi?

— Wybacz, Stevie Rae, ale to ty mnie wołałaś.

Stevie założyła za ucho kosmyk jasnych loków i starała się nie zwracać uwagi na drżenie dłoni. Zdecydowanie nie była zbyt dobra w czajeniu się i ukrywaniu przed przyjaciółmi ważnych faktów. Uniosła jednak brodę i próbowała opanować nerwy, a najprostszym sposobem na to było wyżycie się na tym debilu Eriku.

Zmrużyła oczy.

— Właśnie. Wołałam cię, bo powinieneś być w budynku razem ze wszystkimi. Co ty tu jeszcze robisz, do cholery? Denerwujesz Zoey. Jakby ostatnio miała za mało stresów.

— Zoey mnie szukała?

Stevie Rae z wielkim trudem powstrzymała się od przewrócenia oczami. Co za dupek! Czasami zachowywał się jak idealny chłopak, a kiedy indziej przeobrażał w aroganckiego palanta. Musi powiedzieć o tym Zo... o ile Zo w ogóle będzie chciała jej słuchać. Ostatnio trochę się od siebie oddaliły. Zbyt wiele tajemnic, zbyt wiele różnic...

— Stevie Rae, czy ty mnie słuchasz? Pytałem, czy Zoey mnie szukała.

Wtedy jednak przewróciła oczami.

— Powinieneś być w środku. Heath, Dallas i reszta już dawno tam są. Zoey o tym wie. Pytała, gdzie do cholery się podziewasz i czemu nie ma cię tam, gdzie są wszyscy.

— Skoro tak się martwiła, dlaczego sama nie wyszła?

— Nie powiedziałam, że się martwiła! — wykrzyknęła Stevie zniecierpliwiona egocentryzmem Erika. — Ma za dużo na głowie, żeby się bawić w twoją niańkę!

— Nie potrzebuję niańki.

— Serio? To co ja tu robię?

— Nie wiem, może sama mi powiesz? Właśnie szedłem do budynku. Chciałem tylko jeszcze raz obejść granice opactwa. Pomyślałem, że lepiej sprawdzić teren, który niby miał przeszukać Heath. Dobrze wiesz, że ludzie nic nie widzą w ciemnościach.

— Heath był z Johnnym B., który nie jest człowiekiem — odparła z westchnieniem Stevie. — Wracaj już. Weź sobie coś do jedzenia i suche ciuchy. Siostry ci powiedzą, gdzie masz spać. Ja obejdę teren raz jeszcze, zanim wzejdzie słońce.

— Jeśli wzejdzie — poprawił ją, patrząc zmrużonymi oczami w niebo.

Podążyła za jego wzrokiem i w poczuciu, że zrobiła z siebie kompletną idiotkę, dopiero teraz zauważyła, że niebo znów wypluwa z siebie marznący deszcz.

— Tylko tego nam brakowało — mruknęła.

— Cóż, przynajmniej zmyje ślady krwi kruków — zauważył Erik.

Spojrzała na niego gwałtownie. Cholera jasna! O tym nawet nie pomyślała. Czyżby ktoś zauważył smugi krwi ciągnące się do szopy? Trzeba być kompletną debilką, żeby zostawić dowód, który praktycznie wrzeszczy: „Halo! Tu jestem!".

Uświadomiła sobie, że Erik oczekuje odpowiedzi.

— Tak, pewnie tak. Może spróbuję przykryć krew lodem i gałęziami — powiedziała z udawaną beztroską.

— Pewnie to niezły pomysł na wypadek, gdyby jakimś ludziom zachciało się spacerować mimo tej paskudnej aury. Pomóc ci?

— Nie — odparła stanowczo zbyt szybko, po czym zmusiła się do wzruszenia ramionami. — Przy moich nadzwyczajnych zdolnościach czerwonej wampirki zajmie to tylko sekundę. Zero problemu.

— No to w porzo. — Erik ruszył w stronę opactwa, ale zawahał się. — Zwróć uwagę na te ślady na skraju szpaleru drzew, niedaleko osiedla i drogi. Wyglądały dość obrzydliwie.

— Dobra. Wiem, gdzie to jest. — Jasne, że wiedziała.

— Aha, mówiłaś, że gdzie jest Zoey?

— Nie sądzę, żebym to mówiła, Erik.

Zmarszczył brwi i czekał, a ona tylko patrzyła na niego w milczeniu.

— No? — ponaglił ją w końcu. — Gdzie jest?

— Jak ją ostatnio widziałam, gadała z Heathem i siostrą Mary Angelą w korytarzu obok zejścia do piwnicy. Miała jeszcze zajrzeć do Starka, ale teraz pewnie poszła już spać. Wyglądała na skonaną.

— Do Starka... — Po imieniu chłopaka Erik wymamrotał coś niedosłyszalnego. Potem odwrócił się w kierunku budynku.

— Erik! — zawołała Stevie, przeklinając się w duchu za to, że wspomniała o jego rywalach. Zaczekała, aż chłopak obejrzy się przez ramię. — Pozwól, że jako najlepsza przyjaciółka Zo udzielę ci pewnej rady: zbyt wiele dziś przeszła, by zaprzątać sobie głowę problemem z facetami. Jeśli jest z Heathem, to dlatego, że się o niego troszczy, a nie ślini do niego. To samo dotyczy Starka.

— No i? — zapytał z kamienną twarzą.

— No i to oznacza, że powinieneś się teraz najeść, przebrać i iść spać, zamiast ją śledzić i zamęczać.

— Jestem jej chłopakiem. Twoim zdaniem to, że chłopak troszczy się o swoją dziewczynę i chce z nią być, kwalifikuje się jako zamęczanie?

Powstrzymała się od uśmiechu. Zoey zje tego palanta na śniadanie, wypluje i będzie się dalej zajmować swoimi sprawami.

— Gadaj sobie, co chcesz — powiedziała, wzruszając ramionami. — Ja tylko chciałam pomóc.

— No cóż, to na razie. — Erik odwrócił się i ruszył do budynku.

— Jak na inteligentnego gościa podejmuje wyjątkowo głupie decyzje — mruknęła do siebie cicho, patrząc, jak oddalają się jego szerokie plecy. — Ale przyganiał kocioł garnkowi, jak by powiedziała moja mama...

Znów westchnęła i niechętnie powiodła wzrokiem wzdłuż rzędu dużych kubłów na śmieci, niemal niewidocznych w cieniu wiaty garażowej, do której przylegały. Odwróciła spojrzenie, nie chcąc myśleć o okropnych poskręcanych ciałach, które tam wrzucono.

— Do śmieci — powiedziała powoli, jakby każde z tych słów miało swoją wagę. Przyznawała się przed sobą, że Zoey i siostra Mary Angela mogły mieć trochę racji w swoim miniwykładzie, lecz nie zmieniało to faktu, że ich słowa ją rozdrażniły.

Fakt, zareagowała zbyt emocjonalnie, ale naprawdę dostała szału na wieść, że chłopcy wrzucili ciała Kruków Prześmiewców do kubła. Nie tylko ze względu na n i e g o. Przeniosła wzrok na niepozorną szopę obok szklarni. To co zrobili z ciałami kruków, rozdrażniło ją, bo nie wierzyła, że czyjeś życie może mieć mniejszą wartość. Niebezpiecznie jest uważać się za równego bogom i decydować, kto zasługuje na życie, a kto nie. Stevie Rae wiedziała to lepiej niż Zoey lub zakonnica. Nie dość, że w jej życie — hm, właściwie w jej nieżycie — wmieszała się najwyższa kapłanka, która uważała się za boginię, to jeszcze sama Stevie sądziła kiedyś, że ma prawo niweczyć cudze istnienia dla zaspokojenia własnych potrzeb czy zachcianek. Samo wspomnienie czasów, w których rządziły nią gniew i przemoc, wywołało u niej mdłości. Pozostawiła już za sobą tamte mroczne chwile, wybrała drogę swojej bogini, drogę dobra i światłości, i zamierzała się jej trzymać. Kiedy więc ktoś mówił, że życie, czyjekolwiek życie, nic nie znaczy, nie mogła przejść koło tego obojętnie.

Tak przynajmniej sobie tłumaczyła, idąc na skos przez teren opactwa bynajmniej nie w stronę szopy.

Weź się w garść, dziewczyno... weź się w garść... — powtarzała w myślach, okrążając szybko rów i wchodząc w gąszcz drzew. Kierowała się prosto do śladów krwi, które pamiętała aż nazbyt dobrze. Znalazła gruby złamany konar z paroma gałązkami i podniosła go bez trudu, zadowolona, że stając się pełnoprawnym czerwonym wampirem, zyskała na sile fizycznej. Używając konara jako miotły, zasypywała zdradliwe kałuże krwi lodem, od czasu do czasu robiąc przerwę, by dorzucić jakąś złamaną gałązkę, a raz nawet połowę przewróconego krzaka ostrokrzewu.

Powielając swoją poprzednią trasę, skręciła w lewo, oddaliła się od ulicy i szła wzdłuż płotu trawnikiem opactwa. Już po chwili, tak jak za pierwszym razem, znalazła kałużę krwi. Tyle że tym razem obok nie było ciała.

Pomrukując piosenkę Kenny'ego Chesneya *Ratujesz mnie, kochanie*, by odwrócić swoją uwagę od tego, co robi, pospiesznie zasypała plamy, a potem ruszyła wzdłuż strużki krwi, sukcesywnie zagrzebując ją pod odłamkami lodu i gałązkami. Strużka oczywiście zaprowadziła ją prosto do szopy.

Pogapiwszy się intensywnie na drzwi, Stevie westchnęła i odwróciła się, by obejść szopę dookoła i dotrzeć do szklarni. Drzwi nie były zamknięte na klucz, a klamka nie stawiała oporu. Dziewczyna weszła do środka i zatrzymała się, wdychając uspokajający aromat ziemi i zieleni zaprawiony nową przyprawą w postaci końskiego zapachu. Ciepło stopiło lodowatą wilgoć, która zdawała się wnikać w głąb jej duszy. Nie mogła jednak zbyt długo odpoczywać. Miała ważne zadanie i musiała je wykonać przed świtem. Nawet jeśli słońce będzie ukryte za chmurami, czerwony wampir nigdy nie czuje się pewnie w świetle dnia.

Szybko znalazła wszystko, czego potrzebowała. Siostry najwyraźniej lubiły tradycyjne metody, bo zamiast nowoczesnego sytemu węży, przełączników i metalowych cudeniek stosowały wiadra, czerpaki, konewki do podlewania sadzonek i mnóstwo narzędzi wyglądających na mocno zużyte, lecz zadbane. Stevie nalała do wiadra wody z jednego z licznych kranów, wzięła czerpak i kilka czystych ręczników ze sterty, którą znalazła na półce z rękawicami ogrodowymi i zapasowymi doniczkami, a w drodze do wyjścia zatrzymała się przy płaskiej donicy z mchem przywodzącym na myśl gruby zielony dywan. Przez chwilę stała niezdecydowana, przygryzając wargę, aż w końcu się poddała i wyrwała długi pas mchu. Wreszcie, mamrocząc do siebie coś o tym, że nie wie, skąd wie to, co wie, wyszła ze szklarni i wróciła do szopy.

Przystanęła w drzwiach, koncentrując się i wyostrzając wszystkie swoje wrażliwe drapieżne zmysły w poszukiwaniu kogoś lub czegoś, co mogłoby się czaić w mroku. Nic jednak nie wyczuła. Na dworze nikogo nie było — marznący deszcz i późna godzina sprawiły, że wszyscy woleli pozostać w cieple domowych pieleszy.

— Wszyscy, którzy mają choć odrobinę rozumu — mruknęła pod nosem.

Raz jeszcze rozejrzała się dookoła, oswobodziła jedną rękę i dotknęła zasuwy drzwi. Spokojnie, spokojnie. Trzeba to odfajkować i już. Może się okaże, że umarł, a ona nie będzie musiała ponosić konsekwencji tego wielkiego durnego błędu, który niedawno popełniła.

Odsunęła rygiel, pchnęła drzwi i instynktownie zmarszczyła nos. Po naturalnym ziemistym zapachu szklarni wonie w tym pomieszczeniu wprawiały w szok: śmierdziało benzyną, olejem, stęchlizną i zapachem j e g o krwi — niewłaściwej krwi.

Zostawiła go w drugim końcu szopy, za kosiarką traktorową i regałami ze sprzętem do oporządzania trawników: sekatorami, nawozami i zapasowymi częściami do zraszaczy. Zajrzała tam i dostrzegła niewyraźny ciemny kształt. Nie ruszał się. Nasłuchiwała bacznie, ale nie usłyszała nic z wyjątkiem uderzeń zmrożonego deszczu o dach.

Przerażona nieuniknioną perspektywą chwili, w której będzie musiała stawić czoło krukowi, zmusiła się, aby wejść do szopy, i stanowczym ruchem zamknęła za sobą drzwi. Obeszła kosiarkę i regały, by stanąć przy nieruchomym ciele. Wyglądało, jakby się nie poruszyło, odkąd je tu przyciągnęła kilkanaście minut temu i wcisnęła w ten kąt. Leżało bezwładnie zwinięte w dziwnej pozycji embrionalnej na lewym boku. Kula, która przeszła przez górną część prawej strony klatki piersiowej, wychodząc z ciała, przebiła też skrzydło, które teraz spoczywało obok strzaskane i kompletnie bezużyteczne. Stevie przypuszczała również, że kruk ma złamaną nogę w kostce, bo była okropnie spuchnięta i nawet w ciemnościach dało się dostrzec wielki krwiak. W zasadzie całe ciało miał mocno posiniaczone. Trudno się dziwić: zestrzelono go z dużej wysokości i choć wielkie stare dęby na skraju opactwa wyhamowały jego spadanie, tak że nie zginął na miejscu, trudno było ocenić, jak ciężko jest ranny. Bardzo możliwe, że wewnętrzne organy były w równie opłakanym stanie jak widoczna część ciała. Może w ogóle już nie żył. Z pewnością wyglądał na martwego. Stevie obserwowała jego pierś i choć nie była w stu procentach pewna, nie zauważyła, żeby unosiła się i opadała w rytm oddechu. Gapiła się na niego, nie chcąc podchodzić bliżej, ale też nie potrafiąc odwrócić się i odejść.

Czy ona do reszty zwariowała? Dlaczego nie zastanowiła się choć przez chwilę, nim go tu przytaszczyła? Wpatrywała się w niego. Nie był człowiekiem. Nie był nawet zwierzęciem. Gdyby pozwoliła mu skonać, wcale nie bawiłaby się w Boga: on w ogóle nie powinien był się narodzić.

Zadrżała. Nie mogła się ruszyć z miejsca, jakby zmroziła ją groza własnego uczynku. Co by powiedzieli jej przyjaciele na wieść, że ukrywa Kruka Prześmiewcę? Czy Zoey by się od niej odwróciła? Jak zareagowaliby czerwoni adepci — w s z y s c y czerwoni adepci? I bez tego musieli się zmagać ze zbyt wieloma mrocznymi sprawami.

Zakonnica miała rację. Nie należało mu współczuć. Stevie powinna teraz zanieść ręczniki i całą resztę z powrotem do cieplarni, wrócić do opactwa, znaleźć Dariusa i powiedzieć mu, że w szopie jest kruk. Jeśli jeszcze żyje, wojownik dokończy dzieła. Dzięki temu skróci jego cierpienia. Uświadomiła sobie, że cały czas wstrzymuje oddech, i dopiero teraz, gdy już podjęła decyzję, z ulgą wypuściła powietrze. Wtedy on otworzył czerwone oczy i spojrzał na nią.

— Dobij mnie — powiedział słabym, zbolałym i całkowicie, niezaprzeczalnie ludzkim głosem.

To przeważyło. Stevie uświadomiła sobie, dlaczego nie zawołała Dallasa, gdy znalazła kruka. Kiedy się do niej odezwał i podobnie jak teraz poprosił, by go dobiła, mówił jak prawdziwa ludzka istota — zraniona, porzucona i przerażona. Wtedy nie potrafiła go zabić, a teraz nie mogła się od niego odwrócić. Wszystko przez ten głos. Co z tego, że kruk wyglądał jak coś, co w ogóle nie powinno było się narodzić, skoro mówił jak zwyczajny facet, tak zrozpaczony i cierpiący, jakby spodziewał się najgorszego?

Nie. Niezupełnie. On nie spodziewał się śmierci — on jej pragnął. Przeżył coś tak potwornego, że nie widział innego zakończenia dla swoich tragicznych losów. I choć większość tej grozy zgotował sobie sam, w oczach Stevie Rae czyniło go to bardzo, bardzo ludzkim. Znała to uczucie. Rozumiała ten absolutny brak nadziei.

ROZDZIAŁ ÓSMY

Stevie Rae

Omal się nie cofnęła, bo niezależnie od ludzkiego głosu i domniemanego człowieczeństwa kruk był wielki i pokraczny, a jego krew śmierdziała obcością. Gdyby coś poszło nie tak, nie było w pobliżu nikogo, kto mógłby przyjść Stevie z pomocą.

— Słuchaj — powiedziała — wiem, że jesteś ranny i tak dalej, więc nie potrafisz jasno myśleć, ale gdybym chciała cię zabić, to przecieżbym cię tu nie przywlokła. — Zmusiła się, by jej głos brzmiał naturalnie, i zamiast odsunąć się od niego, stała w miejscu, patrząc w zimne, a jednak tak osobliwie ludzkie czerwone oczy.

— Dlaczego? — wyszeptał.

W panującej ciszy Stevie nie miała problemu z usłyszeniem go. Mogłaby udawać, że nie słyszy albo przynajmniej nie rozumie, lecz miała już dość uników i kłamstw, więc nie przestając patrzeć mu w oczy, powiedziała prawdę.

— W sumie to dotyczy bardziej mnie niż ciebie i bardzo długo by o tym opowiadać. Chyba tak do końca nie wiem, czemu nie chcę cię zabić. Wiem tylko, że lubię robić wszystko po swojemu i nie przepadam za zabijaniem.

Jego dziwne oczy wpatrywały się w nią tak badawczo, że omal nie zaczęła się wiercić.

— Powinnaś — rzekł w końcu kruk.

Uniosła brwi.

— Powinnam wiedzieć, powinnam cię zabić czy powinnam robić wszystko po swojemu? Musisz się wyrażać bardziej precyzyjnie. Aha, i może byś przestał się tak rządzić, co? Jesteś w takim stanie, że raczej nie wypada ci mnie pouczać, co mam robić.

Zaczynał już zamykać oczy, najwyraźniej kompletnie wyczerpany, ale na dźwięk jej słów znów je otworzył. Dostrzegła w nich jakiś rodzaj emocji, lecz nie potrafiła czytać w tej twarzy, obcej i niepodobnej do żadnej, którą wcześniej widziała. Kruk otworzył czarny dziób, jakby chciał coś powiedzieć, i w tej chwili wstrząsnęły nim drgawki. Zamknął oczy i wydał zbolały, niezaprzeczalnie ludzki jęk.

Instynktownie zrobiła krok ku niemu. Znów otworzył oczy i choć były zamglone bólem, nie miała wątpliwości, że kruk się jej przygląda. Zatrzymała się i przemówiła wyraźnie, powoli cedząc słowa:

— No dobra. Przyniosłam wodę i bandaże, ale nie podejdę bliżej, póki mi nie obiecasz, że nie spróbujesz niczego, co by mi się nie spodobało.

Tym razem miała pewność, że w jego ludzkich oczach rozbłysło zaskoczenie.

— Nie... mogę... się... ruszyć — wyszeptał z wielkim wysiłkiem.

— Czyli dajesz mi słowo, że nie ugryziesz mnie ani nie zrobisz nic niemiłego?

— Ssssłowo...

Jego głos przeszedł w nieludzki syk, czego Stevie bynajmniej nie wzięła za dobrą monetę, mimo wszystko wyprostowała się i skinęła głową, udając, że głos kruka wcale nie zabrzmiał jak wężowe syczenie.

— No dobra. Zobaczmy, co mogę dla ciebie zrobić.

I nim zdążyła sobie przemówić do tej głupiej łepetyny, podeszła do kruka, położyła ręczniki i mech na ziemi obok niego, a przy nich nieco ostrożniej postawiła wiadro. Kruk był naprawdę wielki. Zdążyła już o tym zapomnieć — a może raczej wyparła ten fakt ze świadomości, bo trudno byłoby tak zwyczajnie zapomnieć o rozmiarach tej bestii. Niełatwo było przytaszczyć go do szopy, w dodatku spiesząc się, by Erik, Dallas, Heath czy kto inny ich nie zobaczył. Choć mimo wszystko w porównaniu z tym, co sugerował jego wygląd, ptak był dziwnie lekki.

— Wody — wysapał.

— Ojej, już. — Stevie Rae podskoczyła i złapała uchwyt czerpaka tak nieszczęśliwie, że upadł na podłogę. Podniosła go, po czym czy to ze wstydu, czy ze złości znów upuściła, wreszcie chwyciła, wytarła w ręcznik i zanurzyła w wodzie. Zbliżyła się do kruka, a on poruszył się lekko, usiłując unieść rękę, która jednak nie chciała współpracować, równie bezużyteczna jak złamane skrzydło. Stęknął i znieruchomiał, a Stevie, nie dając sobie czasu na zastanowienie, pochyliła się, uniosła go łagodnie za ramiona, przechyliła mu głowę i przytknęła dzióbek czerpaka do dzioba. Kruk pił łapczywie.

Gdy zaspokoił pragnienie, Stevie wetknęła mu ręcznik pod głowę i pomogła położyć się z powrotem.

— Słuchaj, nie mam nic do przemywania oprócz wody, ale zobaczę, co się da zrobić. Przyniosłam też trochę mchu. Powinien pomóc, gdy go przyłożę do ran.

Nie próbowała tłumaczyć, że nie ma pojęcia, skąd wie o właściwościach mchu. Pewnie była to kolejna z tych rzeczy, które raz po raz po prostu wpadały jej do głowy. W jednej chwili nie miała o czymś pojęcia, w następnej wiedziała to ze stuprocentową pewnością. Chciała wierzyć, że to Nyks do niej szepcze, tak jak do Zoey, lecz naprawdę trudno jej było powiedzieć, skąd bierze te informacje.

— Ważne, żeby zawsze wybierać dobro — szepnęła do siebie i zaczęła drzeć ręcznik na paski.

Kruk Prześmiewca otworzył oczy i patrzył na nią pytająco.

— O rany, nie zwracaj na mnie uwagi. Ciągle gadam do siebie. To coś w rodzaju terapii. — Umilkła i spojrzała mu w oczy. — Będzie bolało. Znaczy, postaram się być delikatna i tak dalej, ale jesteś mocno poraniony.

— Zaczynaj — szepnął zbolałym głosem, który znów wydał jej się zbyt ludzki, by móc się wydobywać z dzioba tak nieludzko wyglądającej istoty.

— Dobra. Uwaga. — Pracowała najszybciej i najłagodniej, jak tylko potrafiła. Rana w piersi kruka była okropna. Dziewczyna spłukała ją wodą i w miarę dokładnie oczyściła z gałązek i innego brudu. Najdziwniejsze ze wszystkiego były przykrywające ludzką skórę pióra podszyte czarnym, miękkim jak wata cukrowa puszkiem.

Zerknęła na jego twarz. Leżał z głową wspartą na poduszce i zamkniętymi oczami, oddychając szybko i płytko.

— Przepraszam. Wiem, że to boli — rzekła, otrzymując w odpowiedzi jedynie chrząknięcie, które jak na ironię zabrzmiało bardzo po męsku. Poważnie: od dawna wiadomo, że faceci porozumiewają się głównie za pomocą chrząknięć.

— Dobra — kontynuowała — chyba czas na mech. — Mówiła nie tyle do niego, ile po to, by ukoić własne nerwy. Oderwała kawałek mchu i obłożyła nim ranę. — Teraz, jak już nie krwawi, wygląda lepiej — nawijała, choć on ledwie reagował. — Muszę cię trochę obrócić. — Przekręciła go bardziej na brzuch, by się dostać do reszty rany. Kruk wcisnął twarz w ręcznik i zdławił kolejny jęk. Nie mogąc znieść jego przeraźliwego cierpienia, Stevie Rae szybko podjęła swój monolog. — Na plecach, tam gdzie wyszła kula, rana jest większa, ale nie taka brudna, więc nie będę musiała jej zbytnio oczyszczać. — Do obłożenia tej rany potrzebowała większego kawałka mchu, lecz zrobiła to szybko.

Potem zajęła się skrzydłami. Lewe było starannie złożone przy boku i nie wyglądało na uszkodzone. Prawe z kolei przedstawiało obraz nędzy i rozpaczy — strzaskane, pokrwawione i zwisające bez życia.

— Cóż, chyba czas przyznać, że w tej sprawie niewiele mogę zrobić. Rana po kuli była okropna, ale mniej więcej wiedziałam, jak ją opatrzyć. Jeśli chodzi o skrzydło, to nie mam żadnego pomysłu.

— Przymocuj je do ciała paskami materiału — wychrypiał, nie otwierając oczu.

— Jesteś pewien? Może w ogóle nie powinnam go ruszać?

— Przywiązane mniej boli — wystękał.

— Cholera. No dobra. — Stevie zaczęła drzeć kolejny ręcznik na długie paski, które następnie łączyła ze sobą. — Już. Spróbuję ułożyć ci skrzydło na plecach mniej więcej tak samo jak lewe, zgoda?

Skinął głową.

Wstrzymała oddech i podniosła skrzydło. Kruk szarpnął się i wydał cichy okrzyk, a ona upuściła skrzydło i odskoczyła.

— Cholerka! Przepraszam! Niech to szlag!

Spojrzał na nią zwężonymi w szparki oczyma i wycedził między urywanymi oddechami:

— Zrób... to.

Zacisnęła zęby, pochyliła się do przodu i wypierając ze świadomości jego zdławione jęki, ułożyła strzaskane skrzydło w pozycji przypominającej tę przyjętą przez zdrowe. Potem, prawie nie dając sobie czasu, by odetchnąć, rzekła:

— Będziesz musiał się trochę podnieść, żebym cię obwiązała.

Poczuła, jak ciało kruka sztywnieje, a potem unosi do pochyłej półsiedzącej pozycji, wsparte głównie na lewej ręce. To wystarczyło, by mogła szybko owinąć tułów pasami z ręcznika, mocując skrzydło.

— Gotowe.

Osunął się, drżąc na całym ciele.

— Teraz opatrzę ci kostkę. Chyba też jest złamana.

Skinął głową.

Oderwała kolejne paski materiału, po czym zabandażowała jego zaskakująco ludzką kostkę nogi w taki sposób, w jaki kiedyś trener jej siatkarskiej drużyny z liceum w Henrietcie opatrzył nadwerężoną kostkę koleżanki.

Henrietta, siedziba walczących kwok. Stevie Rae zawsze uważała maskotkę swojej szkoły za głupkowatą, ale w tym momencie idiotyzm dawnego herbu uderzył ją tak mocno, że musiała przygryźć wargę, by nie wybuchnąć śmiechem. Na szczęście wystarczyło parę głębszych oddechów, aby się opanowała.

— Masz jeszcze gdzieś poważne rany? — spytała.

Gwałtownie pokręcił głową.

— Dobra. To chyba najważniejsze już opatrzyłam.

Gdy kiwnął głową, usiadła na podłodze obok niego, wycierając drżące dłonie w jeden z pozostałych ręczników. Przez chwilę po prostu tak siedziała, patrząc na niego i zastanawiając się, co dalej robić.

— Powiem ci jedno — rzekła w końcu. — Mam nadzieję, że już nigdy w życiu nie będę musiała opatrywać żadnego złamanego skrzydła.

Otworzył oczy, lecz milczał.

— To było potworne. Skrzydło boli bardziej niż złamana ręka czy noga, no nie?

Gadała, bo była zdenerwowana, nie spodziewała się jednak odpowiedzi.

— Tak — przyznał kruk.

— No to dobrze myślałam — powiedziała, jakby to była normalna rozmowa dwóch zwykłych osób. Głos kruka wciąż był słaby, ale mówienie przychodziło mu łatwiej i wyglądało na to, że unieruchomienie skrzydła rzeczywiście pomogło zmniejszyć ból.

— Jeszcze wody — poprosił.

— Ojej, już nalewam.

Chwyciła czerpak zadowolona, że ręce już tak jej nie drżą. Tym razem kruk zdołał się sam podnieść i przechylić głowę. Stevie musiała tylko nalewać mu wodę do ust czy też do dzioba — nie wiedziała, jak właściwie powinna to nazywać.

Skoro już wstała, postanowiła pozbierać pokrwawione fragmenty ręcznika, by później wynieść je z szopy. Czerwoni adepci nie mieli tak doskonałego węchu jak ona, ale i tak wykształcili go lepiej niż niebiescy. Nie chciała, żeby któryś przypadkiem tu dotarł, kierując się tym zmysłem. Po krótkim przeszukaniu znalazła wielkie ogrodowe worki na śmieci i do jednego wrzuciła szmaty. Trzema nieużywanymi ręcznikami, które jej pozostały, bez wielkiego namysłu przykryła Kruka Prześmiewcę na tyle, na ile się dało.

— To ty jesteś ta Czerwona?

Podskoczyła na dźwięk jego głosu. Miał zamknięte oczy i podczas sprzątania wydawało jej się, że śpi lub zemdlał. Teraz jednak znów przyglądał jej się ludzkimi oczyma.

— Nie wiem, jak odpowiedzieć na to pytanie. Jestem czerwoną wampirką, jeśli to masz na myśli. Pierwszą czerwoną wampirką. — Pomyślała o Starku i jego ukończonym tatuażu świadczącym o tym, że stał się drugim czerwonym wampirem. Zastanawiała się, jakie miejsce zajmie w ich świecie, ale nie miała zamiaru wspominać o tym krukowi.

— Jesteś Czerwoną.

— No, chyba tak.

— Ojciec mówił, że Czerwona ma wielką moc.

— Mam — przyznała bez wahania, patrząc mu w oczy.

— Ojciec? Znaczy Kalona?

— Tak.

— On uciekł, wiesz?

— Wiem. — Odwrócił wzrok. — Powinienem być z nim.

— Bez urazy, ale sądząc po tym, co wiem o twoim tatuśku, moim zdaniem znacznie lepiej, że ty tu jesteś, a jego nie ma. Nie jest zbyt miłym gościem. Nie mówiąc już o tym, że Neferet dostała kompletnej amby i stworzyła z nim naprawdę wredny duet.

— Gaduła z ciebie — rzekł kruk, po czym skrzywił się z bólu.

— Taaa, lubię gadać. — Zwłaszcza gdy jestem zdenerwowana, dodała w myślach. — Słuchaj, musisz odpoczywać. Pójdę już. Poza tym pięć minut temu zaczęło wschodzić słońce, co oznacza, że muszę się schronić w budynku. Gdyby nie chmury, w ogóle nie mogłabym stąd wyjść. — Zawiązała worek ze śmieciami i przesunęła wiadro wraz z czerpakiem tak, by kruk mógł ich dosięgnąć, o ile w ogóle będzie w stanie sięgnąć po cokolwiek. — No to na razie. Widzimy się... hm, niedługo. — Zaczęła się oddalać, ale zatrzymał ją jego głos.

— Co ze mną zrobisz?

— Tego jeszcze nie wiem. — Westchnęła, przebierając niespokojnie palcami. — Myślę, że co najmniej jeden dzień możesz bezpiecznie przeleżeć w tej szopie. Burza wciąż trwa, więc zakonnice na pewno nie będą się tu kręciły. Wszyscy adepci do zmroku raczej pozostaną w budynku, a ja w tym czasie powinnam wykombinować, co dalej z tobą.

— Wciąż nie rozumiem, dlaczego nie powiedziałaś innym o mnie.

— No cóż, to jest nas dwoje. Spróbuj odpocząć. Przyjdę później.

Trzymała już dłoń na zasuwie, gdy kruk znów się odezwał:

— Mam na imię Rephaim.

Obróciła się przez ramię i uśmiechnęła.

— Cześć. Ja jestem Stevie Rae. Miło cię poznać, Rephaimie.

Przyglądał się, jak dziewczyna wychodzi z szopy. Naliczył sto oddechów po trzaśnięciu zamykanej zasuwy i rozpoczął mozolny proces podnoszenia się do pozycji siedzącej. Teraz, gdy był już w pełni przytomny, chciał dokładniej oszacować swoje rany.

Kostka nie była złamana. Bolała, lecz mógł nią poruszać. Żebra miał chyba tylko poobijane. Rana po kuli w piersi była poważna, ale Czerwona oczyściła ją i obłożyła mchem. Jeśli nie wda się gangrena, zagoi się. Prawą ręką także dał radę poruszać, choć z trudem — była słaba i nienaturalnie sztywna.

W końcu przeniósł uwagę na skrzydło. Zamknął oczy i badał je umysłem, podążając za ścięgnami i więzadłami, mięśniami i kośćmi, od pleców poprzez całą długość strzaskanego fragmentu ciała. Jęknął, z trudem łapiąc oddech. Dopiero teraz pojął w pełni rozmiar zniszczeń spowodowanych przez kulę i potworny upadek, który nastąpił potem.

Już nigdy nie będzie latał.

Świadomość tego faktu była tak potworna, że umysł Rephaima odmówił rozważania go; zamiast tego kruk wrócił myślą do Czerwonej i próbował sobie przypomnieć, co ojciec mówił mu o jej mocy. Może odnajdzie w pamięci jakąś wskazówkę rzucającą światło na jej nietypowe postępowanie? Dlaczego go nie zabiła? Wciąż jednak mogła to zrobić, a jeśli nawet nie, mogła poinformować o nim swoich przyjaciół.

Jeśli tak zrobi, to trudno. Życie, jakie pamiętał, i tak się już skończyło. Jeśli będzie musiał zginąć w walce z kimś, kto zapragnie go zniewolić, przyjmie to z ulgą.

Nie wyglądało jednak na to, by Czerwona uważała go za swego więźnia. Myślał intensywnie, próbując się przedrzeć przez wyczerpanie i rozpacz. Stevie Rae — takie podała mu imię. Co nią kierowało, gdy postanawiała ratować wroga, jeśli nie chęć wykorzystania go do swoich celów? Jedyne co przychodziło mu do głowy, to że chce go zachować przy życiu, by wraz ze swymi towarzyszami torturami zmusić go do wyjawienia wszystkiego, co wie o swym ojcu. On by tak postąpił, gdyby był na jej miejscu.

„Pokażę im, że niełatwo jest złamać syna nieśmiertelnego" — pomyślał.

Wielkie rezerwy sił Rephaima były na wyczerpaniu. Osunął się bezwładnie na ziemię. Próbował ułożyć się tak, by pokiereszowane ciało mogło zaznać odrobiny ulgi od przejmującego bólu, ale okazało się to niewykonalne. Fizyczny ból mógł złagodzić jedynie czas; bólu duchowego spowodowanego świadomością, że już nigdy nie wzniesie się w powietrze — że nie odzyska sprawności — nijak nie dało się ukoić.

„Powinna była mnie zabić — pomyślał. — Jeśli wróci tu sama, może zdołam ją tak rozdrażnić, że jednak to zrobi. Jeśli wróci z innymi i spróbuje wydobyć ze mnie tajemnice ojca, nie tylko ja zawyję z bólu... Ojcze, gdzie jesteś? Dlaczego mnie opuściłeś?"

W końcu wyczerpanie zdominowało te straszne myśli i Rephaim stracił przytomność.

ROZDZIAŁ DZIEWIĄTY

Zoey

— Hej, obiecałaś siostrze, że pójdziesz do łóżka! I jestem przekonany, że nie chodziło o jego łóżko. — Heath ruchem brody wskazał drzwi do pokoju Starka.

Uniosłam brwi.

Westchnął.

— No dobra, powiedziałem, że mogę się tobą dzielić z tymi głupimi wampirami, ale nie powiedziałem, że mi się to podoba.

Pokręciłam głową.

— Tej nocy z całą pewnością nie będziesz się mną z nikim d z i e l i ł. Sprawdzę tylko, czy u Starka wszystko OK, a potem idę spać. Sama. Dociera?

— Jasne. — Uśmiechnął się od ucha do ucha i pocałował mnie lekko. — Widzimy się wkrótce, Zo.

— Na razie, Heath.

Patrzyłam, jak odchodzi korytarzem. Był wysoki i umięśniony, jak przystało na czołowego rozgrywającego w futbolu amerykańskim Nie miałam wątpliwości, że dostanie się na Uniwersytet Oklahomski i będzie zwolniony z czesnego, a po ukończeniu studiów zostanie albo gliną, albo strażakiem. Cokolwiek wybierze, jedno nie ulegało wątpliwości — będzie stał po właściwej stronie.

Ale czy mógł robić to wszystko, a równocześnie być partnerem najwyższej kapłanki?

Tak. Jasne, że tak. Postaram się, żeby Heath miał takie życie, o jakim marzył i jakie planował, odkąd byliśmy dziećmi. Oczywiście część planów nie poszła po jego myśli. Żadne z nas nie planowało, że zostanę wampirką. Kolejna część... także związana z wampiryzmem... będzie trudna. Prawda jednak była taka, że za bardzo mi na nim zależało, żeby go wyrzucać ze swego życia lub zmuszać do rezygnacji z planów. Musieliśmy więc jakoś to wszystko pogodzić i tyle. Koniec, kropka.

— Wejdziesz czy będziesz tak stała i stresowała się w nieskończoność?

— Afrodyto, do cholery jasnej, czy mogłabyś się nie podkradać i nie straszyć ludzi?

— Nikt się nie podkradał, a poza tym czy „do cholery jasnej" to przypadkiem nie przekleństwo? Bo jeśli tak, to obawiam się, że będę musiała zbudzić Siostry Przywoitki i kazać im cię aresztować. — Za Afrodytą na korytarz wyszedł Darius, zerkając na nią z miną mówiącą: „Bądź grzeczna!". Westchnęła. — No dobra. Stark jeszcze nie wykitował.

— O rany, dzięki za info. Od razu mi lepiej — zakpiłam.

— Nie bądź wredna, gdy próbuję być dla ciebie miła.

Odwróciłam się w stronę jedynej odpowiedzialnej dorosłej osoby w zasięgu wzroku.

— Potrzeba mu czegoś?

Darius zawahał się tylko na moment, ale zdążyłam to dostrzec.

— Nie — odparł zaraz potem. — Wszystko w porządku. Sądzę, że wróci do dawnej formy.

— Hmmm... — mruknęłam przeciągle, zachodząc w głowę, o co tu biega. Czyżby obrażenia Starka były poważniejsze, niż twierdził Darius? — No dobra, zajrzę tylko do niego, a potem idę spać. — Spojrzałam na Afrodytę i uniosłam brwi. — Pamiętaj, że śpisz ze mną w pokoju. Darius ma dołączyć do Damiena i Jacka. A to oznacza, że nie śpicie r a z e m, bo siostry dostałyby szału. Dobrze mówię?

— No nie, daj spokój. Nie musiałaś wygłaszać tego kazania rodem z *Ani z Zielonego Wzgórza*. Myślisz, że nie potrafię się odpowiednio zachować? Nie zapominasz czasem, że moi starzy są dla Tulsy wzorem poprawności? Rozmawiasz z córką burmistrza! Nie mogę uwierzyć, że ktoś może mnie tak traktować!

Oboje z Dariusem oniemieliśmy na widok jej furii.

— Słyszałam tę cholerną zakonnicę! Poza tym opactwo nie jest zbyt romantyczne. Myślisz, że mam ochotę uprawiać dziki seks, gdy dookoła pingwiny żegnają się i modlą? Bynajmniej. Na boginię! Chyba się rozczulę, jeśli zbyt długo tu zostanę.

Gdy urwała, by nabrać tchu, wtrąciłam szybko:

— Nie mówiłam, że nie wiesz, jak się zachować! Po prostu chciałam ci przypomnieć, kto gdzie śpi.

— Taaak? Gówno prawda. Nie umiesz zbyt dobrze kłamać, Zo. — Podeszła do Dariusa i mocno pocałowała go w usta. — Na razie, kochanie. Będę za tobą tęsknić w łóżku.

— Spojrzała na mnie z niesmakiem. — Powiedz „dobranoc" kochasiowi numer trzy, a potem bierz dupę w troki i przychodź do pokoju. Nie lubię być budzona, gdy ułożę się na spoczynek w buduarze. — Odrzuciła do tyłu długie, imponujące jasne włosy i odeszła niecierpliwym krokiem.

— Jest niesamowita — rzekł Darius, z uwielbieniem odprowadzając ją wzrokiem.

— Jeśli przez „niesamowita" rozumiesz „niesamowicie upierdliwa", to w pełni się z tobą zgadzam. — Uniosłam rękę, by powstrzymać jego nieuchronny komentarz w obronie Afrodyty. — Nie chcę teraz rozmawiać o twojej dziewczynie. Chcę tylko sprawdzić, co ze Starkiem.

— Wraca do zdrowia.

Niemal widziałam w powietrzu wielką lukę pozostawioną przez niewypowiedziane słowa. Uniosłam brwi.

— Ale... — podpowiedziałam.

— Żadnego „ale". Wraca do zdrowia.

— Dlaczego mi się zdaje, że coś przemilczasz?

Odczekał chwilę, potem uśmiechnął się z lekkim zawstydzeniem.

— Może dlatego, że masz dość intuicji, by to wyczuć.

— No dobra. Gadaj.

— To dotyczy energii, ducha i krwi. A raczej tego, że Starkowi ich brakuje.

Zamrugałam kilkakrotnie, usiłując zrozumieć, o co mu chodzi, po czym w głowie zapaliło mi się światełko i gwałtownie wciągnęłam powietrze, wyzywając się od idiotek, że nie pojęłam tego od razu.

— Został zraniony i potrzebuje krwi, żeby się wyleczyć, tak samo jak ja przedtem. Czemu dopiero teraz mi to mówisz? — trajkotałam, myśląc gorączkowo. — Cholera! Niespecjalnie mi się podoba, że miałby gryźć Afrodytę, ale...

— Nie! — przerwał mi Darius wyraźnie rozdrażniony sugestią, że Stark miałby pić krew jego dziewczyny. — Z powodu Skojarzenia ze Stevie Rae jej krew odpycha inne wampiry.

— No to nie wiem, do diabła! Załatwmy mu woreczek z krwią czy coś. Albo może spróbuję znaleźć człowieka, którego mógłby ugryźć... — Urwałam. Nienawiziłam, potwornie nienawidziłam myśli, że Stark miałby pić czyjąś krew. Widziałam już, jak to robi, zanim ślubował mi służbę jako wojownik i przeszedł Przemianę. Miałam nadzieję, że czasy gryzienia innych dziewczyn ma już za sobą. Nie chciałam jednak być tak samolubna, by pozwolić własnym uczuciom na odebranie mu tego, czego potrzebował do wyzdrowienia.

— Dałem mu już trochę krwi, którą siostry trzymały w szpitalu na wszelki wypadek. Śmierć mu nie grozi. Wyzdrowieje.

— Ale? — Dostawałam szału od tych jego niedopowiedzeń.

— Ale kiedy wojownik jest związany z najwyższą kapłanką ślubowaniem, łączy ich specyficzna więź.

— Owszem, wiem o tym.

— To coś więcej niż tylko śluby. Od najdawniejszych czasów Nyks błogosławi swoje kapłanki i służących im wojowników. Jesteście związani tym błogosławieństwem. Właśnie ono daje wojownikowi intuicyjną wiedzę o tobie, dzięki czemu łatwiej mu ciebie chronić.

— Intuicyjną wiedzę? Coś w rodzaju Skojarzenia? — Na boginię! Czy to miało znaczyć, że jestem skojarzona z dwoma facetami?

— Skojarzenie i więź wojownika mają pewne podobieństwa. Skojarzenie jest jednak mniej subtelne.

— Mniej subtelne? Jak to?

— Choć Skojarzenie często łączy wampira i człowieka, którym na sobie bardzo zależy, u jego podstaw leży krew i najbardziej podstawowe instynkty: namiętność, pożądanie, pragnienie, głód, ból. — Zawahał się, starannie dobierając słowa. — Zaznałaś części tych emocji ze swoim partnerem, prawda?

Kiwnęłam sztywno głową, czując, jak płoną mi policzki.

— Porównaj tę więź z więzią łączącą cię ze Starkiem.

— Cóż, ona istnieje od niedawna, więc tak naprawdę jeszcze jej zbyt dobrze nie poznałam. — Ale już kiedy wypowiadałam te słowa, uświadomiłam sobie, że mój związek ze Starkiem to coś więcej niż pragnienie picia jego krwi. Właściwie nawet nie miałam ochoty na jego krew ani na to, by pił moją.

— Gdy będzie ci służył dłużej, pojmiesz to lepiej. Wojownik może wykształcić w sobie zdolność wyczuwania wielu twoich emocji. Jeśli na przykład najwyższej kapłance zagrozi nagłe niebezpieczeństwo, może wyczuć jej strach i podążając za tym emocjonalnym śladem, dotrzeć do kapłanki i uratować ją.

— T...tego nie wiedziałam — wyjąkałam nerwowo.

Uśmiechnął się cierpko.

— Nie chciałbym, żeby to zabrzmiało jak cytat z Damiena, ale naprawdę powinnaś znaleźć trochę czasu na poczytanie *Vademecum adepta*.

— To numer jeden na mojej liście zadań, które zamierzam wykonać, gdy skończą się te wszystkie trzęsienia ziemi wokół mnie. No dobrze: Stark może się nauczyć wyczuwać mój strach. Co to ma wspólnego z jego raną?

— Wasza więź to coś znacznie więcej niż tylko wyczuwanie strachu. Dotyczy także energii i ducha. Wojownik może się z czasem nauczyć odbierać wiele twoich silnych emocji, zwłaszcza jeśli będzie spędzał sporo czasu w twojej służbie.

Żołądek ścisnęło mi niezwykle emocjonujące wspomnienie A-yi i uwięzienia Kalony.

— Mów dalej — zażądałam.

— Wojownik może wchłaniać emocje kapłanki. Może też otrzymać od niej transfuzję ducha, zwłaszcza jeśli kapłanka ma silny dar komunikacji z tym żywiołem.

— Co to, u diabła, znaczy? Darius, czy mógłbyś mówić jaśniej?

— To znaczy, że Stark może całkiem dosłownie wchłaniać energię poprzez twoją krew.

— Chcesz powiedzieć, że musi m n i e ugryźć? — No dobrze, przyznaję, że na samą myśl o tym serce zabiło mi szybciej. Stark cholernie mnie pociągał, więc nie miałam wątpliwości, że podzielenie się z nim swoją krwią będzie czymś niesamowitym.

A jednocześnie złamię serce Heathowi... Poza tym co będzie, jeśli Stark poprzez krew zdoła zajrzeć w mój umysł i zobaczy wspomnienia A-yi? Szlag! Szlag! I jeszcze raz szlag!

Potem uderzyła mnie inna myśl.

— Chwila. Powiedziałeś, że Stark nie może ugryźć Afrodyty, bo jest już z kimś skojarzona i inne wampiry nie chcą jej krwi. A co ze mną? Jestem skojarzona z Heathem. To Starkowi nie przeszkadza?

Pokręcił głową.

— Nie. Skojarzenie zmienia tylko ludzką krew.

— Więc moja się nadaje?

— Tak. Twoja krew z całą pewnością pomogłaby mu wyzdrowieć i on o tym wie. Dlatego zadaję sobie trud wyjaśnienia ci tych zawiłości — kontynuował, jakbym nie przechodziła na jego oczach minizałamania nerwowego. — Powinnaś też wiedzieć, że odmawia picia twojej krwi.

— Co? Jak to: „odmawia"? — Wiem, że chwilę wcześniej martwiłam się, co by się stało, gdyby Stark mnie ugryzł, ale to bynajmniej nie znaczyło, że chcę być przez niego odtrącona!

— Wie, że dopiero co wyleczyłaś ranę zadaną przez Kruka Prześmiewcę. Omal nie zginęłaś, Zoey. Stark nie chce robić nic, co mogłoby cię osłabić. Gdyby napił się twojej krwi, wraz z nią odebrałby ci także część energii i ducha. Biorąc pod uwagę to, że żadne z nas nie wie, dokąd udali się Kalona i Neferet, nie wiadomo też, kiedy znów będziesz musiała stawić im czoło. Zgadzam się z jego odmową. Powinnaś być w pełni sił.

— Mój wojownik też — zauważyłam.

Darius westchnął i powoli pokiwał głową.

— Zgoda. Tyle że jego da się zastąpić. Ciebie nie.

— Jego też nie! — wypaliłam.

— Nie chcę wyjść na bezdusznego, musisz jednak zachować rozsądek we wszystkich swoich decyzjach.

— Stark jest niezastąpiony — powtórzyłam uparcie.

— Skoro tak uważasz, kapłanko... — Skłonił lekko głowę, po czym niespodziewanie zmienił temat. — Teraz, gdy już pojęłaś wszystkie zawiłości ślubowania wojownika, chciałbym cię prosić o zgodę na złożenie oficjalnych ślubów.

Przełknęłam ślinę.

— Dariusie, naprawdę cię lubię i wiem, że bardzo się o mnie troszczysz, ale czułabym się trochę dziwnie, mając dwóch osobistych wojowników. — Jakbym miała za mało problemów z facetami!

Natychmiast się uśmiechnął i pokręcił głową. Miałam dziwne wrażenie, że ze wszystkich sił stara się nie roześmiać.

— Źle mnie zrozumiałaś. Pozostanę przy tobie i będę przewodził tym, którzy cię strzegą, lecz chciałbym złożyć ślubowanie Afrodycie. Tego dotyczy moja prośba.

— Chcesz się z nią związać ślubami wojownika?

— Tak. Wiem, że nieczęsto się zdarza, by wampirski wojownik ślubował ludzkiej damie. Afrodyta nie jest jednak zwykłym człowiekiem.

— Jakbym nie wiedziała — mruknęłam, a on kontynuował, jak gdyby tego nie usłyszał.

— Jest prawdziwą wieszczką, a to stawia ją w jednym szeregu z najwyższą kapłanką Nyks.

— Czy jej Skojarzenie ze Stevie Rae nie zakłóci waszej więzi?

Wzruszył ramionami.

— Zobaczymy. Jestem gotów zaryzykować.

— Kochasz ją, prawda?

Spokojnie spojrzał mi w oczy i uśmiechnął się ciepło.

— Prawda.

— Mimo że jest taka wredna?

— Jest wyjątkowa — zaoponował. — I potrzebuje mojej ochrony, szczególnie w nadchodzących dniach.

— Z tym się zgodzę. — Wzruszyłam ramionami. — W porządku, zgadzam się. Tylko nie mów potem, że cię nie ostrzegałam.

— Nie mam najmniejszego zamiaru. Dziękuję, kapłanko. Proszę, nie wspominaj jej na razie o niczym. Chciałbym osobiście jej to zaproponować.

— Będę milczeć jak grób — powiedziałam i udałam, że zamykam sobie usta na klucz i wyrzucam go.

— W takim razie życzę ci dobrej nocy — rzekł Darius, po czym przyłożył pięść do serca, skłonił się i zniknął.

ROZDZIAŁ DZIESIĄTY

Zoey

Długo stałam w korytarzu, usiłując jakoś poukładać sobie w głowie cały ten bałagan.

O kurczę! Darius chciał poprosić Afrodytę o przyjęcie jego ślubów. No, no. Wampirski wojownik i ludzka wieszczka, przez którą przemawia bogini. Ciekawe, co z tego wyniknie?

Kolejna zwariowana sprawa: Stark wyczuwa moje emocje, jeśli tylko są dostatecznie silne! No cóż — miałam s i l - n e uczucie, że to się okaże niefortunne. Potem uświadomiłam sobie, że moje silne uczucia w kwestii silnych uczuć mogą go zaalarmować, i usiłowałam je stłumić, co jeszcze bardziej mnie zestresowało. A on prawdopodobnie to czuł. Byłam przekonana, że w końcu doprowadzę się do obłędu.

Zdławiłam westchnienie i cicho otworzyłam drzwi. Jedyne światło w pokoju rzucała wysoka świeca modlitewna podobna do tych, jakie można kupić w sklepie wielobranżowym, ozdobionych kiczowatymi świętymi obrazkami. Tyle że ta wcale nie była kiczowata. Była różowa, ozdobiona ładnym rysunkiem Matki Boskiej i pachniała różami.

Podeszłam na palcach do łóżka Starka.

Wciąż wyglądał kiepsko, ale już nie tak blado i przerażająco jak przedtem. Spał, a w każdym razie miał zamknięte oczy, oddychał miarowo i sprawiał wrażenie rozluźnionego. Nie miał koszuli, a szpitalne prześcieradło było podciągnięte do wysokości ramion, więc widziałam tylko skraj tego, co musiało być ogromnym, owijającym całą jego pierś bandażem. Pamiętałam, jak mocno został poparzony, i zastanawiałam się, czy niezależnie od grożących mi konsekwencji nie powinnam naciąć sobie przedramienia i przytknąć mu go do ust, tak jak wcześniej zrobił dla mnie Heath. Stark prawdopodobnie instynktownie przyssałby się do rany i zaczął pić, odzyskując dzięki temu siły. Ale czy nie byłby wściekły, kiedy już by zrozumiał, co się stało? Pewnie tak. A Heath i Erik z całą pewnością dostaliby szału.

Cholera. Erik. Nadal nie miałam pojęcia, co z nim zrobić.

— Przestań się stresować.

Podskoczyłam i natychmiast przeniosłam wzrok na twarz Starka. Tym razem miał otwarte oczy i przyglądał mi się z wyrazem rozbawienia zmieszanego z kpiną.

— A ty przestań podsłuchiwać moje emocje.

— Nie podsłuchiwałem. Wystarczyło spojrzeć, jak przygryzasz wargę, by wiedzieć, że jesteś strasznie zdenerwowana. Wnioskuję z tego, że rozmawiałaś z Dariusem. Zgadza się?

— Owszem. Wiedziałeś o wszystkim, z czym się wiąże przysięga wojownika, zanim mi ją złożyłeś?

— Mniej więcej. Przerabialiśmy to na socjologii wampirskiej w zeszłym roku. Choć doświadczenie tego na własnej skórze to trochę inna sprawa.

— Naprawdę potrafisz odbierać moje emocje? — zapytałam z wahaniem, bojąc się prawdy niemal tak samo jak niewiedzy.

— Zaczynam, ale to nie jest tak, jakbym słyszał twoje myśli czy coś równie zwariowanego. Po prostu czasem coś czuję i wiem, że to nie pochodzi ode mnie. Początkowo przeważnie to ignorowałem, potem zrozumiałem, co się dzieje, i zacząłem zwracać na to większą uwagę. — Uśmiechnął się lekko.

— Stark, nie ukrywam, że czuję się z tym, jakbym była szpiegowana!

Spoważniał.

— Nie szpieguję cię! To nie polega na śledzeniu cię umysłem. Nie mam zamiaru naruszać twojej prywatności. Chcę tylko zapewnić ci bezpieczeństwo! Myślałem, że... — Urwał i odwrócił wzrok. — Nieważne. Musisz tylko wiedzieć, że nie użyję tej więzi, żeby cię prześladować.

— Myślałeś, że co? Dokończ, co zacząłeś mówić.

Wydał z siebie długie zniecierpliwione westchnienie i znów spojrzał mi w oczy.

— Myślałem, że bardziej mi ufasz. Między innymi dlatego postanowiłem złożyć ci ślubowanie: zaufałaś mi, kiedy nikt inny tego nie zrobił.

— Nadal ci ufam — odparłam szybko.

— A jednak uważasz, że mógłbym cię szpiegować? Zaufanie i szpiegowanie jakoś do siebie nie pasują.

Gdy to ujął w ten sposób, doszłam do wniosku, że coś w tym jest, i moja początkowa panika zaczęła słabnąć.

— Nie sądzę, żebyś to robił celowo, ale jeśli moje emocje do ciebie szepczą czy co tam robią, łatwo by ci było... no wiesz... — Urwałam, przebierając nerwowo palcami, zażenowana całą tą dziwną sytuacją.

— Szpiegować? — dokończył za mnie. — Nie, nie będę tego robił. Co powiesz na taki układ: będę zwracał uwagę na twoje emocje, jeśli poczuję strach. Inne zignoruję. — Spojrzał mi w oczy i zobaczyłam, że jest wyraźnie dotknięty. Niech to szlag! Wcale tego nie chciałam.

— Zignorujesz w s z y s t k i e uczucia? — zapytałam cicho.

Skinął głową i skrzywił się z bólu, lecz zaraz odparł spokojnie:

— Wszystkie oprócz tych, które będę musiał znać, by cię chronić.

Bez słowa wyciągnęłam rękę i ujęłam jego dłoń.

Nie wyrwał jej, ale też nic nie powiedział.

— Słuchaj, źle rozpoczęłam tę rozmowę. Ufam ci. Po prostu byłam zaskoczona, kiedy Darius mi powiedział o tym odbieraniu emocji.

— Zaskoczona? — zapytał, unosząc kąciki ust.

— No dobrze, może raczej przerażona. Mam ostatnio mnóstwo problemów i faktycznie jestem dość mocno zestresowana.

— To na pewno — przytaknął. — A przez „mnóstwo problemów" rozumiesz tych dwóch facetów, Heatha i Erika?

Westchnęłam.

— Niestety tak.

Splótł palce z moimi.

— Ich obecność niczego nie zmienia. Jesteśmy związani moim ślubowaniem.

To zabrzmiało stanowczo zbyt podobnie do słów Heatha. Z trudem powstrzymałam się od nerwowego wiercenia.

— Naprawdę nie mam teraz ochoty z tobą o nich rozmawiać. — Nie tylko teraz, pomyślałam, lecz nie powiedziałam tego głośno.

— Rozumiem — odparł. — Ja też nie mam w tej chwili ochoty na rozmowę o tych jełopach. — Pociągnął mnie lekko za rękę. — Może po prostu posiedzisz chwilę przy mnie?

Usiadłam ostrożnie na skraju łóżka, nie chcąc za bardzo go szturchać, żeby przypadkiem nie sprawić mu bólu.

— Nie połamię się — powiedział, uśmiechając się łobuzersko.

— Prawie się połamałeś — zauważyłam.

— E tam, uratowałaś mnie. Teraz już nic mi nie będzie.

— Mocno boli?

— Bywało lepiej — przyznał. — Ta maść od sióstr, którą Darius posmarował oparzenia, pomaga. Wprawdzie wciąż czuję silny ucisk w piersi, ale poza tym jestem znieczulony. — Nawet kiedy to mówił, kręcił się jednak niespokojnie, jakby nie mógł sobie znaleźć wygodnej pozycji. — A co słychać na zewnątrz? — zapytał szybko, najwyraźniej nie chcąc, żebym dalej wypytywała go o samopoczucie. — Kruki odleciały z Kaloną?

— Chyba tak. Stevie Rae i chłopcy znaleźli trzy martwe. — Urwałam, przypominając sobie dziwną reakcję Stevie na wieść, że wrzucili ciała do kubła.

— Co jest? — zapytał natychmiast Stark.

— Dokładnie nie wiem — odparłam szczerze. — Ze Stevie Rae dzieje się coś niepokojącego.

— A konkretnie? — przycisnął mnie.

Opuściłam wzrok na nasze złączone dłonie. Ile mogłam mu powiedzieć? Czy w ogóle powinnam z nim o tym rozmawiać?

— Jestem twoim wojownikiem. Możesz mi zawierzyć życie. A to oznacza, że możesz mi także zawierzyć tajemnice. — Spojrzałam mu w oczy, a on mówił dalej, uśmiechając się do mnie uroczo. — Jesteśmy związani ślubami, a to silniejsza więź niż ta między skojarzonymi czy nawet partnerami. Nigdy cię nie zdradzę, Zoey. Nigdy. Możesz na mnie liczyć.

Przez moment chciałam mu opowiedzieć o swoim wspomnieniu A-yi, lecz zamiast tego wypaliłam:

— Myślę, że Stevie Rae ukrywa czerwonych adeptów. Złych adeptów.

Jego spokojny uśmiech natychmiast zniknął i Stark zaczął się podnosić. Nagle gwałtownie wciągnął powietrze i zbladł jak ściana.

— Nie! Nie możesz wstawać! — Łagodnie ujęłam go za ramiona i położyłam z powrotem.

— Musisz o tym powiedzieć Dariusowi — wycedził przez zęby.

— Najpierw muszę pogadać ze Stevie.

— Nie sądzę, żeby to...

— Naprawdę muszę! — Znów ujęłam go za rękę, licząc na to, że przemówię do niego poprzez dotyk. — To moja najlepsza przyjaciółka!

— Ufasz jej?

— Chcę jej ufać. Dotąd ufałam. — Opuściłam bezradnie ramiona. — Ale jeśli nie wyjawi mi prawdy, pójdę do Dariusa.

— Muszę wstać z tego cholernego łóżka, żeby mieć pewność, że nie otaczają cię wrogowie!

— Nie otaczają mnie żadni wrogowie! Stevie Rae nie jest moim wrogiem! — Posłałam milczącą modlitwę do Nyks, by to okazało się prawdą. — Słuchaj, ja też ukrywałam przed przyjaciółmi różne rzeczy. Złe rzeczy. — Uniosłam brew i spojrzałam na niego wymownie. — Ukrywałam c i e b i e.

Wyszczerzył się.

— To co innego.

Nie pozwoliłam mu się rozśmieszyć.

— Wcale nie.

— Dobrze, rozumiem cię, ale nadal mnie to nie przekonuje. Nie dasz rady przyprowadzić tu Stevie Rae?

Zmarszczyłam czoło.

— Raczej nie.

— W takim razie obiecaj mi, że będziesz ostrożna i nie pozwolisz, żeby cię wyciągnęła w jakieś ustronne miejsce.

— Ona by mnie nie skrzywdziła!

— W gruncie rzeczy zakładam nawet, że nie potrafi, biorąc pod uwagę twoją władzę nad pięcioma żywiołami. Nie wiesz jednak, jaką moc mają ci źli adepci, których ukrywa, ani ilu ich jest. A ja wiem co nieco o tym, jak to jest być wrednym czerwonym adeptem. Więc obiecaj mi, że będziesz ostrożna.

— Dobrze. Obiecuję.

— Świetnie. — Rozluźnił się nieco.

— Słuchaj, nie chcę, żebyś się teraz o mnie martwił. Nie powinieneś zajmować się niczym z wyjątkiem wracania do zdrowia. — Wzięłam głęboki oddech, by dodać sobie odwagi, i dokończyłam: — Dobrze by było, gdybyś się napił mojej krwi.

— Nie.

— Przecież chcesz mieć dość siły, by mnie chronić, prawda?

— Prawda — odparł, kiwając sztywno głową.

— A to oznacza, że musisz szybko wydobrzeć, zgadza się?

— No tak.

— A wydobrzejesz szybciej, jeśli się napijesz, więc logika nakazuje to zrobić.

— Patrzyłaś ostatnio w lustro? — zapytał gwałtownie.

— Co?

— Wyglądasz na potwornie zmęczoną.

Poczułam ciepło na policzkach.

— Nie miałam czasu przejmować się takimi bzdurami jak makijaż czy fryzura — rzuciłam obronnym tonem.

— Nie mówię o makijażu czy fryzurze. Mówię o tym, że jesteś blada i masz worki pod oczami. — Opuścił wzrok na miejsce, gdzie koszula zakrywała długą bliznę ciągnącą się od jednego do drugiego ramienia. — Jak twoja rana?

— Dobrze. — Podciągnęłam koszulę do góry wolną ręką, choć wiedziałam, że blizny nie widać.

— Hej — rzekł łagodnie — ja już ją widziałem, pamiętasz?

Spojrzałam mu w oczy. Owszem, pamiętałam. Konkretnie rzecz biorąc, widział nie tylko bliznę, lecz mnie całą. Nagą. Teraz już twarz na dobre mi płonęła.

— Nie mówię o tym, żeby cię zawstydzać. Usiłuję jedynie ci przypomnieć, że ty też niedawno byłaś bliska śmierci. Potrzebujemy cię silnej i zdrowej, Zoey. Ja cię takiej potrzebuję. Dlatego nie zamierzam ci teraz niczego odbierać.

— Ale ty też musisz być silny i zdrowy.

— Będę. Nie martw się o mnie. Wygląda na to, że prawie nie da się mnie zabić. — Rzucił mi swój uroczy przekorny uśmieszek.

— Nie zapominaj, że masz mnie nie stresować. „Prawie" to nie to samo co „wcale".

— Postaram się o tym pamiętać. — Pociągnął mnie za rękę. — Połóż się obok mnie na chwilę. Lubię, gdy jesteś blisko.

— Jesteś pewien, że nie zrobię ci krzywdy?

— Jestem niemal pewien, że zrobisz — droczył się z uśmiechem — ale i tak chcę twojej bliskości. Chodź tutaj.

Pozwoliłam się pociągnąć na łóżko. Leżałam na boku zwrócona twarzą do Starka, z głową ostrożnie wspartą na jego ramieniu. Wyciągnął rękę i objął mnie, przygarniając mocniej.

— Powiedziałem już, że się nie połamię, więc możesz spokojnie się rozluźnić.

Westchnęłam i spróbowałam. Otoczyłam Starka ręką w pasie, starając się nie szturchać go za mocno i nie dotykać klatki piersiowej. Zamknął oczy. Obserwowałam, jak jego napięta blada twarz staje się spokojna, choć nie mniej blada. Chłopak zaczął głębiej oddychać i przysięgam, że już po minucie spał kamiennym snem.

Tego właśnie potrzebowałam, by zrealizować swój zamiar. Wzięłam trzy głębokie oczyszczające oddechy, skoncentrowałam się i szepnęłam:

— Duchu, przybądź do mnie.

Natychmiast poczułam wewnątrz znajome mrowienie, jakbym właśnie pojęła coś niewiarygodnie magicznego

— tak moja dusza reagowała na przybycie piątego żywiołu.

— A teraz cicho, ostrożnie i łagodnie przejdź do Starka. Pomóż mu. Wypełnij go. Dodaj mu sił, ale pod żadnym pozorem go nie budź! — mówiłam cicho, trzymając kciuki, by Stark się nie zbudził. Gdy duch mnie opuścił, poczułam, jak ciało chłopaka na moment sztywnieje. Potem Stark zadrżał i wydał długie senne westchnienie, uspokajany i miałam nadzieję, że także wzmacniany przez ducha. Obserwowałam go jeszcze przez chwilę, a potem powoli wyśliznęłam się z jego uścisku i szepcząc do ducha, by pozostał przy nim podczas snu, na palcach wyszłam z pokoju, cicho zamykając za sobą drzwi.

Po paru krokach zorientowałam się, że właściwie nie wiem, dokąd idę. Zatrzymałam się i zwiesiłam ramiona. Mijająca mnie szybko siostra podniosła oczy, a gdy nasze spojrzenia się spotkały, zdumiona uświadomiłam sobie, że ją znam!

— Siostra Bianca?

— Zoey! Tak, to ja. Tak tu ciemno, że ledwie cię zauważyłam.

— Chyba się zgubiłam. Czy może mi siostra powiedzieć, którędy mam iść do swojego pokoju?

Uśmiechnęła się życzliwie, przywodząc mi na myśl siostrę Mary Angelę, choć była znacznie młodsza.

— Idź dalej tym korytarzem, aż dojdziesz do schodów. Wejdź na samą górę. O ile mnie pamięć nie myli, pokój, który dzielisz z Afrodytą, ma numer trzynaście.

— Szczęśliwa trzynastka — westchnęłam. — Pasuje.

— Nie wierzysz, że sami kształtujemy swój los?

Wzruszyłam ramionami.

— Szczerze mówiąc, siostro, jestem zbyt zmęczona, by ocenić, w co wierzę.

Poklepała mnie po ręce.

— No to jazda do łóżka. Pomodlę się za ciebie do Maryi. Lepiej się zdać na nią niż na łut szczęścia.

— Dzięki.

Ruszyłam w stronę schodów. Nim dotarłam na górę, sapałam jak stara babcia, a rana ciągnąca się przez całą szerokość klatki piersiowej paliła mnie i ćmiła w rytm uderzeń serca. Otworzyłam drzwi na korytarz i oparłam się o ścianę, próbując złapać oddech. Machinalnie potarłam zranione miejsce i skrzywiłam się z bólu. Odsunęłam skraj koszuli w nadziei, że rana nie otworzyła się znowu, i zamarłam na widok nowych tatuaży zdobiących obie strony nabrzmiałej czerwonej linii.

— Zapomniałam o tym — szepnęłam do siebie.

— Cudowne!

Z cichym piskiem puściłam skraj koszuli i odskoczyłam tak gwałtownie, że wyrżnęłam głową o ścianę.

— Erik!!!

ROZDZIAŁ JEDENASTY

Zoey

— Myślałem, że mnie zauważyłaś. Nie kryłem się ani nic. — Siedział skulony o kilka stóp dalej, obok drzwi z mosiężną ozdobną trzynastką. Wstał i podszedł do mnie z wzorcowym uśmiechem przystojnego gwiazdora filmowego. — Kurczę, Zo, czekam tu na ciebie od wieków. — Pochylił się i nim zdążyłam cokolwiek powiedzieć, pocałował mnie mocno prosto w usta.

Położyłam mu ręce na piersi i odepchnęłam go, po czym wyśliznęłam się z objęć, w których próbował mnie zamknąć.

— Nie jestem w nastroju do całowania.

Uniósł ciemne brwi.

— Serio? Heathowi też to powiedziałaś?

— Nie mam zamiaru teraz tego roztrząsać.

— A kiedy? Gdy znowu będę musiał patrzeć, jak twój ludzki chłopak spija z ciebie krew?

— Wiesz co? Masz rację! Pomówmy o tym teraz. — Z każdą sekundą moja wściekłość rosła, i to nie tylko dlatego, że Erik miał kompletnie gdzieś moje zmęczenie i zdenerwowanie. Miałam dość jego zaborczości. Kropka. — Jestem skojarzona z Heathem. Przyjmij to do wiadomości lub nie. Więcej dyskutować o tym nie będziemy.

Patrzyłam, jak na jego twarzy wykwita furia, ale po chwili Erik się opanował, opuścił ręce i wydał z siebie długie westchnienie zakończone czymś w rodzaju parsknięcia.

— Mówisz jak typowa najwyższa kapłanka.

— Nie mogę powiedzieć, żebym się nią w tej chwili czuła.

— Słuchaj, przepraszam. — Wyciągnął rękę i odgarnął mi z twarzy kosmyk włosów. — Nyks dała ci nowe tatuaże, co?

— Tak... — Niemal odruchowo chwyciłam się za dekolt i oparłam o ścianę, by być poza zasięgiem rąk Erika. — Po wygnaniu Kalony.

— Mogę zobaczyć?

Powiedział to głębokim, uwodzicielskim tonem, wcielając się w rolę idealnego chłopaka, lecz nim zdołał się zbliżyć i uznać, że może mi zajrzeć za koszulę, uniosłam rękę, by go powstrzymać.

— Nie teraz. Chcę się wreszcie trochę przespać, Eriku.

Zatrzymał się i zmrużył gniewnie oczy.

— A co u Starka?

— Jest ranny. Ciężko. Ale Darius mówi, że się wyliże — powiedziałam ostrożnie, bojąc się, że Erik trzyma coś w zanadrzu.

— Przyszłaś prosto od niego, tak?

— Owszem.

Wyraźnie sfrustrowany przeczesał dłonią gęste czarne włosy.

— Tego już za wiele.

— Czego?

Rozłożył ręce na boki ruchem, który wyglądał na dobrze wyćwiczony aktorski gest.

— Tych wszystkich facetów! Muszę znosić Heatha, bo jest twoim partnerem, a kiedy wreszcie zaczynam się z tym jakoś godzić, pojawia się następny. Stark! — wygłosił dramatycznie, z szyderstwem wymawiając nazwisko mojego wojownika.

— Erik, ja...

Nie dopuścił mnie do słowa.

— I składa ci ślubowanie wojownika! Wiem, co to znaczy! Zawsze będzie z tobą.

— Erik... — spróbowałam znowu, ale on wciąż nawijał, nie zwracając na mnie uwagi.

— Więc jego też będę musiał znosić! A jakby tego było mało, jasne jest, że z Kaloną też cię coś łączy! Daj spokój, wszyscy widzieli, jak on na ciebie patrzył! — zadrwił. — Myślisz, że nie przypomina mi to Blake'a?

— Przestań — rzekłam cicho, choć złość i irytacja, które narastały we mnie przez cały czas jego występu, eksplodowały po sarkastycznej wzmiance o Kalonie, a przywołany niedawno duch nadał temu jednemu słowu taką moc, że Erik zrobił wielkie oczy i cofnął się o krok. — Skończmy z tym raz na zawsze — kontynuowałam. — N i e m u s i s z znosić żadnego innego faceta, bo od tej pory ty i ja nie jesteśmy razem.

— Hej, nie chcia...

— Teraz ja mówię! Koniec z nami, Eriku. Jesteś zbyt zaborczy i nawet gdybym nie była wyczerpana i potwornie zestresowana, co najwyraźniej nie ma dla ciebie żadnego znaczenia, i tak nie miałabym zamiaru dalej tolerować twojego chamstwa.

— Po wszystkim, co przez ciebie przeszedłem, myślisz, że możesz tak po prostu mnie porzucić?

— Nie. — Czując, jak duch kłębi się wokół mnie, wypełniłam nim słowa, robiąc krok naprzód i zmuszając Erika do cofnięcia się w głąb korytarza. — Nic nie myślę. Ja w i e m, że tak będzie. Z nami koniec. A teraz odejdź, zanim zrobię coś, czego mogłabym żałować przez jakieś pięćdziesiąt lat. — Celowo napierałam na niego mocą przepływającego przeze mnie żywiołu, aż się potknął.

Zbladł jak kreda.

— Co się z tobą, do cholery, stało! Byłaś taka słodka, a zmieniłaś się w jakąś wariatkę! Mam już dość tego, że zdradzasz mnie z każdym, kto posiada fiuta. Powinnaś być ze Starkiem, z Heathem i z Kaloną. Zasługujesz na to! — Przeszedł obok mnie i z furią zatrzasnął za sobą drzwi klatki schodowej.

Równie wściekła jak on podeszłam do drzwi z numerem 13 i otworzyłam je gwałtownie.

Afrodyta omal nie wypadła na zewnątrz i nie grzmotnęła twarzą o podłogę.

— Ups — mruknęła, przeczesując palcami swoje jak zawsze idealne włosy. — Ja tylko...

— Podsłuchiwałaś naszą małą scenkę rozwodową? — pomogłam jej.

— Coś w tym stylu. I muszę przyznać, że cię nie winię. Podsumuję to jednym słowem: jęczydupa. Nie mówiąc już o tym, że jesteś bardzo daleka od zdradzania go z każdym, kto posiada fiuta. Z Dariusem tylko się kumplujesz. Są też Damien i Jack... ale oni chyba się nie liczą, skoro wolą facetów. Tak czy owak była to idiotyczna przesada.

— Nie poprawiłaś mi nastroju. — Klapnęłam na to z dwóch łóżek, które wyglądało na nieużywane.

— Wybacz. Nie jestem zbyt dobra w poprawianiu ludziom nastroju.

— Więc wszystko słyszałaś?

— Owszem.

— To o Kalonie też?

— Też. I jeszcze raz powtórzę: jęczydupa.

— Afrodyto, co to u diabła jest ta „jęczydupa"?

Przewróciła teatralnie oczami.

— Jęczydupa to Erik, palantko. I jak próbowałam powiedzieć, nim mi przerwałaś, jego wzmianka o Kalonie była zdecydowanie nie fair. Nie mówiąc o tym, że Heath i Stark w zupełności by wystarczyli, by dowieść jego idiotycznej zazdrosnej niepewności, więc naprawdę nie musiał przywoływać kolejnego absztyfikanta.

— Nie kocham go!

— Pewnie, że nie. Wyrosłaś z niego. A teraz lepiej się prześpij. Bogini świadkiem, że niechętnie o tym wspominam, ale wyglądasz jak pół dupy zza krzaka.

— Dzięki, Afrodyto. Miło słyszeć, że wyglądam równie źle, jak się czuję — zakpiłam, nie zadając sobie trudu wyjaśnienia, że mówiąc „nie kocham go", nie miałam na myśli Erika, lecz Kalonę.

— Do usług.

Szukałam właśnie w głowie drwiącej odpowiedzi, gdy zauważyłam, co Afrodyta ma na sobie, i nieoczekiwanie parsknęłam śmiechem. Nasza królowa mody była ubrana w zakrywającą ją szczelnie od stóp do głów białą bawełnianą koszulę nocną! Jakby przystąpiła do amiszów.

— Och, cóż za uroczy strój!

— Nie zaczynaj. To nocny strój naszych siostrzyczek. Prawie jestem w stanie je zrozumieć: skoro noszą w łóżku coś takiego, to te głupie śluby czystości, które składają, stają się praktycznie niepotrzebne. Serio. Wyglądam w tym prawie nieatrakcyjnie.

— Prawie? — zachichotałam.

— Tak, mądralo, prawie. I zanim padniesz ze śmiechu, spójrz tam. To coś, co leży złożone na skraju twojego łóżka, to nie dodatkowe prześcieradło, tylko twój własny nocny strój marki zakon.

— Hm... no cóż, przynajmniej wygląda na wygodny.

— Wygoda jest dla cieniasów i złamasów.

Gdy Afrodyta wyniośle układała się z powrotem w łóżku, ja podeszłam do małej umywalki w kącie pokoju, by umyć twarz i rozpakować gościnną szczoteczkę do zębów.

— Mogę cię o coś spytać? — zagadnęłam z udawaną obojętnością.

— Wal — odparła, ubijając poduszki.

— To będzie poważne pytanie.

— No, jazda.

— Więc chciałabym dostać poważną odpowiedź.

— Dobra, dobra, pytaj wreszcie — rzuciła niedbale.

— Kiedyś mi powiedziałaś, że wiesz o zaborczości Erika.

— To nie zabrzmiało jak pytanie — zauważyła.

Uniosłam brwi do swojego odbicia w lustrze. Westchnęła.

— No dobra. Erik jest ultralepiszczem.

— Czym?

Znów westchnęła.

— Lepiszczem. Ultra. A to nic fajnego.

— Afrodyto, po jakiemu ty gadasz?

— Po młodzieżowemu. Arystokratyczny slang. Przy odrobinie wyobraźni i mając w zanadrzu parę prawdziwych przekleństw, nauczyłabyś się go.

— Niech mnie bogini ma w opiece — wymamrotałam do swojego odbicia, po czym ciągnęłam: — No dobra. Więc w stosunku do ciebie też się tak zachowywał?

— Przecież mówię.

— I wkurzało cię to?

— Jak cholera. Ogólnie rzecz biorąc, właśnie przez to zerwaliśmy.

Wycisnęłam pastę na szczoteczkę.

— Więc cię wkurzało. Zerwaliście ze sobą, ale wciąż... no... — Przygryzłam na moment wargę, po czym spróbowałam jeszcze raz. — Kiedy cię z nim widziałam, byłaś bardzo... hm...

— Och, do diabła, nie trafi cię szlag, jak to powiesz! Widziałaś, jak robię mu laskę!

— Właśnie — przyznałam z zażenowaniem.

— To jeszcze nie jest pytanie.

— W porządku, oto ono: zerwałaś z nim, bo był zaborczym palantem, ale próbowałaś go odzyskać, i to na tyle mocno, że posunęłaś się nawet do t e g o. Nie rozumiem czemu — wyrzuciłam z siebie, po czym zajęłam się myciem zębów.

Patrząc na odbicie Afrodyty w lustrze, zauważyłam, że na policzki wystąpił jej róż. Odrzuciła do tyłu włosy, odchrząknęła i pochwyciła moje spojrzenie w lustrze.

— Nie chodziło o Erika, tylko o władzę.

— Osso? — wybełkotałam poprzez spienioną pastę.

— Moja sytuacja w szkole zaczęła się zmieniać, jeszcze zanim się zjawiłaś.

Wyplułam i przepłukałam usta.

— Jak to?

— Wiedziałam, że coś się dzieje z Neferet. Niepokoiło mnie to i byłam tym zdziwiona.

Wytarłam usta i podeszłam do łóżka, zrzucając buty, z namaszczeniem zdejmując ubranie, wkładając miękką, ciepłą bawełnianą koszulę nocną i kładąc się do łóżka, a wszystko po to, by zdążyć się zastanowić, jak ująć w słowa mętlik, który kłębił mi się w głowie. Nie zdążyłam jednak nic powiedzieć, bo Afrodyta kontynuowała:

— Wiesz, że ukrywałam przed nią swoje wizje?

Skinęłam głową.

— Tak. I przez to ginęli ludzie.

— Racja. Ginęli. A Neferet miała to gdzieś. Czułam to. Zaczęłam mieć wrażenie, że coś tu nie gra. I właśnie wtedy moje życie zaczęło się sypać. A tego nie chciałam. Chciałam pozostać wredną francą, która wszystkimi rządzi i kiedyś zostanie najwyższą kapłanką, a najchętniej królową świata. Wtedy mogłabym powiedzieć swojej matce, żeby poszła w diabły, a może byłabym dość potężna, by ją nastraszyć tak, jak na to zasługuje. — Zrobiła długi wydech. — Wyszło inaczej.

— Zamiast tego słuchałaś Nyks — rzekłam cicho.

— Początkowo strasznie się starałam pozostać królową swojego wrednego królestwa, a chodzenie z najpopularniejszym facetem w szkole, nawet jeśli był jęczydupą, stanowiło część tego planu.

— Coś w tym jest — mruknęłam.

Zawahała się, po czym dodała:

— Jak sobie to przypominam, aż mnie mdli.

— Masz na myśli robienie t e g o z Erikiem?

Wygięła wargi i pokręciła głową, śmiejąc się cicho.

— Na boginię, jakaś ty pruderyjna! Nie, robienie t e g o z Erikiem wcale nie było złe. Mdli mnie, gdy sobie przypominam, jak przemilczałam swoje wizje i najogólniej rzecz biorąc, srałam na Nyks.

— Cóż, ostatnio w dużej mierze wyczyściłaś te brudy. A ja wcale nie jestem pruderyjna — odparłam.

Afrodyta prychnęła.

— Jesteś naprawdę nieatrakcyjna, gdy to robisz — powiedziałam.

— Nigdy nie bywam naprawdę nieatrakcyjna. Skończyłaś już z tym swoim poważnym pytaniem-niepytaniem?

— Chyba tak.

— Dobra. Teraz moja kolej. Udało ci się pogadać ze Stevie Rae? Na osobności?

— Mmm, jeszcze nie.

— Ale zamierzasz to zrobić?

— Mhm.

— Wkrótce?

— Co ty właściwie wiesz?

— Ona na sto procent coś przed tobą ukrywa.

— „Coś", to znaczy czerwonych adeptów? Tych, o których wcześniej mi mówiłaś? — Brak odpowiedzi z jej strony wywołał potworny ucisk w moim żołądku. — Więc co?

— Mam wrażenie, że chodzi o coś więcej niż tylko ukrywanie przed tobą paru niesfornych czerwonych adeptów.

Choć nie chciałam jej wierzyć, zarówno intuicja, jak i rozsądek podpowiadały mi, że mówi prawdę. Była skojarzona ze Stevie Rae, dzięki czemu łączyło ją z moją najlepszą przyjaciółką coś, czego nie miał nikt inny. Wiedziała więc o niej to i owo. Poza tym mimo rozpaczliwego pragnienia, by było inaczej, sama czułam, że ze Stevie jest coś nie tak.

— Nie możesz mi powiedzieć nic bardziej konkretnego? Pokręciła głową.

— Nie. Jest bardzo zamknięta.

— Zamknięta? W jakim sensie?

— No cóż, sama wiesz, jak się zwykle zachowuje twoja przyjacióleczka. Jak radosna wieśniara z sercem na dłoni, której cała postać aż krzyczy: „Hejże, ludziska, zobaczcie no, jaka ze mnie fajna dziołcha".

Afrodyta trochę za dobrze naśladowała nie tylko prowincjonalny akcent Stevie Rae, ale także jej głos. Zmarszczyłam surowo brwi.

— Tak — powiedziałam — zwykle jest otwarta i uczciwa, jeśli to miałaś na myśli.

— W takim razie informuję cię, że przestała taka być. Możesz mi wierzyć... a klnę się na boginię, która wie, jak cholernie nienawidzę tego pieprzonego Skojarzenia... że nasza Stevie ukrywa przed tobą coś, co wydaje się znacznie istotniejsze od paru adeptów.

— Kurde — mruknęłam.

— Właśnie — przyznała. — Teraz i tak nic z tym nie możesz zrobić, więc lepiej się prześpij. Jutro świat nadal będzie potrzebował ratunku.

— Super — stwierdziłam.

— Nawiasem mówiąc, jak się czuje twój chłoptaś?

— Który? — zapytałam ponuro.

— Pan Upierdliwa Strzała.

Wzruszyłam ramionami.

— Chyba lepiej.

— Ale nie dałaś mu się ugryźć, co?

Westchnęłam.

— Nie.

— Darius miał rację, wiesz? Choćby to nie wiem jak wkurzało niektórych z nas i choćbyś się zdawała nie wiadomo jak niekompetentna, jesteś teraz najwyższą kapłanką.

— Dzięki, że znów podnosisz mnie na duchu.

— Nie ma sprawy. Słuchaj, chcę przez to powiedzieć, że musisz być w pełni sił, a nie wyżłopana jak martini na brunchu w klubokawiarni mojej starej.

— Twoja mama naprawdę pije martini do brunchu?

— Jasne. — Pokręciła głową, wyglądając na potwornie zniesmaczoną. — Postaraj się być mniej naiwna. A wracając do tematu, nie rób nic głupiego tylko dlatego, że zakochałaś się w Starku i masz ochotę wypruć z siebie żyły, by mu dogodzić.

— Wyluzuj, dobra? Nie zamierzam robić nic głupiego. — Pochyliłam się i zdmuchnęłam grubą świecę stojącą na stoliku pomiędzy naszymi łóżkami.

Ciemność, która zapadła w pokoju, działała na mnie uspokajająco. Przez dłuższy czas milczałyśmy i zaczynałam już odpływać w sen, gdy nagle głos Afrodyty niemal postawił mnie na baczność.

— Wracamy jutro do Domu Nocy?

— Chyba musimy — odparłam po namyśle. — Cokolwiek się zdarzyło, tam jest nasz dom, a tamtejsi adepci i wampiry to nasza rodzina. Musimy do nich wrócić.

— No to tym bardziej powinnaś się wyspać. Jutro wylądujesz w samym środku czegoś, co jedna z gruboskórnych sekretarek mojej starej nazwałaby „jedną wielką kupą gówna" — rzekła Afrodyta swoim najlepszym radośnie sarkastycznym tonem.

Jak zwykle doprowadzała mnie do szału. I jak zwykle miała rację.

ROZDZIAŁ DWUNASTY

Zoey

Nie sądziłam, że po usłyszeniu tego ponurego, choć prawdopodobnie trafnego proroctwa Afrodyty w ogóle zdołam zasnąć, ale wycieńczenie zrobiło swoje. Zamknęłam oczy i nagle na krótko znalazłam się we władaniu błogiej nicości. Niestety taki stan nigdy nie gościł w moim życiu zbyt długo.

Śniłam o wyspie — oszałamiająco niebieskiej i równie pięknej. Rozejrzałam się i stwierdziłam, że stoję na... dachu zamku! Takiego naprawdę starego, zbudowanego z wielkich bloków nieobrobionego kamienia. Sam dach był niesamowity, otoczony kamiennymi występami przypominającymi zęby olbrzyma. Porastało go mnóstwo roślin. Były wśród nich nawet drzewka cytrynowe i pomarańczowe z gałęziami uginającymi się pod ciężarem pachnących słodko owoców. Pośrodku stała fontanna w kształcie pięknej nagiej kobiety z uniesionymi nad głową rękami, z których płynęła krystaliczna woda. Kobieta wydawała mi się znajoma, ale nie mogłam skupić na niej myśli, bo mój wzrok z cudownego ogrodu na dachu przeskoczył na jeszcze cudowniejszy krajobraz wokół zamku.

Wstrzymałam oddech, podeszłam do skraju dachu i spojrzałam w dół — bardzo daleko w dół. Wokół rozciągało się niewiarygodnie błękitne morze. Miało barwę marzenia, śmiechu, perfekcyjnego letniego nieba. Samą wyspę tworzyły poszarpane góry pokryte niezwykłymi, przypominającymi wielkie parasole sosnami. Zamek stał na najwyższym szczycie, a w oddali można było dostrzec zgrabne wille i urocze miasteczko.

Nad całą okolicą unosił się niesamowity morski błękit, w którym wszystko wyglądało jak z bajki. Wdychałam bryzę pachnącą solą i pomarańczami. Dzień był słoneczny i całkowicie bezchmurny, lecz we śnie światło ani trochę mnie nie raziło. Było wspaniałe! Panował lekki chłód i dość mocno wiało, ale i to mi nie przeszkadzało. Dotyk rześkiej bryzy na skórze wprawiał mnie w zachwyt. Akwamarynowy odcień morza cieszył mój wzrok. Wyobrażałam sobie, jak to wszystko może wyglądać o zmierzchu, gdy słońce uda się na spoczynek. Błękit pogłębi się, pociemnieje i przejdzie w szafir...

Moja senna dusza powitała tę myśl uśmiechem. Szafir! Wyspa przybierze barwę moich tatuaży. Odchyliłam do tyłu głowę i wyrzuciłam ręce w górę, jakbym chciała objąć cały ten piękny krajobraz, który wyczarowałam z własnej wyobraźni.

— Wygląda na to, że nie mogę przed tobą uciec, nawet jeśli na jawie to czynię — odezwał się Kalona.

Stał za mną. Jego głos pełzł po mojej skórze, po plecach i ramionach, aż objął całe ciało. Powoli opuściłam ręce, nie odwróciłam się jednak.

— To ty zakradasz się do cudzych snów, nie ja. — Byłam zadowolona, że mój głos zabrzmiał spokojnie i nad wyraz opanowanie.

— Więc wciąż nie chcesz się przyznać, że cię pociągam? — zapytał głębokim, uwodzicielskim tonem.

— Nie szukałam cię. Gdy zamykałam oczy, nie pragnęłam niczego z wyjątkiem snu — odpowiedziałam niemal odruchowo, unikając bezpośredniej odpowiedzi na jego pytanie i wypierając z pamięci moje ostatnie wspomnienie jego głosu i obejmujących mnie ramion.

— Z całą pewnością śpisz sama. Gdybyś była z kimś, znacznie trudniej byłoby mi cię dotknąć.

Stłumiłam niepokojącą tęsknotę, jaką wywoływał we mnie jego głos, i zanotowałam w pamięci tę informację — Stark miał rację, spanie z kimś rzeczywiście utrudniało Kalonie dostęp do mnie.

— To nie twoja sprawa — odparłam.

— Zgadzam się. Wszyscy ci ludzcy synowie, którzy tłoczą się wokół ciebie, by chłonąć twoją bliskość, absolutnie nie są warci krzty mojego zainteresowania.

Nie zadałam sobie trudu, by wytknąć mu, że kompletnie przeinaczył moje słowa. Całą siłę woli skierowałam na zachowanie spokoju i próbę obudzenia się ze snu.

— Odegnałaś mnie od siebie, a jednak odnalazłaś w snach. O czym to świadczy, A-yo?

— Nie nazywam się tak! Nie w tym życiu!

— Mówisz: „nie w tym życiu"? To oznacza, że zaakceptowałaś prawdę. Wiesz, że twoja dusza jest reinkarnacją dziewczyny ulepionej przez Ani Yunwiya, by mnie kochała. Być może dlatego wciąż powracasz do mnie w snach. Choć na jawie twój umysł się opiera, duszą, swoim jestestwem pragniesz mnie.

Odwoływał się do tradycji Czirokezów — ludu mojej babci, a więc także mojego. Znałam tę legendę. Piękny skrzydlaty nieśmiertelny osiedlił się wśród nich, ale zamiast być dobrotliwym bogiem, który zstąpił na ziemię, czynił zło. Wykorzystywał kobiety i wysługiwał się mężczyznami. W końcu mądre kobiety z poszczególnych plemion, znane jako Ghigua, zebrały się i ulepiły z ziemi dziewczynę, A-yę. Potem tchnęły w nią życie i wyposażyły ją w dary, dzięki którym zdołała zrealizować ich plan: obrócić pożądliwość Kalony przeciw niemu, zwabić go pod ziemię i tam uwięzić.

Nieśmiertelny nie oparł się jej wdziękom i przez wieki — póki nie uwolniła go Neferet — tkwił uwięziony w głębi ziemi.

A teraz, gdy odbierałam wspomnienia A-yi, aż nazbyt dobrze wiedziałam, że legenda głosi prawdę.

„Prawda! — przypomniał mi mój umysł. — Użyj siły prawdy, by go pokonać".

— Tak — przyznałam. — Wiem, że jestem wcieleniem A-yi. — Wzięłam głęboki oddech, by się skoncentrować, po czym odwróciłam się twarzą do Kalony. — Jest to jednak wcielenie współczesne, co oznacza, że podejmuję własne decyzje. I zdecydowałam, że nie będę z tobą.

— A mimo to wciąż przychodzisz do mnie w snach.

Chciałam zaprzeczyć, jakobym to ja przyszła do niego; powiedzieć coś błyskotliwego i godnego najwyższej kapłanki, ale potrafiłam jedynie wpatrywać się w niego. Ależ był piękny! I jak zwykle skąpo odziany. Choć może słuszniej byłoby powiedzieć: wcale nie odziany. Miał na sobie jedynie dżinsy. Wyglądał jak odlany z brązu i nie miał najmniejszej skazy na skórze, która tak gładko oblekała mięśnie, że miałam ochotę go dotknąć. Jego bursztynowe oczy lśniły. Patrzył na mnie z ciepłem i życzliwością, które dosłownie zapierały mi dech. Wyglądał na jakieś osiemnaście lat, lecz gdy się uśmiechnął, stał się jeszcze młodszy, chłopięcy, bardziej przystępny. Całym sobą niemal krzyczał do mnie: „Patrz! Jestem niesamowitym facetem, za którym powinnaś szaleć!".

Było to jedno wielkie kłamstwo. Kalona był przerażający i śmiertelnie niebezpieczny, a ja nie mogłam o tym ani na chwilę zapomnieć niezależnie od tego, jak wyglądał i jak go sobie przedstawiały zasiane głęboko w mojej duszy wspomnienia.

— Ach, wreszcie zniżyłaś się do tego, by na mnie spojrzeć!

— Cóż, nie chciałeś odejść i zostawić mnie w spokoju, więc postanowiłam być uprzejma — odparłam z wymuszoną obojętnością.

Kalona odrzucił głowę do tyłu i roześmiał się zaraźliwym, bardzo uwodzicielskim śmiechem, który wzbudził we mnie przemożne pragnienie, by podejść bliżej i przyłączyć się do nieśmiertelnego w nieskrępowanej wesołości. Pragnęłam tego tak mocno, że niemal zrobiłam krok ku niemu, ale właśnie wtedy jego skrzydła zatrzepotały i rozpostarły się lekko. Promienie słońca zalśniły na ich głębokiej czerni, wydobywając niewidoczne zwykle indygo i fiolet.

Miałam wrażenie, że wpadłam na przezroczystą ścianę. Natychmiast przypomniałam sobie, kto to jest: niebezpieczny upadły anioł, który pragnie skraść moją wolną wolę, by na koniec odebrać mi duszę.

— Nie wiem, z czego się tak cieszysz — rzekłam szybko. — Mówię prawdę. Patrzę na ciebie, bo jestem uprzejma, choć naprawdę chciałabym, żebyś odleciał i pozwolił mi śnić w spokoju.

— Och, moja A-yo. — Spoważniał. — Nigdy nie będę mógł zostawić cię w spokoju. Jesteśmy sprzężeni. Będziemy dla siebie zbawieniem lub potępieniem. — Zrobił krok w moją stronę, a ja w odpowiedzi cofnęłam się o taki sam krok. — Na co stawiasz? Zbawienie czy potępienie?

— Mogę mówić jedynie za siebie. — Zmusiłam swój głos, by brzmiał spokojnie, a nawet zdołałam wzbogacić go o nutkę sarkazmu, choć czułam, jak zimny kamień balustrady napiera na moje plecy niczym więzienny mur. — Żadne z tych słów mi się nie podoba. Zbawienie? Daj spokój, przypominasz mi Ludzi Wiary, a skoro oni by cię uznali za u p a d ł e g o anioła, to raczej nie jesteś specjalistą od zbawienia. A potępienie? Szczerze mówiąc, w tym też przypominasz mi Ludzi Wiary. Od kiedy to jesteś takim religijnym nudziarzem?

Dwoma krokami przemierzył dzielącą nas przestrzeń. Jego ramiona stały się prętami zamykającymi mnie w klatce pomiędzy balustradą a nim. Skrzydła zadrżały i rozpostarły się, blokując promienie słońca własnym mrocznym połyskiem. Czułam potworny i cudowny zarazem chłód, który zawsze od niego emanował. Powinien mnie odstręczać, lecz tak nie było. Coś w głębi mnie ulegało pokusie tej strasznej ciemności. Miałam ochotę przywrzeć do Kalony i zatracić się w słodkim bólu.

— Nudziarzem? A-yo, moja utracona miłości, w ciągu minionych wieków śmiertelnicy obdarzali mnie różnymi przydomkami, ale nikt nigdy nie powiedział o mnie „nudziarz".

Pochylił się nade mną. Był taki wielki! I ta naga skóra... Oderwałam wzrok od jego piersi i spojrzałam mu w oczy. Uśmiechał się do mnie z góry, całkowicie rozluźniony i opanowany. Był tak pociągający, że niemal zaparło mi dech. Jasne, Stark i Heath, i Erik też byli fajni, nawet wyjątkowo fajni, lecz w porównaniu z nieśmiertelną urodą Kalony nie istnieli. On był arcydziełem, posągowym bogiem uosabiającym fizyczny ideał, tyle że jeszcze bardziej atrakcyjnym przez to, że był żywy, obecny i dostępny.

— Ch...chcę, żebyś się cofnął. — Bezskutecznie usiłowałam powstrzymać drżenie głosu.

— Naprawdę tego chcesz, Zoey?

Na dźwięk swojego imienia wzdrygnęłam się bardziej poruszona niż wtedy, gdy nazywał mnie A-yą. Mocno zacisnęłam palce na kamiennej balustradzie, szukając oparcia, by nie ulec jego czarowi. Wzięłam głęboki oddech i przygotowałam się, by skłamać, powiedzieć, że tak, że oczywiście chcę, by się odsunął.

Wykorzystaj moc prawdy — usłyszałam w głowie szept.

Ale co było prawdą? To, że muszę walczyć ze sobą, by nie rzucić mu się w ramiona? Że nie mogę przestać myśleć o tym, jak A-ya mu się oddała? Czy też to drugie — że chciałabym być zwyczajną dziewczyną, której największymi problemami są zadania domowe i wredne koleżanki?

Powiedz prawdę.

Zamrugałam. Owszem — mogłam powiedzieć mu prawdę.

— W tej chwili chcę przede wszystkim spać. Chcę być normalna. Chcę się przejmować szkołą, ubezpieczeniem samochodu i zabójczą ceną benzyny. I naprawdę doceniłabym twoje starania, gdybyś mógł coś zrobić w którejś z tych spraw. — Spokojnie patrzyłam mu w oczy, czerpiąc siłę z tego małego fragmentu prawdy.

Uśmiechnął się młodzieńczym szelmowskim uśmiechem.

— Podejdź tu, Zoey.

— No cóż, to chyba mi nie zapewni żadnej z rzeczy, o których wspomniałam.

— Mogę ci dać znacznie więcej niż tylko te przyziemne drobiazgi.

— Jasne, że tak, ale twoja oferta raczej nie obejmuje normalności, a właśnie jej najbardziej mi teraz brakuje.

Spojrzał mi w oczy. Czułam, że czeka, aż się zawaham, zdenerwuję i zacznę jąkać, albo co gorsza, spanikuję. Tyle że ja powiedziałam mu szczerą prawdę i to niewielkie, lecz spektakularne zwycięstwo dodało mi sił. W końcu to on odwrócił oczy. To jego głos stał się nagle przerywany i niepewny.

— Nie muszę być taki. Dla ciebie mogę się stać czymś więcej. — Znów wbił we mnie wzrok. — Gdybyś była przy mnie, mógłbym wybrać inną drogę.

Starałam się nie okazać burzy emocji, którą we mnie wywołał. W tej części mnie, którą zbudziła A-ya.

Znajdź prawdę — podpowiadał mi umysł, a ja znów poszłam za jego radą.

— Chciałabym ci uwierzyć. Niestety, nic z tego. Jesteś cudowny i czarodziejski, ale jesteś też kłamcą. Nie ufam ci.

— Mógłabyś to zmienić — rzekł.

— Nie — odparłam szczerze. — Nie sądzę.

— Spróbuj. Daj mi szansę. Podejdź tu i pozwól, bym ci dowiódł, ile jestem wart. Naprawdę, ukochana, wystarczy tylko jedno krótkie słowo: „Tak". — Pochylił się i wdzięcznym, uwodzicielskim ekscytującym ruchem przybliżył wargi do mojego ucha, muskając je lekko i wywołując we mnie rozkoszny dreszcz. — Oddaj mi się, a ja obiecuję, że spełnię twoje najgłębsze marzenia.

Oddychałam szybko, mocniej zaciskając palce na balustradzie. W tym momencie pragnęłam tylko jednego: wyrzec to słowo. „Tak". Wiedziałam, co się stanie, jeśli to zrobię. Zaznałam już takiej uległości, będąc A-yą.

Kalona wybuchnął głębokim, wyniosłym śmiechem.

— Dalej, moja utracona miłości. Jedno słowo, a twoje życie zmieni się na zawsze.

Nie szeptał mi już do ucha. Znów pochwycił moje spojrzenie i uśmiechnął się — młody i doskonały, potężny i życzliwy.

Chciałam powiedzieć „tak". Pragnęłam tego tak bardzo, że aż bałam się odezwać.

— Kochaj mnie — szepnął. — Kochaj tylko mnie.

Poprzez opary pożądania mój umysł zdołał jakoś zrozumieć jego przesłanie i odnaleźć wreszcie inne słowo niż „tak".

— Neferet — powiedziałam.

— Co z nią? — zdziwił się, marszcząc brwi.

— Mówisz, że mam kochać tylko ciebie, ale sam nie jesteś wolny. Związałeś się z Neferet.

Trochę spuścił z tonu.

— To nie twoja sprawa.

Na dźwięk tych słów serce mi się ścisnęło i uświadomiłam sobie, że wielka część mnie pragnęła, by Kalona zaprzeczył swojemu związkowi z kapłanką, by powiedział, że to już przeszłość. Rozczarowanie dodało mi sił.

— Myślę, że jednak moja — rzekłam. — Gdy ją ostatnio widziałam, próbowała mnie zabić, mimo że wtedy cię odtrąciłam. Gdybym powiedziała „tak", do reszty straciłaby rozum, a raczej to, co z niego zostało. Znowu rzuciłaby się na mnie.

— Dlaczego my w ogóle rozmawiamy o Neferet? Jej tu nie ma! Popatrz na piękno, które nas otacza. Pomyśl, jak by to było rządzić tym miejscem u mego boku, pomóc mi przywrócić dawny porządek temu stanowczo zbyt nowoczesnemu światu. — Opuścił jedną dłoń i pogładził mnie po przedramieniu. Ignorując wywołany tym dreszcz i alarm, który rozległ się w mojej głowie na dźwięk słów o przywróceniu dawnego porządku, przywołałam najbardziej marudny dziewczęcy głos, na jaki było mnie stać.

— Daj spokój, Kalono. Naprawdę nie mam ochoty na kolejny melodramat z jej udziałem. Chyba już bym tego nie wytrzymała.

Zniecierpliwiony wyrzucił w górę ręce.

— Dlaczego wciąż mówisz o Tsi Sgili? Rozkazuję ci o niej zapomnieć! Ona nic dla nas nie znaczy.

Gdy tylko przestał mnie przyciskać do balustrady, odsunęłam się nieco w bok, by zwiększyć dzielący nas dystans. Musiałam się zastanowić, a nie mogłam tego zrobić, póki tkwiłam w jego objęciach.

Kalona postąpił krok w moją stronę, tym razem wciskając mnie w prześwit między blankami. Podpora sięgała mi jedynie do kolan. Czułam uderzający w plecy i mierzwiący mi włosy chłodny wiatr. Nie musiałam się rozglądać, by wiedzieć, że mam za sobą wielką przepaść i czekające daleko w dole lazurowe morze.

— Nie uciekniesz przede mną. — Kalona zmrużył bursztynowe oczy i zauważyłam, że pod uwodzicielską fasadą narasta w nim gniew. — Musisz wiedzieć, że wkrótce będę władał tym światem. Przywrócę dawny porządek i podzielę współczesnych ludzi, oddzielając ziarno od plew. Ziarno pozostanie przy mnie, rosnąc i rozwijając się, by mnie karmić, a plewy spłoną i obrócą się w pył.

Zmroziło mnie. Nieśmiertelny używał dawnego poetyckiego języka, lecz nie miałam cienia wątpliwości, że opisuje kres mojego świata i zniszczenie niezliczonych osób — wampirów, adeptów i ludzi. Oszołomiona odchyliłam głowę i spojrzałam na niego takim wzrokiem, jakbym nie miała zielonego pojęcia, o czym gada.

— Ziarno? Plewy? Wybacz, ale nic z tego nie rozumiem. Musisz to przetłumaczyć na normalny język.

Przez dłuższą chwilę milczał, przyglądając mi się badawczo. Potem wydął pełne wargi w lekkim uśmieszku i pogładził mnie po policzku.

— Grasz w niebezpieczną grę, moja mała utracona miłości.

Zamarłam.

Jego dłoń zsunęła się po mojej twarzy i szyi, rysując ścieżkę zimnego żaru.

— Igrasz ze mną. Myślisz, że możesz udawać dziewczynkę, której świat kończy się na tym, jaką sukienkę włożyć i którego chłopca pocałować. Nie doceniłaś mnie. Znam cię, A-yo. Znam cię aż za dobrze.

Jego dłoń wciąż wędrowała w dół. Wciągnęłam gwałtownie powietrze, gdy zatrzymała się na piersi i zaczęła pocierać najbardziej wrażliwe miejsce, wywołując ukłucie lodowatego pożądania. Choćbym nie wiem jak się starała opanować, drżałam pod jego dotykiem. Stojąc na dachu ponad przepaścią, uwięziona przez hipnotyzujący dotyk Kalony, wiedziałam z potworną pewnością, że nie tylko wspomnienia A-yi przyciągają mnie do niego. To byłam ja, moje serce, moja dusza. Moje pragnienia.

— Przestań, proszę. — Chciałam, by te słowa zabrzmiały głośno i mocno, niczym komenda, której nie można zignorować, ale z moich ust wydobył się tylko słaby szept.

— Miałbym przestać? — Zaśmiał się. — Chyba zgubiłaś gdzieś swoją prawdę. Wcale nie chcesz, żebym przestał.

Twoje ciało pragnie mojego dotyku. Nie możesz się tego wyprzeć. Skończ więc z tym idiotycznym oporem. Zaakceptuj mnie i swoje miejsce przy mym boku. Dołącz do mnie, a razem stworzymy nowy świat.

Przechyliłam się ku niemu, zdołałam jednak wyszeptać:

— Nie mogę.

— Jeśli się do mnie nie przyłączysz, będziemy wrogami, a wówczas spłoniesz z resztą plew. — Gdy wypowiadał to zdanie, przeniósł wzrok z mojej twarzy na piersi i położył dłonie na obu. Jego bursztynowe oczy złagodniały, a spojrzenie straciło ostrość. Pieścił mnie, zalewając moje ciało lodowatymi falami niechcianego pożądania, zmrażając serce, umysł i duszę.

Drżałam tak mocno, że moje słowa były ledwo zrozumiałe.

— To sen... tylko sen. To nie jest prawda — mamrotałam, jakby próbując przekonać samą siebie.

Przez swoje pożądanie Kalona stawał się jeszcze bardziej uwodzicielski. Uśmiechnął się do mnie poufale, nie przestając pieścić moich piersi.

— Tak — powiedział — to sen. Ale jest w nim prawda i rzeczywistość, a także twoje najgłębsze, najskrytsze pragnienia. Zoey, w tym śnie możesz robić wszystko, czego pragniesz. M o ż e m y to robić.

To tylko sen — powtarzałam w myślach. *Proszę, Nyks, niech moc następnej prawdy pomoże mi się zbudzić.*

— Pragnę być z tobą — powiedziałam. Jego uśmiech kipiał triumfem, lecz nim nieśmiertelny zdołał mnie zamknąć w swoim wiecznym i aż nazbyt znajomym uścisku, dodałam:

— Prawda jest jednak taka, że niezależnie od tego jak bardzo tego pożądam, wciąż jestem Zoey Redbird, a nie A-yą, a to oznacza, że w tym życiu wybrałam ścieżkę Nyks. Kalono, nie zdradzę swojej bogini, oddając się tobie!

Wykrzykując ostatnie słowa, szarpnęłam się w tył, wypadłam przez otwór w balustradzie i poleciałam w stronę skalistego brzegu daleko, daleko w dole.

Poprzez własne wrzaski słyszałam, jak Kalona wykrzykuje moje imię.

ROZDZIAŁ TRZYNASTY

Zoey

Usiadłam wyprostowana na łóżku, wrzeszcząc, jakby ktoś wrzucił mnie do dołu pełnego pająków. W uszach mi dzwoniło, a całe ciało tak się trzęsło, że spodziewałam się lada chwila dostać torsji, ale mimo paniki w pewnym momencie dotarło do mnie, że oprócz swojego wrzasku słyszę jeszcze jeden. Rozejrzałam się w ciemnościach, zmusiłam do zamilknięcia, wciągnęłam haust powietrza i usiłowałam się połapać, o co chodzi. Gdzie ja w ogóle jestem? Na dnie morza? Roztrzaskana o skały jakiejś wyspy?

Nie... nie... byłam w opactwie benedyktynek... w pokoju, który mi przydzielono na spółkę z Afrodytą... obecnie siedzącą na sąsiednim łóżku i wydzierającą się wniebogłosy.

— Afrodyto! — wrzasnęłam, próbując ją przekrzyczeć.

— Przestań! To ja! Wszystko w porządku!

Umilkła gwałtownie, ale oddychała szybko i krótko, jakby wciąż histeria ściskała ją za gardło.

— Światła! Światła! — wykrztusiła zdławionym głosem.

— Zapal światło! Nie zniosę tej ciemności!

— Dobra, dobra, już. — Przypomniałam sobie, że na stole między naszymi łóżkami stoi wysoka świeca. Z trudem wymacałam zapalniczkę. Musiałam się schwycić lewą ręką za nadgarstek prawej, by ją ustabilizować i zapalić świecę, lecz i tak dopiero po piątej próbie knot się zajął, oświetlając kredowobiałą twarz Afrodyty i całkowicie przekrwione białka oczu.

— O matko! Twoje oczy!

— Wiem! Wiem! Niech to szlag! Wciąż nic nie widzę! — jęknęła.

— Spokojnie, spokojnie. Poprzednio też tak było. Przyniosę ci mokrą szmatkę i szklankę wody. Na pewno prze...

— Umilkłam, bo dopiero teraz do mnie dotarło, co oznaczają szkarłatne oczy Afrodyty. Zamarłam w połowie drogi między łóżkiem a umywalką. — Miałaś wizję?

Zamiast odpowiedzieć, ukryła twarz w dłoniach i pokiwała głową, szlochając.

— Już dobrze. Wszystko będzie dobrze — powtarzałam w kółko, podchodząc do umywalki, mocząc ręcznik w zimnej wodzie i napełniając jedną z dwóch stojących obok szklanek. Szybko wróciłam do Afrodyty wciąż siedzącej na skraju łóżka z twarzą ukrytą w dłoniach. Jej płacz z histerycznego szlochu przeszedł w ciche żałosne skomlenie. Wyciągnęłam rękę i poprawiłam jej poduszki. — Masz, wypij. A potem się połóż, żebym mogła ci przykryć oczy ręcznikiem.

Odsunęła dłonie od twarzy i po omacku szukała szklanki. Pomogłam jej ją chwycić, a potem patrzyłam, jak duszkiem wypija całą wodę.

— Zaraz ci doleję. Ale najpierw się połóż i przytknij to do oczu.

Spoczęła na uniesionej poduszce i mrugała niewidzącymi oczyma. Wyglądała przerażająco. Całkowicie czerwone białka oczu w trupio bladej twarzy wywoływały upiorny efekt.

— Widzę tylko twój kontur, i to niewyraźny — rzekła słabym głosem. — Cała jesteś czerwona, jakbyś krwawiła — dokończyła ze zdławionym jękiem.

— Nie krwawię. Nic mi nie jest. Już kiedyś to przeżyłaś, pamiętasz? Wystarczyło, że zamknęłaś oczy i chwilę odpoczęłaś, a wszystko wróciło do normy.

— Pamiętam. Nie pamiętam tylko, żeby było aż tak źle.

Zamknęła oczy, a ja złożyłam ręcznik i łagodnie go na nich położyłam.

— Wtedy też tak było — skłamałam.

Przez chwilę trzepotała rękami koło ręcznika, potem opuściła je na pościel. Wróciłam do umywalki i ponownie napełniłam szklankę.

— Straszna wizja? — zapytałam, obserwując odbicie Afrodyty w lustrze.

Usta jej drżały. Wzięła długi spazmatyczny oddech.

— Straszna.

Podeszłam do łóżka.

— Jeszcze wody?

Skinęła głową.

— Czuję się, jakbym przebiegła maraton na gorącej pustyni. Nie żebym kiedykolwiek zamierzała to robić. Nienawidzę się pocić. To obrzydliwe.

Zadowolona, że znów słyszę dawną Afrodytę, uśmiechnęłam się i poprowadziłam jej rękę ku szklance. Potem usiadłam na swoim łóżku przodem do niej i czekałam.

— Czuję, że na mnie patrzysz — powiedziała.

— Wybacz. Sądziłam, że nic nie mówiąc, okazuję cierpliwość. — Urwałam. — Chcesz, żebym przyprowadziła Dariusa? Albo Damiena? Albo obu?

— Nie! — zaprotestowała szybko. Widziałam, jak kilkakrotnie przełyka ślinę. Potem kontynuowała spokojniej: — Na razie nigdzie nie odchodź, dobra? Nie chcę zostać sama, dopóki nie widzę.

— Dobra. Zostaję. Chcesz mi opowiedzieć o wizji?

— Nieszczególnie, ale chyba muszę. Widziałam siedem wampirskich kapłanek. Wszystkie wyglądały na ważne i potężne. Znajdowały się w niesamowitym miejscu, bez wątpienia starym i arystokratycznym, bo jego wygląd nie miał nic wspólnego z bezguściem tych okropnych nowobogackich. — Przewróciłam oczami, żałując, że Afrodyta nie może tego zobaczyć. — Początkowo nawet nie wiedziałam, że to wizja. Myślałam, że po prostu śnię. Patrzyłam, jak te kapłanki siedzą sobie na przypominających trony krzesłach, i czekałam, aż wydarzy się coś wariackiego, jak to w snach. Na przykład wszystkie nagle zmienią się w Justina Timberlake'a, zerwą się z miejsc i zaczną przede mną rozbierać, śpiewając *Chcemy więcej seksu*.

— Hm — stwierdziłam — ciekawy sen. Justin to jedno wielkie głupkowate ciacho, choć nie da się ukryć, że podstarzałe.

— Weź przestań. Masz stanowczo za dużo facetów, żeby jeszcze śnić o kolejnym. Zostaw go mnie. Zresztą kapłanki i tak się w niego nie zmieniły, nie mówiąc już o striptizie. Właśnie się zastanawiałam, o co w tym wszystkim chodzi, gdy nagle wszystko stało się jasne jak słońce. To musiała być wizja, bo w tym momencie do sali weszła Neferet.

— Neferet!

— We własnej osobie. Z Kaloną. Zaczęła gadać, ale żadna kapłanka nawet nie zaszczyciła jej spojrzeniem. Wszystkie gapiły się na Kalonę.

Nie powiedziałam tego na głos, lecz doskonale wiedziałam, co czuły.

— Neferet mówiła coś o akceptacji zmian wprowadzonych przez Ereba, przemeblowaniu świata, powrocie do dawnych obyczajów itede, itepe...

— Przez Ereba?! — przerwałam jej. — Ona wciąż utrzymuje, że Kalona to Ereb?

— Najwyraźniej. Nazywała też siebie wcieleniem Nyks, a później po prostu Nyks, ale nie usłyszałam wszystkiego, co mówiła, bo mniej więcej w tym momencie zaczęłam płonąć.

— Płonąć? To znaczy zajęłaś się ogniem?

— No, może niezupełnie ja. Niektóre kapłanki. To było dziwne. Jedna z najdziwniejszych wizji, jakie miałam w życiu. Jedna część mnie patrzyła, jak Neferet przemawia do siedmiu wampirskich kapłanek, a w tym samym czasie druga część opuszczała salę wraz z nimi, z jedną po drugiej. Czułam, że nie wszystkie jej wierzą, i trzymałam się tych, które nie wierzyły. Póki nie zaczęły się palić.

— Jakby je ktoś podpalał?

— Tak, tyle że bardzo dziwnie. W jednej sekundzie wyczuwałam, że myślą coś nieprzyjemnego o Neferet, a w następnej płonęły i wyglądały, jakby się znajdowały w szczerym polu. I nie tylko one były w ogniu. — Urwała i wypiła resztę wody. — Palili się też inni: ludzie, wampiry i adepci. Wszyscy znajdowali się na tym samym polu, które rosło i rosło, jakby miało wchłonąć cały cholerny świat.

— O matko!

— Okropność, mówię ci. W życiu nie miałam wizji, w której ginęłyby wampiry. Nie licząc tych dwóch o tobie, ale ty w końcu jesteś jedynie adeptką.

Zmarszczyłam brwi, tylko marnując energię, bo i tak nie mogła tego zobaczyć.

— Rozpoznałaś kogoś oprócz tych płonących kapłanek? Neferet i Kalona też tam byli?

Przez dłuższą chwilę milczała. Potem podniosła rękę i zdjęła z oczu mokry ręcznik. Zamrugała. Zauważyłam, że czerwień już blednie. Afrodyta spojrzała na mnie zmrużonymi oczyma.

— Lepiej. Już mniej więcej cię widzę. No więc tak: Kalona tam był. Neferet nie. Ale za to ty byłaś. Z nim. Traktuj to dosłownie: z nim. Leciał na ciebie, a ty byłaś zachwycona. Mogę tylko powiedzieć „ble" na określenie waszej miłosnej scenki, zwłaszcza że przyglądałam się jej z perspektywy osób, które się smażyły, podczas gdy wyście sobie dogadzali.

W skrócie mówiąc, nie ulegało wątpliwości, że właśnie twoje związanie się z Kaloną doprowadziło do upadku naszego świata.

Przetarłam twarz drżącą dłonią, jakbym mogła wymazać w ten sposób wspomnienie siebie jako A-yi w objęciach Kalony.

— Nigdy się z nim nie zwiążę.

— Dobra. To co teraz powiem, powiem nie dlatego, że jestem wredną pindą. Nie tym razem.

— Nie krępuj się.

— Jesteś reinkarnacją A-yi.

— Już to ustaliłyśmy — odparłam ostrzej, niż zamierzałam.

Uniosła rękę.

— Chwila. O nic cię nie oskarżam. Chodzi tylko o to, że ta pradawna czirokeska dziewczyna, z którą masz jak gdyby wspólną duszę, została stworzona, żeby kochać Kalonę. Zgadza się?

— Tak, ale musisz zrozumieć, że ja — nią — nie — jestem. — Cedziłam osobno każde słowo.

— Daj spokój, Zoey, przecież wiem. Wiem też, że Kalona pociąga cię znacznie bardziej, niż przyznajesz przed kimkolwiek, w tym prawdopodobnie przed sobą. Już raz wspomnienie A-yi tak tobą zawładnęło, że zemdlałaś. Co będzie, jeśli nie zdołasz w pełni zapanować nad swoimi uczuciami do niego, bo masz je zakodowane w duszy?

— Myślisz, że o tym nie myślałam? Do diabła, Afrodyto, będę się trzymać od niego z daleka! — wrzasnęłam sfrustrowana. — Z bardzo daleka! Nigdy więcej nie będę miała okazji z nim być i twoja wizja się nie ziści.

— To nie takie proste. Wizja, w której z nim jesteś, nie była jedyną. Szczerze mówiąc, jak teraz o tym myślę, przypominała mi te durne wizje twojej śmierci, w których najpierw widzę, jak podrzynają ci gardło i prawie odcinają głowę, a potem w tej samej cholernej wizji tonę z tobą. I jak tu się nie stresować?

— Tak, pamiętam. W końcu to na moją śmierć patrzyłaś.

— Co z tego, skoro na razie tylko ja musiałam ją przeżywać? Po raz kolejny cię zapewniam, że to nie było przyjemne.

— Może dokończysz opowieść o najnowszej wizji?

Spojrzała na mnie cierpiętniczo, lecz kontynuowała:

— No więc się rozszczepiła, tak jak w przypadku tych dwóch różnych śmierci, które cię spotkały. W jednej chwili liżesz się i obmacujesz z Kaloną, a ja cierpię...

— Jasne, przecież płonęłaś — wtrąciłam rozdrażniona, że nie może po prostu dokończyć.

— Nie, było coś jeszcze. Jestem prawie pewna, że to nie pochodziło od tych płonących ludzi. Był tam ktoś jeszcze i ten ktoś ewidentnie był do czegoś zmuszany.

— Zmuszany? Brzmi okropnie. — Znów zaczynał mnie boleć brzuch.

— Owszem. Cholernie nieprzyjemna sprawa. W jednej chwili ludzie płonęli, czułam czyjeś cierpienie i tak dalej, a ty się obściskiwałaś z upadłym aniołem. Potem wszystko się zmieniło. Z całą pewnością przeniosłam się w inne miejsce i inny czas. Ludzie wciąż płonęli, nadal też czułam to dziwaczne cierpienie, ale ty, zamiast się miętosić z Kaloną, wyślizgnęłaś się z jego ramion. Tyle że nie odeszłaś zbyt daleko. Potem coś do niego powiedziałaś. Cokolwiek to było, zmieniło wszystko.

— Jak?

— Zabiłaś go, a ogień i te inne rzeczy zaraz ustały.

— Zabiłam Kalonę!

— Owszem. Przynajmniej tak to wyglądało.

— Co ja takiego mogłam mu powiedzieć? Co mogło mieć taką moc?

Wzruszyła ramionami.

— A bo ja wiem? Nie słyszałam. Odbierałam to wszystko z perspektywy płonących ludzi, a do tego czułam to durne nie wiadomo czyje cierpienie, więc byłam trochę zbyt zajęta znoszeniem potwornego bólu, żeby się wsłuchiwać w każdą wypowiadaną przez ciebie sylabę.

— A jesteś pewna, że umarł? Podobno jest nieśmiertelny.

— Tak to wyglądało. Coś powiedziałaś, a on się rozleciał.

— To znaczy zniknął?

— Bardziej wybuchnął. Czy coś w tym stylu. Trudno to opisać, bo... no cóż, jak już ci wiadomo, płonęłam, a on zrobił się strasznie jasny, więc nie było dokładnie widać, co się z nim stało. W każdym razie tak jakby się rozpłynął, a wtedy ogień zgasł i wiedziałam, że od tej pory będzie dobrze.

— I to już wszystko?

— Nie. Zaczęłaś ryczeć.

— Co?

— Jak już zabiłaś Kalonę, zaczęłaś tak ryczeć, że omal się nie zasmarkałaś na śmierć. Potem wizja się skończyła i obudziłam się z potwornym bólem głowy i piekącymi dziko oczyma. A ty wrzeszczałaś jak opętana. — Zmierzyła mnie długim badawczym spojrzeniem. — Nawiasem mówiąc, czemu się tak darłaś?

— Miałam zły sen.

— O Kalonie?

— Nie chcę o tym mówić.

— To źle. Źle jak diabli. Musisz o tym mówić. Zoey, ja widziałam, jak świat płonie, a ty zabawiasz się z Kaloną. To nic fajnego.

— To się nie zdarzy! — powiedziałam z naciskiem. — Pamiętaj, że widziałaś także, jak go zabijam.

— Co się stało w tym śnie? — pytała uparcie.

— Zaoferował mi świat. Powiedział, że przywróci stary porządek i chce, żebym rządziła u jego boku czy coś w tym stylu. A ja na to, że sorry, ale nigdy w życiu. On na to, że spali... — O bogini! — Czekaj no, mówiłaś, że ludzie płonęli na jakimś polu? To było pole uprawne?

Wzruszyła ramionami.

— Pewnie tak. Dla mnie wszystkie pola wyglądają podobnie.

Poczułam ucisk w piersiach, a żołądek rozbolał mnie jeszcze mocniej.

— Powiedział, że oddzieli ziarno od plew, a plewy spali.

— Co to niby są te całe plewy?

— Nie wiem dokładnie. Coś mi świta, że mają jakiś związek ze zbożem. Spróbuj sobie przypomnieć, czy na tym polu rosło coś wysokiego, złocistego i trawiastego czy raczej coś zielonego i niepodobnego do zboża, na przykład kapusta czy buraki?

— Było żółte. I wysokie. I trawiaste. Myślę, że to mogło być zboże.

— Więc to, czym groził Kalona w moim śnie, w twojej wizji mniej więcej się ziściło.

— Tyle że ty w swoim śnie nie poddałaś mu się i nie przystąpiłaś do wielkiej miłosnej akcji. A może się mylę?

— Nie mylisz się! Rzuciłam się ze szczytu urwiska i dlatego tak się darłam.

Jej czerwonawe wciąż oczy zaokrągliły się.

— Serio? Skoczyłaś z urwiska?

— Konkretnie z wieży zamkowej, a tak się składa, że zamek stał na klifie.

— Brzmi okropnie.

— To była najbardziej przerażająca rzecz, jaką w życiu zrobiłam, ale i tak lepsza niż pozostanie tam z nim. — Zadrżałam, przypominając sobie jego dotyk i potworną, nieznośną tęsknotę, którą we mnie wzbudzał. — Musiałam od niego uciec.

— Hm. W przyszłości będziesz musiała ponownie to przemyśleć.

— C...co?

— Zaczniesz mnie wreszcie słuchać? Widziałam, jak Kalona przejmuje władzę nad światem. Wykorzystywał ogień, by palić ludzi, przy czym przez ludzi rozumiem zarówno homo sapiens, jak i wampiry. A ty go powstrzymałaś. Według mnie wizja oznacza, że jesteś jedyną żyjącą osobą, która może to zrobić. Więc nie powinnaś przed nim uciekać. Zoey, musisz sama wydedukować, co takiego powiedziałaś, że go to zabiło. A jak już będziesz to wiedziała, musisz do niego pójść.

— Nigdy w życiu!

Spojrzała na mnie ze szczerym współczuciem.

— Musisz zwalczyć tę całą reinkarnację i raz na zawsze zniszczyć Kalonę.

„Niech to szlag", pomyślałam i w tym momencie ktoś zaczął walić do drzwi.

ROZDZIAŁ CZTERNASTY

Zoey

— Zoey, jesteś tam? Wpuść mnie!

W mgnieniu oka wyskoczyłam z łóżka, podbiegłam do drzwi i otworzyłam je szarpnięciem. Stark opierał się ciężko o framugę.

— Stark? Czemu wstałeś?

Miał na sobie tylko szpitalne spodnie. Jego nagi tors pokrywał ogromny biały bandaż. Twarz chłopaka była blada jak kreda, na czoło wystąpiły mu kropelki potu. Oddychał krótko, spazmatycznie, jakby lada chwila miał się przewrócić.

W prawej ręce trzymał łuk z założoną strzałą.

— Cholera! Wpuść go, zanim zemdleje. Jak się przewróci, w życiu nie damy rady go podnieść, a na przeciąganie po podłodze jest stanowczo za wielki — ponagliła mnie Afrodyta.

Usiłowałam go złapać, ale strząsnął moją rękę ze zdumiewającą siłą.

— Nic mi nie jest. — Wszedł do sypialni i rozejrzał się wokół, jakby sądził, że ktoś zaraz wyskoczy z szafy. — Nie zemdleję — wykrztusił, powoli odzyskując oddech.

Stanęłam przed nim, starając się przykuć jego uwagę.

— Nikogo tu nie ma, Stark. Co się dzieje? Nie powinieneś nawet opuszczać łóżka, a co dopiero biegać po schodach.

— Wyczułem cię. Twoje przerażenie. Więc przybiegłem.

— Po prostu miałam zły sen. W rzeczywistości nic mi nie groziło.

— Kalona? Znów cię odwiedził we śnie?

— Znów? — wtrąciła Afrodyta. — To od jak dawna już o nim śnisz?

— Jeśli się z kimś nie sypia, i nie mam tu na myśli koleżanki z pokoju, Kalona może się dostać do snów dowolnej osoby, jeśli tylko ma na to ochotę — wyjaśnił Stark.

— Brzmi nieciekawie.

— To tylko sny — upierałam się.

— Czy możemy być tego pewni? — zapytała Afrodyta.

Skierowała to pytanie do Starka, ale odpowiedzi udzieliłam ja.

— Jak widać, żyję. Więc to musiał być sen.

— Co to znaczy, że żyjesz? Musisz mi wszystko wyjaśnić — rzekł Stark. Oddychał już miarowo i chociaż wciąż był blady, mówił jak niebezpieczny wojownik gotów bronić najwyższej kapłanki, której ślubował wierność.

— Zoey rzuciła się we śnie ze szczytu skały, żeby się uwolnić od Kalony — poinformowała go Afrodyta.

— Co ci zrobił? — zapytał Stark gniewnym głosem.

— Nic! — odparłam stanowczo zbyt szybko.

— Bo skoczyłaś, zanim zdążył — zauważyła usłużnie moja koleżanka.

— A co próbował zrobić? — nalegał Stark.

Westchnęłam.

— To co zawsze. Chce władzy nade mną. Nie tak to ujmuje, ale w gruncie rzeczy o to chodzi, a ja nigdy się na to nie zgodzę.

Stark zacisnął zęby.

— Powinienem był wiedzieć, że spróbuje dotrzeć do ciebie przez sny. Znam te jego sztuczki! Powinienem się postarać, żebyś spała z Heathem albo Erikiem.

Afrodyta prychnęła.

— A to niespodzianka. Kochaś numer trzy chce, żebyś spała z kochasiem numer jeden lub dwa.

— Nie jestem żadnym kochasiem!!! — ryknął Stark. — Jestem jej wojownikiem! Ślubowałem jej strzec. A to oznacza coś więcej niż jakieś idiotyczne zakochanie czy durną zazdrość.

Afrodyta gapiła się na niego. Chyba po raz pierwszy zapomniała języka w gębie.

— Stark, to był tylko sen! — powiedziałam z przekonaniem znacznie przewyższającym to, które w rzeczywistości odczuwałam. — Obojętne, ile razy Kalona włamie się do mojego snu, rezultat zawsze będzie ten sam. Nie poddam mu się.

— Postaraj się, żeby to była prawda, bo inaczej wszyscy znajdziemy się w niezłym syfie — zauważyła Afrodyta.

— O co jej chodzi?

— O nic. Miała kolejną wizję i tyle.

— „I tyle"? Czuję się wysoce niedoceniona. — Zmierzyła Starka długim spojrzeniem. — Więc jak, łuczniku? Jeśli będziesz spał z Zoey, to Kalona nie włamie się do jej snów?

— Nie powinien — odparł chłopak.

— W takim razie uważam, że powinniście razem spać, a jako że w tej sytuacji czuję się więcej niż zbędna, spadam stąd.

— Niby dokąd? — zapytałam.

— Tam, gdzie znajdę Dariusa, a uprzedzając twoje pytanie, zwisa mi, co o tym pomyślą pingwiny. Naprawdę strasznie boli mnie głowa, więc będę po prostu spać, ale przynajmniej w jego towarzystwie. Koniec, kropka.

Chwyciła ciuchy i torebkę. Pomyślałam, że pewnie zamierza wskoczyć do łazienki i przebrać się z tej babcinej koszuli w coś bardziej odpowiedniego, nim uda się na spotkanie z Dariusem, co z kolei uświadomiło mi, że sama mam na sobie podobną babciną koszulę. Usiadłam na łóżku i westchnęłam. Cóż, Stark miał już okazję zobaczyć mnie nagą, co było znacznie bardziej zawstydzające niż białe bawełniane wdzianko. Opuściłam ramiona. O bogini! Jak na dziewczynę mającą trzech partnerów byłam wyjątkowo kiepska w roztaczaniu wokół siebie atmosfery powabu.

Nim Afrodyta zdążyła dotrzeć do drzwi, zawołałam za nią:

— Nie mów nikomu o wizji, póki jej nie przemyślę! To znaczy — dodałam szybko — Dariusowi możesz powiedzieć, ale nikomu więcej, zgoda?

— Rozumiem, chcesz uniknąć histerii. Jasne. Ja też nie mam ochoty patrzeć, jak baranie stadko i reszta motłochu rwą sobie włosy z głowy, więc spoko. Prześpij się trochę, Zo. Do zobaczenia o zmroku. — Pomachała Starkowi i zdecydowanym ruchem zamknęła za sobą drzwi.

Stark podszedł do łóżka i usiadł ciężko obok mnie. Skrzywił się trochę, najwyraźniej odczuwając wreszcie ból w zranionej piersi. Położył łuk na stoliku nocnym i uśmiechnął się żałośnie.

— Więc nie będzie mi potrzebny?

— Jak widzisz.

— To mi daje komfort w postaci wolnych rąk. — Rozłożył ramiona i rzucił mi zawadiackie spojrzenie. — Chodź no tu, Zo.

— Chwila. — Podeszłam szybko do okna, by zyskać na czasie i po raz kolejny zastanowić się, jak mogę tak przeskakiwać z ramion jednego faceta w objęcia innego. — Zanim będę mogła odpocząć, muszę się upewnić, że nie spłoniesz — bredziłam. Zasłaniając żaluzje, nie oparłam się pokusie wyjrzenia na zewnątrz. Zobaczyłam milczący, pochmurny, szary, skuty lodem świat. Nic się nie poruszało, jakby całe życie poza opactwem razem z drzewami, trawą i przewróconymi liniami energetycznymi dosłownie zamarło. — Chyba rozumiem, jak udało ci się tu dotrzeć i nie zmienić się we frytkę. Zero słońca. — Nie przestawałam wyglądać przez okno zahipnotyzowana tym nieruchomym światem.

— Wiedziałem, że nic mi nie grozi — dobiegł od strony łóżka głos Starka. — Czułem, że jest dzień, ale słońce nie potrafi się przebić przez chmury. Nic nie ryzykowałem, idąc do ciebie. Zo — dodał — przyjdziesz tu wreszcie? Mój umysł twierdzi, że nic ci nie grozi, a mimo to intuicja wciąż nie daje mi spokoju.

Odwróciłam się zdumiona zmianą, jaka zaszła w jego łobuzerskim przedtem głosie. Odeszłam od okna i przysiadłam na skraju łóżka, biorąc Starka za rękę.

— Czuję się dobrze. Znacznie lepiej, niż ty byś się czuł, gdybyś tu przybiegł w pełnym słońcu.

— Kiedy poczułem twój strach, musiałem przyjść. Nawet ryzykując własne życie. To element ślubowania, które ci złożyłem.

— Czyżby?

Skinął głową, uśmiechnął się i uniósł moją dłoń do ust.

— Tak. Jesteś moją damą i najwyższą kapłanką. Zawsze będę cię chronił.

Objęłam dłońmi jego twarz i z jakiegoś powodu nie mogłam oderwać od niej wzroku. Nagle zachciało mi się płakać.

— Hej, co ty? Przestań. — Otarł mi łzy z policzka. — Chodź tu.

Bez słowa wsunęłam się do łóżka obok niego, uważając, by go nie szturchnąć w zraniony tors. Stark otoczył mnie ramieniem, a ja oparłam się o niego w nadziei, że jego ciepły dotyk zdoła wymazać wspomnienie lodowatej namiętności Kalony.

— Wiesz, że on to robi celowo, prawda?

Nie musiałam pytać, o kim mówi.

— Te uczucia, które w tobie wzbudza, nie są prawdziwe — kontynuował. — On tak działa: znajduje w każdym jakąś słabość i wykorzystuje ją. — Urwał. Czułam, że zamierza powiedzieć coś jeszcze. Nie chciałam tego słyszeć. Chciałam się skulić i zasnąć w bezpiecznych objęciach swego wojownika, zapominając o wszystkim.

Ale nie mogłam. Nie po wspomnieniach A-yi. Nie po wizjach Afrodyty.

— Mów dalej — zachęciłam go.

Objął mnie mocniej.

— Kalona wie, że twoją słabością jest związek z czirokeską dziewczyną, która go uwięziła.

— Z A-yą — uściśliłam.

— Właśnie. Z A-yą. Wykorzysta ją przeciwko tobie.

— Wiem.

Wyczuwałam jego wahanie. W końcu jednak zdecydował się mówić.

— Pragniesz go. On to w tobie zaszczepia. Walczysz z tym, ale on potrafi do ciebie dotrzeć.

Ścisnęło mnie w żołądku. Miałam ochotę zwymiotować, lecz zamiast tego odpowiedziałam mu szczerze.

— Wiem. I przeraża mnie to.

— Zoey, wierzę, że nadal będziesz go odtrącać, a jeśli kiedykolwiek ulegniesz, możesz liczyć na to, że się tam zjawię. Stanę pomiędzy tobą a Kaloną, nawet jeśli to będzie ostatnie, co zrobię w życiu.

Złożyłam głowę na jego ramieniu, aż nazbyt dobrze pamiętając, że Afrodyta ani słowem nie wspomniała o tym, że zauważyła Starka w którejś ze swoich wizji.

Odwrócił głowę i łagodnie ucałował mnie w czoło.

— Nawiasem mówiąc, ładna koszula.

Mimowolnie parsknęłam śmiechem.

— Jakbyś nie był ranny, oberwałbyś.

Uśmiechnął się po swojemu.

— Hej, naprawdę fajna! Czuję się, jakbym był w łóżku z niegrzeczną dziewczyną z jednej z tych zwariowanych katolickich szkół. Opowiesz mi o waszych szkolnych ekscesach? O tym, jak rzucałyście się poduszkami na golasa?

Przewróciłam oczami.

— Może później, jak będziesz trochę bardziej żywy.

— Nie ma sprawy. I tak jestem w tej chwili zbyt zmęczony, żeby coś udowadniać.

— Stark, może byś się trochę ze mnie napił? Tylko troszeczkę? — Zaczął protestować, ale ja się upierałam. — Słuchaj, przecież Kalony tu nie ma. Z mojego snu dość wyraźnie wynika, że znajduje się daleko stąd, bo w pobliżu Oklahomy raczej trudno znaleźć jakieś wyspy.

— Nie wiesz, gdzie się znajduje. Tę scenerię ze snu mógł stworzyć na twój użytek.

— Nie. Jest na wyspie. — Coś mi mówiło, że to nie była mistyfikacja. — Musiał się tam udać, żeby naładować akumulatory. Masz jakiś pomysł, gdzie to może być? Słyszałeś, żeby kiedyś wspominał o jakiejś wyspie w rozmowie z Neferet?

Pokręcił głową.

— Nie. Nigdy przy mnie o niczym takim nie mówił, ale skoro to wyspa, to musiałaś go naprawdę mocno zranić.

— Co oznacza także, że w tej chwili jestem bezpieczna, więc możesz spokojnie ze mnie pić.

— Nie — odparł stanowczo Stark.

— Nie chcesz?

— Nie bądź głupia! Oczywiście, że chcę, ale nie mogę. Nie możemy tego zrobić. Nie teraz.

— Daj spokój, potrzebujesz mojej krwi i energii, ducha czy czegokolwiek, żeby wydobrzeć. — Uniosłam brodę, żeby dobrze widział żyłę na mojej szyi. — Jazda. Gryź. — Zamknęłam oczy i wstrzymałam oddech.

Roześmiał się, a ja gwałtownie otworzyłam oczy w tym samym momencie, w którym on chwytał się za pierś, krzywiąc z bólu, spazmatycznie wciągał powietrze i znów się śmiał.

Zmarszczyłam brwi.

— Co cię tak bawi?

Zdołał się wystarczająco opanować, by wykrztusić:

— Wyglądasz jak postać ze starego filmu o Drakuli. Powinnaś mówić „Ssij mą krew, o panie". — Zrobił potworną minę i obnażył zęby.

Poczułam, jak płoną mi policzki. Spuściłam wzrok.

— Dobra. Zapomnij, że w ogóle o tym wspomniałam. Po prostu idźmy spać, zgoda? — Zaczęłam się przewracać na drugi bok, lecz schwycił mnie za ramię i obrócił z powrotem do siebie.

— Chwila, chwila... To nie tak miało być. — Nagle spoważniał. — Zoey. — Dotknął mojego policzka. — Nie będę pił twojej krwi, bo nie mogę. Nie dlatego, że nie chcę.

— Tak, już to słyszałam. — Wciąż byłam zawstydzona i chciałam odwrócić głowę, zmusił mnie jednak, bym spojrzała mu w oczy.

— Słuchaj, przepraszam. — Jego głos stał się głęboki i kuszący. — Nie powinienem się z ciebie śmiać, ale dopiero od niedawna jestem wojownikiem. Potrzebuję trochę czasu, żeby przywyknąć do nowej roli. — Pogłaskał mnie kciukiem po policzku, wodząc wzdłuż linii tatuaża. — Powinienem był ci powiedzieć, że jedyne czego pragnę bardziej niż smaku twojej krwi, to świadomość, że jesteś bezpieczna i silna. — Pocałował mnie. — Poza tym nie muszę z ciebie pić, bo wiem, że nic mi nie będzie. — Musnął moje wargi swoimi. — A chcesz wiedzieć, skąd to wiem?

— Mhm — mruknęłam.

— Stąd, że twoje bezpieczeństwo jest moją siłą, Zoey. A teraz śpij. Jestem przy tobie. — Położył się, zamykając mnie w uścisku.

— Gdyby ktoś próbował mnie obudzić, zabij go, dobra? — szepnęłam, nim zamknęłam oczy.

Zachichotał.

— Dla ciebie wszystko, o pani.

— Świetnie. — Powieki mi opadły i zasnęłam przy boku swego wojownika, który przytulał mnie mocno i chronił od złych znów i duchów przeszłości.

ROZDZIAŁ PIĘTNASTY

Afrodyta

— Gejaski, wracajcie do łóżka, co? Do tego wspólnego, ha, ha. Porywam swojego wampira na resztę nocy. — Afrodyta stała ze skrzyżowanymi ramionami w progu pokoju, który zajmowali Darius, Damien, Jack i Cesarzowa. Z lekkim poczuciem irytacji zauważyła, że Damien, Jack i labradorka śpią skuleni w jednym łóżku. Przypominali jej szczeniaczki, ale uważała, że to nie fair. Oni mogli sobie spać razem, a ją pingwiny odesłały do Zoey. To znaczy próbowały odesłać.

— Co się stało, Afrodyto? — Darius podbiegł do niej, jedną ręką naciągając koszulę na swój zabójczy tors, a drugą wkładając w biegu buty.

Jak zawsze zareagował, nim pozostali zdążyli się na dobre zbudzić. Między innymi dlatego tak go uwielbiała.

— Nic. Po prostu Zoey śpi ze Starkiem. W jednym pokoju — dodała z naciskiem. — A ja nie mam zamiaru im przeszkadzać, więc postanowiłam zmienić sypialnię.

— Wszystko z nią w porządku? — zapytał Damien.

— Podejrzewam, że bardziej niż w porządku — odparła.

— Nie sądziłem, że Stark ma dość siły na... hm... na takie rzeczy — rzekł taktownie Jack. Wyglądał na zaspanego, miał zmierzwione włosy i spuchnięte oczy. Pomyślała, że jeszcze bardziej niż zwykle przypomina szczeniaczka i jest naprawdę słodki. Oczywiście prędzej wydrapałaby sobie oczy, niż przyznała to głośno.

— Udało mu się wejść na górne piętro, więc przypuszczam, że dochodzi do siebie.

— No, no. Erikowi się to nie spodoba — zauważył radośnie Jack. — Jutro będziemy świadkami poważnej sceny.

— W tym teatrze zapadła już kurtyna. Parę godzin temu Zo odprawiła Erika z kwitkiem.

— Serio? — wykrzyknął Damien.

— Owszem. I ośmielę się powiedzieć, że czas był na to najwyższy. Nikt by dłużej nie zniósł tej jego idiotycznej zazdrości — stwierdziła Afrodyta.

— I naprawdę nic jej nie jest? — zapytał chłopak.

Nie spodobało jej się to jego zbyt badawcze spojrzenie. Nie miała zamiaru opowiadać o tym, że Kalona przeniknął do snu Zoey i że dlatego Stark z nią śpi. Nie zamierzała też dzielić się z nimi swoją wizją, za co zresztą radośnie winiła Zoey i planowała obarczyć ją całą odpowiedzialnością za swoje milczenie, gdyby Damien w przyszłości się wściekł, że trzymała gębę na kłódkę. By się pozbyć Pana Wścibskiego, uniosła jedną uroczą brew i uśmiechnęła się ze swoją zwykłą złośliwą tajemniczością.

— A kim ty jesteś, jej gejowatą mamusią?

Zgodnie z jej oczekiwaniami Damien natychmiast się nastroszył.

— Nie, przyjacielem!

— Wyluzuj. Nie nudź. I zakoduj sobie w mózgownicy, że Zoey jest cała i zdrowa. Na boginię, dajże jej odetchnąć!

Zmarszczył brwi.

— Daję jej odetchnąć. Po prostu się zaniepokoiłem.

— Gdzie Heath? Wie, że zerwała z Erikiem i że... hm, śpi ze Starkiem? — zapytał Jack, ostatnie słowa wypowiadając scenicznym szeptem.

Afrodyta przewróciła oczami.

— Mam to w głębokim poważaniu i Zoey chyba również, o ile nie potrzebuje przekąski. Jest zajęta — oznajmiła z naciskiem. W gruncie rzeczy wcale nie chciała ranić uczuć Damiena ani jego chłopaczka Jacka, ale tylko tak mogła im zamknąć usta. Zresztą nawet to nie zawsze działało. Odwróciła się do Dariusa, który stał w pobliżu i przyglądał jej się z mieszaniną rozbawienia i troski. — Gotowy, przystojniaku?

— Pewnie. — Na odchodnym zerknął na Damiena i Jacka. — Widzimy się o zmroku.

— Świetnie! — ucieszył się Jack, a Damien długo i bacznie przyglądał się Afrodycie.

Gdy już znaleźli się na korytarzu, zdołała zrobić jedynie kilka kroków, nim Darius schwycił ją za nadgarstek i zatrzymał, po czym położył dłonie na jej ramionach i spojrzał w oczy.

— Miałaś wizję — stwierdził.

Czuła, jak łzy napływają jej do oczu. Miała kompletnego fioła na punkcie tego wielkiego mięśniaka, który tak świetnie ją znał i zdawał się tak bardzo o nią troszczyć.

— Tak.

— Wszystko w porządku? Jesteś blada i wciąż masz trochę przekrwione oczy.

— W porządku — powiedziała, choć nawet w jej własnych uszach nie brzmiało to zbyt przekonująco.

Otoczył ją ramionami, a ona się poddała, czerpiąc z jego siły ogromną pociechę.

— Było tak źle jak ostatnio? — zapytał.

— Znacznie gorzej. — Z twarzą przyciśniętą do jego piersi mówiła tak miękko i słodko, że słysząc ją, chyba wszyscy, którzy ją znali, byliby zszokowani.

— Znowu widziałaś śmierć Zoey?

— Nie. Tym razem raczej koniec świata, ale Zoey miała w nim swój udział.

— Chcesz, żebyśmy do niej poszli?

— Nie, naprawdę śpi ze Starkiem. Podobno Kalona odwiedza ją w snach, a spanie z facetem zapobiega temu.

— Świetnie — rzekł Darius.

Na końcu korytarza rozległ się jakiś dźwięk. Wojownik natychmiast wciągnął dziewczynę w boczny korytarz i ukrył w cieniu. Obok przemaszerowała zakonnica, nie zauważając ich obecności.

— A skoro o spaniu mowa, to wiem, że Zo jest wielką kapłanką, lecz nie tylko ona potrzebuje porządnego odpoczynku — szepnęła Afrodyta, gdy siostra się oddaliła.

Darius przyjrzał jej się uważnie.

— Racja. Musisz być wykończona, zwłaszcza po tej wizji.

— Nie miałam na myśli tylko siebie, Panie Twardzielu. Raczej zastanawiałam się, gdzie moglibyśmy się zatrzymać po drodze, i wpadłam na pomysł. Doskonały pomysł, jeśli wolno mi tak powiedzieć.

— Nie wątpię — odparł z uśmiechem wojownik.

— Pamiętam, jak mówiłeś pingwinom, że Starka nie powinno się budzić co najmniej przez osiem godzin. Oboje jednak wiemy, że w tej chwili nie ma go w jego bardzo prywatnym i bardzo przytulnym pokoiku, który pozostaje tragicznie pusty. — Musnęła jego szyję, a potem uniosła się na palcach i ugryzła go leciutko w płatek ucha.

Zaśmiał się i otoczył ją ramieniem.

— Jesteś genialna.

W drodze do pustego pokoju Starka opowiedziała Dariusowi o szczegółach swojej wizji i o śnie Zoey. Słuchał z milczącą uwagą, która była kolejną rzeczą, jaką Afrodyta w nim uwielbiała.

Pierwszą była oczywiście jego nadzwyczaj pociągająca powierzchowność.

Pokój Starka istotnie okazał się przytulny. Mrok rozświetlała tylko jedna świeca. Darius podstawił pod drzwi krzesło, blokując oparciem klamkę, by skutecznie uniemożliwić ewentualnym intruzom wtargnięcie do środka. Potem pogrzebał w stojącej w kącie toaletce, wyjmując świeżą pościel i pozbywając się starej. Mamrotał przy tym, że jego dziewczyna nie powinna spać w pościeli rannego wampira.

Afrodyta przyglądała mu się, zdejmując buty i dżinsy, a potem zsuwając stanik pod koszulą. Myślała o tym, jakie to dziwne uczucie mieć kogoś, kto się o nią troszczy — kogoś, kto zdaje się lubić ją za jej prawdziwy charakter, a nie za to, że jest atrakcyjna, bogata, znana i trudna do zdobycia, a często po prostu za to, że jest wredną francą. Zawsze ją zdumiewało, jak wielu facetów uwielbia wredne france. Nie lubili jej dla niej samej, dla rzeczywistej Afrodyty. Zwykle zresztą nie zadawali sobie trudu, by zbadać, kto naprawdę się kryje za bujnymi włosami, długimi nogami i wyzywającym zachowaniem.

Ale największym szokiem, jaki niósł ze sobą związek z Dariusem, był fakt, że jeszcze ze sobą nie spali. Oczywiście wszyscy sądzili, że gżą się jak króliki, a ona pozwalała im tak myśleć, wręcz podsycając przypuszczenia. Rzeczywistość była jednak inna. I z jakiegoś powodu Afrodyta czuła się z tym całkiem normalnie. Owszem, sypiali w jednym łóżku i czasami trochę się poobmacywali, lecz na tym koniec.

Ze zdumieniem uświadomiła sobie, co się między nimi rozgrywa. Chcieli się najpierw lepiej poznać. Naprawdę poznać. Co więcej, to powolne wchodzenie w związek podobało jej się równie mocno jak poznawanie Dariusa.

Zakochiwali się w sobie!

Na tę przerażającą myśl ugięły się pod nią kolana. Musiała się wycofać do stojącego w kącie krzesła i usiąść. Kręciło jej się w głowie.

Darius skończył ścielić łóżko i spojrzał na nią z rozbawieniem z drugiego końca pokoju.

— Co ty robisz w tym kącie?

— Nic — odparła szybko. — Siedzę sobie.

Przechylił na bok głowę.

— Naprawdę dobrze się czujesz? Wspominałaś, że płonęłaś razem z wampirami w swojej wizji. Wciąż odczuwasz skutki tego? Jesteś jakaś blada.

— Trochę chce mi się pić i oczy mnie szczypią, ale poza tym wszystko dobrze.

Nadal jednak siedziała i najwyraźniej nie miała zamiaru ruszyć się z krzesła, więc w końcu Darius rzucił jej niepewny uśmiech.

— Nie wspominałaś czasem, że jesteś zmęczona?

— Jestem, jestem.

— Przynieść ci wody?

— A daj spokój! Sama sobie przyniosę! Nie kłopocz się. — Zerwała się z miejsca jak marionetka pociągnięta za sznurki i podeszła do umywalki znajdującej się w drugim końcu pokoju. Nalewała właśnie wody do papierowego kubka, gdy Darius nagle zmaterializował się za nią i położył jej na ramionach silne dłonie. Tym razem zaczął jej łagodnie ugniatać kciukami mięśnie karku.

— Całe napięcie skupia się tutaj — powiedział, przesuwając palce z karku na ramiona.

Wytrąbiła duszkiem cały kubek wody i zastygła, nie mogąc się zmusić do żadnego ruchu. Darius w milczeniu masował jej ramiona, łagodnym dotykiem dając do zrozumienia, jak bardzo mu na niej zależy. W końcu Afrodyta wypuściła kubek z ręki, pochyliła głowę do przodu i westchnęła z zadowoleniem.

— Masz magię w rękach.

— Dla ciebie wszystko, pani.

Uśmiechnęła się i oparła o niego, pozwalając sobie na coraz większe rozluźnienie. Zachwycało ją, że Darius traktuje ją jak swoją najwyższą kapłankę, choć nie miała tatuażu i nigdy nie mogła zostać wampirką. Ani przez chwilę nie wątpił, że jego dziewczyna jest wybranką bogini, że Nyks darzy ją szczególnymi względami. I nie obchodziło go, czy nosi na czole jej znak. Zachwycało ją...

O Matko przenajświętsza! Ona naprawdę go kocha! Jasny gwint!

Uniosła głowę i odwróciła się tak gwałtownie, że przestraszony Darius cofnął się o krok, machinalnie robiąc jej miejsce.

— Co jest? — zapytał.

— Kocham cię! — wykrztusiła, po czym zakryła sobie ręką usta, jakby poniewczasie chciała uniemożliwić sobie wypowiedzenie tych słów.

Na jego wargach wolno wykwitł uśmiech.

— Cieszę się, że to mówisz. Ja też się w tobie zakochałem.

Łzy napłynęły jej do oczu, więc zaczęła szybko mrugać, by je powstrzymać.

— Na boginię! To straszne! — rzuciła, odchodząc szybko.

Zamiast zareagować na jej wybuch, Darius spokojnie patrzył, jak Afrodyta podchodzi do łóżka. Czuła jego spojrzenie i zastanawiała się, czy usiąść, czy się położyć. W końcu stwierdziła, że nie podoba jej się obraz samej siebie w łóżku. Już teraz, stojąc przed Dariusem w samej koszuli i majtkach, czuła się zbyt odkryta. Odwróciła się twarzą do wojownika.

— No co? — burknęła.

Przechylił głowę i lekko uniósł kąciki ust w smutnym uśmiechu. Pomyślała, że jego oczy wydają się o całe dekady starsze od reszty ciała.

— Twoi rodzice się nie kochają, Afrodyto. Z tego co mi opowiedziałaś, wnioskuję, że mogą nie być zdolni do kochania kogokolwiek, w tym także ciebie.

Uniosła brodę i spojrzała mu w oczy.

— Powiedz mi coś, czego jeszcze nie wiem.

— Nie jesteś swoją matką.

Choć powiedział to łagodnie, odniosła wrażenie, że rzucił w nią tymi słowami, zagrzebując je głęboko w jej sercu.

— Wiem o tym! — wycedziła zmartwiałymi wargami.

Darius podszedł do niej powoli. Myślała o jego wdzięku i o tym, jak silny zawsze jej się wydawał. Ten facet ją kocha? Jak to? Jakim cudem? Czy on ma świadomość, jaka z niej przebrzydła pinda?

— Naprawdę wiesz? Jesteś zdolna do miłości, nawet jeśli twoja matka nie jest do niej zdolna — powiedział.

„Ale czy jestem zdolna do bycia kochaną?" Miała ochotę wykrzyczeć to pytanie, lecz nie potrafiła. Powstrzymała ją duma silniejsza niż zrozumienie malujące się w oczach Dariusa. Afrodyta zrobiła więc coś, co dawało jej poczucie bezpieczeństwa: przeszła na pozycje obronne.

— No pewnie, że wiem! Co z tego? I tak nie podoba mi się to, co jest między nami. Ty jesteś wampirem, a ja człowiekiem. Mogę dla ciebie być co najwyżej ludzką partnerką, a właściwie nawet nie, bo jestem już skojarzona z tą pieprzoną durnowatą wieśniarą Stevie Rae! I wygląda na to, że nie mogę się od niej uwolnić, chociaż ty też mnie ugryzłeś. — Umilkła, przypominając sobie łagodność, z jaką Darius spijał jej zbrukaną obcym Skojarzeniem krew. Bezskutecznie starała się uciec od myśli o przyjemności i ukojeniu, które znajdowała w jego ramionach, i to bez uprawiania seksu!

— Chyba nie masz racji. Nie jesteś zwykłym człowiekiem, a twoje Skojarzenie ze Stevie Rae nie ma na nas wpływu. Uważam je za kolejny dowód na to, że Nyks cię wybrała. Wie, że Stevie cię potrzebuje.

— Ale ty nie — zauważyła z goryczą Afrodyta.

— Jasne, że tak — zaprzeczył stanowczo.

— Niby do czego? Nawet się nie pieprzymy!

— Afrodyto, dlaczego ty to robisz? Wiesz, że cię pragnę, lecz nasze życie nie sprowadza się tylko do spraw cielesnych! Łączy nas znacznie więcej.

— Jakoś tego nie widzę! — Była niebezpiecznie bliska łez, co doprowadzało ją do furii.

— A ja tak. — Podszedł do dziewczyny, ujął ją za rękę i opadł na jedno kolano. — Muszę cię o coś spytać.

— O bogini! O co? — Czy on się przymierzał do czegoś idiotycznego w rodzaju oświadczyn?

Przyłożył prawą dłoń do serca w wampirskim salucie i spojrzał jej głęboko w oczy.

— Afrodyto, ukochana wieszczko Nyks, proszę cię o przyjęcie mojego ślubowania wojownika. Obiecuję od tego dnia chronić cię całym swoim sercem, umysłem, ciałem i całą swoją duszą. Ślubuję należeć przede wszystkim do ciebie i dla ciebie walczyć do ostatniego tchnienia, a nawet dłużej, jeśli taka będzie wola bogini. Czy przyjmujesz moją przysięgę?

Zalała ją fala przejmującej radości. Darius chciał być jej wojownikiem! Zaraz jednak na myśl o konsekwencjach przysięgi mina jej zrzedła.

— Nie możesz być moim wojownikiem! Naszą najwyższą kapłanką jest Zoey. Jeśli masz komuś złożyć ślubowanie, to tylko jej. — Była wściekła, że wypowiada te słowa, a jeszcze bardziej rozwścieczała ją myśl o Dariusie klęczącym przed Zoey.

— Zoey jest moją najwyższą kapłanką, podobnie jak twoją, ale ona ma już swojego wojownika. Widziałem, z jakim entuzjazmem młody Stark podchodzi do swojej roli. Naprawdę nie ma potrzeby, żebym jeszcze ja się w to wtrącał. Poza tym Zoey już pobłogosławiła mój wybór.

— Co zrobiła?

Wojownik z pełną powagą pokiwał głową.

— Uznałem, że powinienem wyjawić jej swoje zamiary.

— Więc nie robisz tego pod wpływem impulsu? To przemyślana decyzja?

— Oczywiście. — Uśmiechnął się do niej. — Chcę cię zawsze chronić.

Pokręciła głową.

— Nie możesz.

Uśmiech zniknął z twarzy Dariusa.

— Ode mnie zależy, czy i komu chcę złożyć ślubowanie, więc twoje słowa nic tu nie zmienią. Jestem młody, ale mam liczne umiejętności. Zapewniam cię, że potrafię cię ochronić.

— Nie to miałam na myśli! Wiem, że jesteś dobry. Zbyt dobry! I w tym problem. — Zaczęła bezgłośnie płakać.

— Co chcesz przez to powiedzieć, Afrodyto?

— Niby dlaczego miałbyś ślubować właśnie mnie? Jestem wredną francą!

Znów się uśmiechnął.

— Jesteś wyjątkowa.

Potrząsnęła głową.

— Zranię cię. Zawsze ranię każdego, kto za bardzo się do mnie zbliży.

— W takim razie dobrze, że jestem silnym wojownikiem. Nyks okazała roztropność, stawiając mnie na twojej drodze, a ja jestem szczęśliwy, że dokonała takiego wyboru.

— Dlaczego? — Teraz już płakała na dobre. Łzy spływały jej strumieniem po policzkach, kapały z brody i wsiąkały w koszulę.

— Bo zasługujesz na kogoś, kto ceni w tobie coś więcej niż tylko bogactwo, urodę i pozycję społeczną. Na kogoś, kto będzie cię cenił dla ciebie samej. A teraz pytam ponownie: czy przyjmujesz moje ślubowanie?

Wpatrywała się w jego niesamowitą twarz. Ujrzała swoją przyszłość w jego szczerym niezłomnym spojrzeniu i coś głęboko w niej ukrytego wyrwało się na wolność.

— Tak — powiedziała — przyjmuję twoje ślubowanie.

Darius podniósł się i z okrzykiem radości uniósł swoją wieszczkę w ramionach. Potem przytulał ją łagodnie i trzymał aż do zmroku, by mogła wypłakać cały smutek, samotność i gniew, które tak długo krępowały jej serce.

ROZDZIAŁ SZESNASTY

Stevie Rae

Zwykle nie miewała problemów ze snem. Może to zabrzmi jak banał, ale w dzień spała jak zabita, co zresztą w jej przypadku nie powinno dziwić. Tego dnia było jednak inaczej. Nie potrafiła wyłączyć umysłu, a raczej odsunąć od siebie dręczącego poczucia winy.

Co powinna zrobić w sprawie Rephaima?

Powiedzieć o wszystkim Zoey. No jasne.

— A wtedy ona wpadnie w szał — mruknęła do siebie, nie przestając spacerować w tę i z powrotem przed wejściem do tunelu w spiżarni. Była sama, a wciąż rozglądała się ukradkiem wokół, jakby oczekiwała, że zaraz ją ktoś przydybie.

A gdyby nawet tak się stało, to co z tego? Przecież nic złego nie robiła. Po prostu nie mogła zasnąć.

Tak, tylko bezsenność ją tu przywiodła. A przynajmniej takie było jej pobożne życzenie.

Przestała chodzić i wbiła wzrok w uspokajający mrok tunelu, który nie tak dawno temu wydrążyła w ziemi. Co, do cholery, powinna zrobić w sprawie Rephaima?

Nie mogła powiedzieć o nim Zoey. Jej przyjaciółka by tego nie zrozumiała. Ani ona, ani nikt inny. Kurczę, przecież nawet ona sama nie całkiem siebie rozumiała. Wiedziała jedynie, że nie może go wydać. Ale kiedy nie była przy nim, kiedy nie słyszała jego głosu i nie widziała aż nazbyt ludzkiego bólu w jego oczach, wśród jej uczuć na pierwszy plan wybijała się panika i obawa, że ukrywanie Kruka Prześmiewcy świadczy jedynie o tym, iż zdrowy rozsądek coraz bardziej ją opuszcza.

On jest twoim wrogiem! Ta myśl nieustannie krążyła jej w głowie, trzepocząc się i wyrywając spod kontroli niczym ranny ptak.

— Nie, teraz nim nie jest. Jest po prostu ranną istotą — powiedziała w głąb tunelu, zwracając się do ziemi, która dawała jej oparcie i siłę.

Nagle doznała olśnienia i zrobiła wielkie oczy. O rany! Ten cały bałagan wynikał właśnie z faktu, że Rephaim został ranny! Gdyby był cały i atakował ją lub kogokolwiek innego, bez wahania rzuciłaby się do walki z nim.

Może więc powinna po prostu znaleźć mu miejsce, w którym będzie mógł dojść do siebie? Tak! To była właściwa odpowiedź! Stevie nie musiała go chronić. Nie chciała jedynie wydawać go na pewną śmierć. Jeśli ukryje go w bezpiecznym miejscu, gdzie nikt nie będzie zakłócał jego spokoju, Rephaim otrzyma szansę, by się wyleczyć, a następnie zadecydować o swojej przyszłości. Tak jak ona! Może kruk postanowi przejść na jasną stronę i walczyć z Kaloną i Neferet. A może nie. To już nie będzie jej problem.

Tylko gdzie go ukryć?

I wtedy, patrząc w mrok tunelu, wpadła na doskonały pomysł. Będzie musiała wyznać kilka swoich tajemnic, a wciąż nie wiedziała, czy Zoey zrozumie, dlaczego przyjaciółka coś przed nią ukrywała. „Musi zrozumieć — powtarzała sobie. — Przecież ona też robiła rzeczy, które się innym nie podobały". Poza tym Stevie Rae miała dziwne podejrzenie, że Zoey wcale nie będzie zdziwiona jej wyznaniem, bo prawdopodobnie już dawno coś wywęszyła.

Powie więc Zoey o pewnych sprawach, dzięki czemu na wystarczająco długi czas przynajmniej zagwarantuje Rephaimowi spokój w nowej kryjówce. Może nie będzie tam zupełnie sam i całkowicie bezpieczny, ale przynajmniej ona będzie go miała z głowy.

Podekscytowana i oszołomiona tym, że wreszcie znalazła rozwiązanie swojego potwornego problemu, skonsultowała się ze swoim niezawodnym wewnętrznym zegarem. Od zmroku dzieliła ją godzina z okładem. W normalny dzień nigdy nie udałoby jej się osiągnąć tego, co właśnie planowała, lecz tym razem wyczuwała słabość słońca, które bezskutecznie usiłowało się przebić przez grubą warstwę szarych chmur ociężałych od lodu sprawiającego wrażenie, jakby na dobre zadomowił się w mieście. Była pewna, że może spokojnie wyjść na zewnątrz i nie spłonie. Biorąc pod uwagę nieustającą zawieruchę i szklankę na drogach, nie sądziła też, żeby jakieś wścibskie zakonnice miały ją przydybać. Podobnie jak zwykli adepci. Najmniej się przejmowała czerwonymi, którzy leżeli w ciepłej pościeli w piwnicy i z pewnością do zmroku nie zamierzali się stamtąd ruszyć. Oczywiście za godzinę wszyscy wstaną i na ile znała Zoey, przeprowadzą wielką naradę w sprawie dalszych działań, na którą zaproszą także ją.

Nerwowo szczypała paznokcie. Właśnie podczas tej wielkiej narady będzie musiała zdradzić Zoey oraz pozostałym część swoich tajemnic. O matko. Bynajmniej jej się do tego nie spieszyło.

Kolejną przyczyną, dla której wcale się nie spieszyła na naradę, była wizja Afrodyty. Stevie nie wiedziała, co w niej było, ale jako osoba skojarzona z wizjonerką wyczuła spowodowany tym zdarzeniem zamęt, który następnie ucichł, co prawdopodobnie znaczyło, że w tej chwili Afrodyta spokojnie śpi. To akurat ją ucieszyło, bo w przeciwnym razie tamta mogłaby wyniuchać, że Stevie coś kombinuje. O ile jeszcze nie wyniuchała.

— Teraz albo nigdy. Lasso w dłoń i na koń! — szepnęła do siebie Stevie.

Nie dając sobie czasu na stchórzenie, bezszelestnie wdrapała się po schodach dzielących spiżarnię od właściwej piwnicy opactwa. Oczywiście wszyscy czerwoni adepci wciąż spali snem sprawiedliwych. Charakterystyczne chrapanie Dallasa niosło się po całym pomieszczeniu, niemal wzbudzając uśmiech na twarzy dziewczyny.

Podeszła do swojego pustego łóżka i zdjęła koc. Potem wróciła do spiżarni i niespotykanie pewnym krokiem w nieprzeniknionych ciemnościach doszła do wylotu tunelu. Bez wahania weszła do środka, zachwycona znajomym zapachem i dotykiem otaczającej ją ziemi. Wiedziała, że to co zamierza zrobić, może się okazać największym błędem jej życia, lecz żywioł, z którym tak dobrze się rozumiała, koił jej skołatane nerwy niczym objęcia bliskiej osoby.

Dotarła do najbliższego zakrętu, po czym przystanęła i położyła na ziemi koc. Wzięła trzy głębokie oddechy, by się skoncentrować, a gdy przemówiła, jej cichy głos nabrał takiej mocy, że otaczające ją powietrze zafalowało niczym nad asfaltem w gorący dzień.

— Ziemio, należysz do mnie, a ja do ciebie. Przyzywam cię!

Tunel wokół niej natychmiast wypełnił się zapachem siana i szumem liści na wietrze. Czuła pod stopami nieistniejącą trawę i potrafiła się zjednoczyć z duszą swego żywiołu — ziemi, jako świadomego i czującego bytu.

Uniosła ręce, kierując palce ku sklepieniu tunelu.

— Proszę, otwórz się nade mną.

Sklepienie zadrżało i z góry posypały się grudki, po czym z odgłosem przypominającym westchnienie starej kobiety ziemia rozstąpiła się nad jej głową.

Stevie Rae uskoczyła instynktownie w głąb tunelu, ale okazało się, że miała rację co do słońca: jego promienie absolutnie nie przenikały przez kurtynę chmur. Czy padał deszcz? Nie, po spojrzeniu w posępne niebo, które plunęło jej w twarz, doszła do wniosku, że to raczej coś w rodzaju śniegu, i to gęstego. Tym lepiej.

Narzuciła sobie koc na ramiona i zaczęła się wspinać po osuwisku powstałym z odłamków zawalonej ściany. Wydostała się na powierzchnię niedaleko Groty Maryjnej, dokładnie pomiędzy nią a drzewami biegnącymi wzdłuż zachodniego krańca terenu opactwa. Było dostatecznie ciemno, by sądzić, że słońce zaszło już na dobre, mimo to Stevie mrużyła oczy, czując się nieprzyjemnie bezbronna nawet w tak wątłym świetle.

Otrząsnęła się i szybko odnalazła wzrokiem szopę, w której leżał Rephaim. Opuściła głowę i walcząc z zacinającym śniegiem, pobiegła w lewo. Kiedy dotknęła zasuwki, tak jak poprzedniej nocy pomyślała: „Niech on nie żyje... Byłoby łatwiej, gdyby umarł".

W szopie było cieplej, niż się spodziewała, i unosiła się dziwna woń. Pośród oleistych i benzynowych zapachów zmechanizowanego sprzętu ogrodniczego oraz zalegających na półkach pestycydów i nawozów Stevie wyczuła coś jeszcze — coś, co wywołało w niej dreszcz. Obeszła labirynt urządzeń i kierowała się na tył budynku, gdy nagle stanęła jak wryta, uświadomiwszy sobie, z czym kojarzy jej się ten zapach.

Nasączona krwią Rephaima szopa pachniała tak samo jak ciemność, która otaczała Stevie, gdy ta zbudziła się po śmierci jako niemal całkowicie odarta z człowieczeństwa nieumarła. Zapach przypomniał jej tamten mroczny czas, dni i noce wypełnione jedynie gniewem, pragnieniem, przemocą i strachem.

Omal nie jęknęła, uświadamiając sobie resztę: czerwoni adepci, ci inni czerwoni adepci — ci, których tak bardzo nie chciała ujawniać przed Zoey — pachnieli tak samo. Może nie zupełnie identycznie — wątpiła, by ktoś o mniej wrażliwym węchu w ogóle zauważył podobieństwo — ale jednak. Zmroziło ją. Nie chciała wiedzieć, co to może oznaczać.

— I znów przyszłaś do mnie sama — odezwał się Rephaim.

ROZDZIAŁ SIEDEMNASTY

Stevie Rae

Jego słowa przypłynęły do niej z ciemności. Gdy się nie widziało Rephaima w całej jego potworności, głos wydawał się uderzająco, poruszająco ludzki. I właśnie ten głos ocalił kruka poprzedniego dnia. Jego człowieczeństwo sięgnęło w głąb duszy Stevie i uniemożliwiło jej zabicie wroga.

Dziś jednak głos Rephaima brzmiał inaczej, zdrowiej. Przyjęła to z ulgą i jednoczesną obawą.

Szybko pozbyła się tej ostatniej. Nie była jakąś bezradną dziewczynką, którą łatwo wystraszyć byle czym. Żadne ptaszysko nie mogło jej podskoczyć. Wyprostowała się. Skoro podjęła decyzję, że pomoże mu się stąd wyrwać, musiała dotrzymać słowa.

— A kogo się spodziewałeś? Johna Wayne'a i jego kawalerii? — Szła dziarsko naprzód, zachowując się jak jej mama, gdy któryś z braci był chory i marudził. Nieforemna czarna plama w kącie przybrała kształt ptaka. Stevie przywitała go surowym spojrzeniem. — No proszę, żyjesz i nawet siedzisz. Wygląda na to, że już z tobą lepiej.

Rephaim przekrzywił lekko głowę.

— Kim są John Łajno i kawaleria?

— John Wayne. I j e g o kawaleria — podkreśliła. — To armia dobrych ludzi idących z odsieczą. Ale nie masz się co podniecać, bo ich tu nie ma i nie będzie. Jestem tylko ja.

— Czyżbyś nie była jedną z tych dobrych?

Zaskoczył ją umiejętnością prowadzenia prawdziwej rozmowy. Pomyślała, że jeśli zamknie oczy lub odwróci wzrok, może uwierzyć, iż ma przed sobą zwykłego faceta. Tyle że nie miała najmniejszego zamiaru zamykać oczu ani odwracać od niego wzroku, bo z całą pewnością nie był facetem, a tym bardziej zwykłym.

— Nie no, jestem dobra, tyle że raczej trudno mnie nazwać armią. — Zlustrowała go ostrożnym wzrokiem. Wciąż kiepsko wyglądał, poobijany, połamany i pokrwawiony, lecz przynajmniej nie leżał już bezwładnie na boku. Siedział, opierając się lewą, zdrową stroną ciała o tylną ścianę szopy. Przykrył się ręcznikami, które mu zostawiła, tworząc z nich coś w rodzaju koca. Ani na moment nie oderwał od niej badawczego spojrzenia. — To jak, lepiej ci?

— Jak sama zauważyłaś, żyję. Gdzie inni?

— Już ci mówiłam, że pozostałe kruki odleciały z Kaloną i Neferet.

— Pytam o synów i córy człowieka.

— A, o moich przyjaciół. Większość śpi. Nie mamy dużo czasu. Chyba wykombinowałam, jak cię stąd wydostać w jednym kawałku, chociaż nie będzie to łatwe. — Urwała, z trudem powstrzymując się od skubania paznokci. — Możesz iść?

— Zrobię, co będzie trzeba.

— A to niby co ma znaczyć? Po prostu powiedz, czy tak czy nie. To ważne.

— Mogę iśśść — zaświszczał.

Przełknęła ślinę. Najwyraźniej oszukiwała się, sądząc, że wystarczy na niego nie patrzeć, by się wydawał normalnym gościem.

— No to chodźmy.

— Dokąd mnie zabierasz?

— Stwierdziłam, że muszę ci znaleźć miejsce, w którym będziesz mógł bezpiecznie dochodzić do zdrowia. Tu nie możesz zostać. Na sto procent by cię znaleźli. Słuchaj no, chyba nie masz tego problemu co twój ojczulek? Możesz przebywać pod ziemią?

— Wolę niebo — przyznał z goryczą.

Podparła się pod boki.

— To znaczy, że nie możesz zejść pod ziemię?

— Nie chcę.

— Ach tak? A czy wolisz pozostać przy życiu ukryty pod ziemią, czy też siedzieć tu, póki cię nie znajdą i nie zabiją, co na pewno wkrótce nastąpi? — To albo i coś gorszego, pomyślała.

Rephaim milczał tak długo, że zaczęła się zastanawiać, czy przypadkiem nie zamierza wybrać śmierci. Wcześniej o tym nie pomyślała. Teraz jednak doszła do wniosku, że to całkiem prawdopodobne. Jego pobratymcy zostawili go na pewną śmierć, a współczesny świat diametralnie się różnił od tego, w którym niegdyś żył, razem z innymi krukami terroryzując czirokeskie osady. Jak bardzo narozrabiała, nie dając mu umrzeć?

— Wolę żyć.

Z wyrazu jego twarzy wnosiła, że jest tym faktem równie zaskoczony jak ona.

— Dobra. Świetnie. W takim razie musimy się stąd wynieść. — Zrobiła krok w jego kierunku, lecz zatrzymała się. — Muszę cię znowu prosić o obietnicę, że będziesz grzeczny.

— Jesssstem zbyt sssłaby, by ci zagrażać — odparł prosto z mostu.

— W takim razie uznaję, że słowo, które dałeś mi wcześniej, wciąż obowiązuje. Nie próbuj robić nic głupiego, to może nam się uda. — Podeszła do niego i przykucnęła. —

Pokaż no te swoje bandaże. Może trzeba je przed wyjściem zmienić albo zacieśnić. — Obejrzała go dokładnie, zdając relację z kolejnych etapów: — Wygląda na to, że mech działa. Nie widzę wiele krwi. Kostkę masz mocno spuchniętą, ale złamana raczej nie jest. W każdym razie nic takiego nie wyczuwam. — Zmieniła opatrunek na kostce i zacieśniła pozostałe bandaże, na sam koniec zostawiając strzaskane skrzydło. Sięgnęła za plecy Rephaima i zaczęła naciągać poluzowane paski, a wtedy kruk, który do tej pory znosił wszystko w idealnym milczeniu i bezruchu, wzdrygnął się i stęknął.

— O kurczę! Wybacz. Wiem, że skrzydło jest w najgorszym stanie.

— Owiń mnie jeszcze bandażami. Ciaśniej. Jeśli całkowicie nie unieruchomisz skrzydła, nie dam rady iść.

Skinęła głową.

— Zrobię, co się da.

Oderwała kolejne paski ręcznika i pochyliła się naprzód, by sięgnąć za plecy kruka. Zacisnęła zęby, pracując najszybciej i najłagodniej, jak potrafiła. Z trudem wytrzymywała jego drżenie i stłumione jęki.

Gdy skończyła mocować skrzydło, nabrała chochlą trochę wody i pomogła krukowi pić. W końcu przestał drżeć, a ona wstała i wyciągnęła do niego ręce.

— Miejmy to już z głowy.

Twarz Rephaima mimo nieludzkiego wyglądu zdradzała konsternację.

— Tak się mówi, gdy trzeba zrobić coś nieprzyjemnego — wyjaśniła z uśmiechem Stevie.

Kruk dał znak, że przyjął to do wiadomości, po czym powoli wyciągnął ręce i schwycił się jej. Pociągnęła z całej siły, ale wolno, by dać mu czas na w miarę bezbolesną zmianę pozycji. I tak stęknął z bólu, zdołał jednak wstać, balansując chwiejnie, by ochronić chorą kostkę.

Stevie Rae nie puszczała jego rąk, czekając, aż oswoi się z pozycją stojącą. Niepokoiła się, że Rephaim może zemdleć, a równocześnie zdumiewało ją, jak ciepłe i ludzkie są jego dłonie. Zawsze uważała ptaki za zimne i postrzelone. Nigdy ich nie lubiła. Kurczaki mamy potrafiły ją śmiertelnie przerazić histerycznym trzepotem skrzydeł i głupim gdakaniem. Nagle przypomniało jej się, jak kiedyś wybierała jaja z kurnika i jedna gruba nastroszona kwoka dziobnęła ją twarz, omal nie trafiając w oko.

Zadrżała i Rephaim natychmiast ją puścił.

— W porządku? — zapytała, by wypełnić niezręczną ciszę, która między nimi zaległa.

Kruk stęknął potakująco.

Stevie skinęła głową.

— Zaczekaj. Zanim ruszysz, spróbuję znaleźć dla ciebie jakąś podpórkę. — Przetrząsnęła sprzęt ogrodowy i wybrała łopatę o solidnym drewnianym trzonku. Podeszła do Rephaima, przymierzyła, po czym jednym zręcznym ruchem oderwała trzonek od łopaty i podała mu. — Używaj tego jako laski. Żeby odciążyć nogę. Przez jakiś czas możesz się też opierać o mnie. W tunelu jednak będziesz musiał sobie radzić sam, więc weź to.

Wziął od niej kij.

— Nie sądziłem, że jesteś taka silna.

Wzruszyła ramionami.

— Czasem siła się przydaje.

Ostrożnie zrobił krok naprzód, pomagając sobie laską, i okazało się, że może chodzić, choć sprawiało mu to wyraźny ból. Bez pomocy dziewczyny dokuśtykał do drzwi szopy, po czym zatrzymał się i patrzył na nią wyczekująco.

— Najpierw muszę cię tym przykryć. Liczę na to, że nikt nas nie zobaczy, ale gdyby jakaś wścibska zakonnica akurat wyglądała przez okno, to lepiej, żeby widziała tylko mnie prowadzącą kogoś owiniętego kocem. W każdym razie mam nadzieję, że tylko tyle zobaczy.

Rephaim zgodził się, więc Stevie owinęła go kocem, przykrywając głowę i zakładając krańce koca pod bandaż na piersi kruka, by się nie rozwijał.

— Plan jest taki: wiesz o tunelach pod dworcem, w których mieszkaliśmy, prawda?

— Tak.

— Trochę je powiększyłam.

— Jak to?

— Mam dar komunikacji z żywiołem ziemi. Oznacza to mniej więcej, że potrafię nad nim panować. Przynajmniej nad niektórymi aspektami. Ostatnio odkryłam, że umiem sprawić, by ziemia się przemieszczała, na przykład mogę utworzyć w niej tunel. I właśnie to zrobiłam, żeby połączyć dworzec z opactwem.

— Właśnie o tego rodzaju mocy wspominał mój ojciec, gdy mówił o tobie.

Stevie Rae zdecydowanie nie miała ochoty dyskutować z Rephaimem na temat jego potwornego ojczulka ani zastanawiać się, dlaczego niby ten miałby mówić cokolwiek o niej i jej mocach.

— Otworzyłam część tego tunelu, żeby móc się z niego wydostać i przyjść tutaj. Otwór jest niedaleko stąd. Pomogę ci tam wejść. Jak już będziesz w środku, masz iść tunelem do dworca. Znajdziesz schronienie i żywność. Szczerze mówiąc, jest tam całkiem fajnie. Będziesz miał czas, żeby wydobrzeć.

— Ale jak to możliwe, że twoi sprzymierzeńcy mnie tam nie znajdą?

— Po pierwsze, zamknę tunel łączący dworzec z opactwem. Po drugie, powiem im coś, co sprawi, że przez jakiś czas nie będą mieli ochoty chodzić do dworcowych tuneli. Mam nadzieję, że ta niechęć potrwa dość długo, żebyś zdążył się wyleczyć i wynieść stąd, nim znów zaczną węszyć.

— Co konkretnie im powiesz? Dlaczego będą się trzymać z dala?

Westchnęła i otarła dłonią twarz.

— Powiem prawdę. O tym, że jest więcej czerwonych adeptów, którzy ukrywają się w tamtych tunelach i są niebezpieczni, bo nie dokonali jeszcze wyboru pomiędzy dobrem a złem.

Rephaim milczał przez kilka sekund.

— Neferet miała rację — rzekł w końcu.

— Neferet? Niby jak?

— Wciąż powtarzała ojcu, że ma sprzymierzeńców wśród czerwonych adeptów, którzy mogą zostać jej żołnierzami. To o nich mówiła.

— Pewnie tak — wymamrotała żałośnie Stevie. — Nie chciałam w to wierzyć. Liczyłam na to, że w końcu wybiorą człowieczeństwo i porzucą ciemność. Że potrzebują tylko trochę czasu, by sobie wszystko poukładać w głowach. Niestety chyba się myliłam...

— To z ich powodu twoi przyjaciele nie wejdą do tuneli?

— Tak jakby. Ale to raczej ja będę ich przed tym powstrzymywać. Żeby dać czas i tobie, i im. — Spojrzała mu w oczy. — Nawet jeśli się mylę.

Nie mówiąc nic więcej, otworzyła drzwi, podeszła do kruka, uniosła jego rękę i zarzuciła sobie na plecy, po czym oboje wyszli w lodowaty zmierzch.

Szli chwiejnie w kierunku zrobionego przez nią otworu w ziemi, pod którym przebiegał tunel. Stevie wiedziała, że Rephaim musi strasznie cierpieć, ale świadczył o tym jedynie jego ciężki oddech. Kruk opierał się o nią całym swoim ciężarem, a ona znów się zdumiewała, jak ciepły i swojski jest dotyk jego męskiego ramienia. Co rusz rozglądała się wokół w obawie, że ktoś — na przykład ten wkurzający Erik, który nie przepuści żadnej okazji, by pokazać, jaki z niego twardziel — wyjdzie z budynku i nakryje ich. Słońce zachodziło za zasłoną chmur — nie widziała go rzecz jasna, lecz czuła, jak schodzi z nieba. Lada chwila adepci, wampiry i zakonnice zaczną się budzić.

— Świetnie ci idzie. Jeszcze trochę. Dasz radę. Musimy się pospieszyć — mamrotała do kruka, zachęcając go i jednocześnie zagłuszając wyrzuty sumienia.

Nikt za nimi nie wołał. Nikt nie biegł. Znacznie szybciej, niż się spodziewała, u jej stóp zamajaczył otwór w sklepieniu tunelu.

— Musisz zejść na czworakach. To niedaleko. Przez większość drogi będę cię podtrzymywać.

Rephaim nie tracił czasu ani sił na gadanie. Skinął głową, odwrócił się, strząsnął z siebie koc i trzymany za zdrowe ramię przez Stevie, która cieszyła się, że mimo swych rozmiarów i domniemanej siły kruk waży mniej niż ona, powoli schodził w głąb tunelu, okupując to bólem. Stevie podążyła za nim.

W środku Rephaim oparł się o ścianę i próbował złapać oddech. Żałowała, że nie może mu pozwolić na odpoczynek, lecz czuła w kościach, że lada moment wszyscy się zbudzą i zaczną jej szukać, a jeśli się nie pospieszy, nakryją ją w towarzystwie Kruka Prześmiewcy!

— Musisz iść dalej. Teraz. Zmykaj stąd. Tędy. — Wskazała ciemność przed nimi. — Nie będzie nic widać. Wybacz, ale nie miałam czasu załatwić dla ciebie lampy. Dasz radę?

Przytaknął.

— Od dawna wolę noc.

— Świetnie. Idź tym tunelem, aż dojdziesz do miejsca, gdzie zaczyna się cementowa ściana. Tam skręć w prawo. Potem będzie trudniej, bo im bliżej dworca, tym więcej tuneli. Trzymaj się jednak głównego. Jest oświetlony. A przynajmniej był. W każdym razie jeśli będziesz się go trzymał, znajdziesz latarnie, pokoje z łóżkami i wszystko, czego ci trzeba.

— I mrocznych adeptów.

Nie brzmiało to jak pytanie, Stevie jednak odpowiedziała:

— Tak, ich też. Kiedy mieszkałam tam z innymi czerwonymi adeptami, tamci trzymali się z dala od głównych tuneli, naszych pokoi i tak dalej. Ale teraz nie wiem. I powiem szczerze, że nie mam pojęcia, co z tobą zrobią. Nie sądzę, żeby chcieli cię zjeść. Źle pachniesz. Choć głowy nie dam. Są... — Urwała, szukając właściwych słów. — Są inni niż ja i pozostali.

— Są dziećmi ciemności. Jak już wspomniałem, jestem z nią obeznany.

— Świetnie. W takim razie wierzę, że dasz sobie radę. — Znów umilkła, nie wiedząc, co powiedzieć. — No to do zobaczenia kiedyś tam — wypaliła w końcu.

Kruk gapił się na nią w milczeniu.

— Rephaimie — upomniała go nerwowo. — Musisz iść. Już. Tu jest niebezpiecznie. Jak tylko się oddalisz, zasypię tę część tunelu, żeby nikt nie mógł cię ścigać, ale i tak musisz się spieszyć.

— Wciąż nie rozumiem, dlaczego zdradzasz swój lud dla mnie.

— Nikogo nie zdradzam! Ja tylko pozwalam ci żyć! — wrzasnęła, a potem kontynuowała ciszej: — Dlaczego puszczenie cię wolno miałoby oznaczać zdradę moich przyjaciół? Czy nie może po prostu znaczyć, że wolę życie od śmierci? Zrozum, wybrałam dobro, nie zło. Czy darowanie ci życia nie jest tego konsekwencją?

— A nie przyszło ci do głowy, że darowanie mi życia oznacza wybór tego, co ty nazywasz złem?

Długo na niego patrzyła, nim odpowiedziała:

— W takim razie ty sam musisz rozważyć to w swoim sumieniu. Żyjesz tak, jak chcesz żyć. Ojciec cię opuścił. Bracia też. Gdy byłam mała i skaleczyłam się, mama śpiewała mi taką niezbyt mądrą piosenkę o tym, że trzeba się podnieść, otrzepać i zacząć od nowa. No i ty właśnie musisz to zrobić. Ja tylko daję ci szansę. — Wyciągnęła rękę. — Mam nadzieję, że kiedy następnym razem się spotkamy, to nie jako wrogowie.

Rephaim przeniósł wzrok z wyciągniętej ręki na twarz dziewczyny, a potem znów na rękę. Powoli, niemal niechętnie chwycił ją — nie po ludzku za dłoń, lecz starym wampirskim zwyczajem: za przedramię.

— Zawdzięczam ci życie, kapłanko.

Poczuła, że płoną jej policzki.

— Nazywaj mnie po prostu Stevie Rae. W tej chwili raczej nie czuję się jak kapłanka.

Skłonił głowę.

— Zatem zawdzięczam życie Stevie Rae.

— Pokieruj dobrze swoim, a uznam, że spłaciłeś dług — odparła. — Bądź pozdrowiony! — pożegnała go ceremonialną formułą.

Chciała uwolnić rękę z jego uścisku, ale nie puszczał.

— Czy oni wszyscy są tacy jak ty? Wszyscy twoi sprzymierzeńcy? — zapytał.

Uśmiechnęła się.

— Nie, ja należę do najdziwaczniejszych. Jestem pierwszym czerwonym wampirem i czasem czuję się jak owoc jakiegoś eksperymentu.

— Ja byłem pierwszym z dzieci mego ojca — powiedział kruk, wciąż ściskając jej rękę.

Choć patrzył jej twardo w oczy, nie potrafiła nic odczytać z jego twarzy. W słabym świetle tunelu widziała jedynie ludzki kształt oczu i ich nieziemski czerwony poblask, ten sam, który nękał ją w snach i czasem zasnuwał wszystko, na co patrzyła, szkarłatną mgiełką gniewu i pomroki. Potrząsnęła głową.

— Pierwszeństwo bywa trudne — mruknęła bardziej do siebie niż do niego.

Skinął głową, w końcu puścił jej rękę, bez słowa odwrócił się i pokuśtykał w ciemność.

Stevie powoli policzyła do stu, po czym uniosła ramiona.

— Ziemio, znów jesteś mi potrzebna. — Żywioł natychmiast odpowiedział, wypełniając tunel aromatami wiosennej łąki. Wzięła głęboki wdech. — Niech sufit się zapadnie i tę część tunelu wypełni piach. Zamknij wykop, który dla mnie zrobiłaś, zasyp go, niech znów stanie się ubitą glebą, przez którą nikt nie może się przedostać.

Cofnęła się, bo ziemia przed nią najpierw lekko się poruszyła, a potem posypała w dół i stopniowo gęstniała, aż wkrótce przed oczami Stevie widniała lita ściana.

— Stevie Rae, co ty, do diabła, wyprawiasz?

Obróciła się gwałtownie, przyciskając dłoń do serca.

— Dallas! Jezu! O mało zawału nie dostałam! Człowieku, weź ty się opanuj!

— Wybacz. Zazwyczaj trudno cię podejść, więc myślałem, że mnie słyszysz.

Z jeszcze mocniej bijącym sercem przyglądała się bacznie twarzy Dallasa w poszukiwaniu czegokolwiek, co mogłoby świadczyć, że chłopak wie o jej towarzyszu, ale nie wyglądał na wściekłego ani urażonego — tylko na zaciekawionego i nieco smutnego. Jego następne słowa utwierdziły ją w przekonaniu, że nie stał tam dość długo, by zobaczyć Rephaima.

— Zamknęłaś przejście, żeby tamci nie mogli dotrzeć do opactwa?

Skinęła głową, starając się nie okazać, jak bardzo jej ulżyło.

— No. Głupio by było, gdyby tak łatwo mogli się przedostać do sióstr.

— Dla nich to by było jak szwedzki stół ze staruszek — mruknął z figlarnym błyskiem w oku.

— Nie bądź wstrętny. — Nie zdołała jednak powstrzymać uśmiechu. Dallas był naprawdę słodki. Nie tylko dlatego, że nieoficjalnie stanowili parę, ale też ze względu na swoją niewiarygodną smykałkę do elektryczności, hydrauliki i tym podobnych robót.

Szczerząc się w odpowiedzi, chłopak podszedł bliżej i pociągnął ją za jasny loczek.

— Nie jestem wstrętny. Jestem po prostu realistą. Może mi powiesz, że ani razu nie pomyślałaś o tym, jak łatwo by było spałaszować którąś z siostrzyczek?

— Dallas! — Zmrużyła groźnie oczy, teraz już naprawdę wstrząśnięta jego słowami. — Nie, do licha! Z całą pewnością nie myślałam o zjedzeniu zakonnicy! To brzmi okropnie. Już ci mówiłam, że powinniśmy unikać myśli o jedzeniu ludzi, bo to źle na nas wpływa.

— Wyluzuj, mała. Tylko się wygłupiam. — Spojrzał na ścianę ziemi za jej plecami. — Jak chcesz to wytłumaczyć Zoey i innym?

— Zrobię to, co pewnie powinnam zrobić już dawno. Powiem im prawdę.

— Myślałem, że chcesz ukryć istnienie tamtych adeptów, bo wierzysz, że mogą zmądrzeć i upodobnić się do nas — zauważył.

— Niby tak. Ale zaczynam myśleć, że niektóre moje wybory nie były dobre.

— W porządku, rób, jak chcesz. Jesteś naszą najwyższą kapłanką. Powiedz Zoey i tamtym, jeśli uważasz, że tak trzeba. W sumie możesz to zrobić już teraz, bo Zoey właśnie zwołała zebranie w jadalni. Szukałem cię, żeby ci o tym powiedzieć.

— Skąd wiedziałeś, gdzie jestem?

Znów się uśmiechnął i otoczył ją ramieniem.

— Po prostu cię znam, mała. Nietrudno było się domyślić, gdzie poszłaś.

Ruszyli razem w stronę wyjścia. Stevie Rae objęła Dallasa w pasie i wsparła się o niego zadowolona, że ma obok siebie normalnego faceta. Czuła ulgę, że jej świat wrócił do normy. Nie chciała już myśleć o Rephaimie. Pomogła rannemu i tyle. Od tej pory nie mieli ze sobą nic wspólnego. Czy taki jeden ciężko ranny Kruk Prześmiewca może im w jakikolwiek sposób zagrozić?

— Znasz mnie, co? — Szturchnęła chłopaka biodrem.

Przycisnął ją do siebie.

— Nie tak bardzo, jak bym chciał, mała.

Zachichotała, nie przejmując się, że w swoim uporczywym dążeniu do normalności niemal osuwa się w szaleństwo.

Nie troszczyła się również o to, że wciąż czuje na skórze mroczny zapach Rephaima.

ROZDZIAŁ OSIEMNASTY

Zoey

Byłam w czarodziejskim mglistym miejscu pomiędzy jawą a snem, gdy nagle przyciągnął mnie do swego ciała. Był taki wielki, silny i muskularny, że kontrast między jego fizyczną obecnością a muskającym moją szyję łagodnym słodkim oddechem wywołał we mnie dreszcz.

Trwałam pogrążona w półśnie i nie chciałam wracać do rzeczywistości, ale westchnęłam radośnie i przeciągnęłam się, bardziej otwierając mu dostęp do swojej szyi. Dotyk jego ramion wydawał się tak oczywisty. Uwielbiałam tę bliskość i byłam szczęśliwa, że właśnie Stark jest moim wojownikiem.

— Chyba faktycznie czujesz się lepiej — mruknęłam sennie.

Jego dotyk stał się mniej łagodny, a bardziej natarczywy. Znów zadrżałam.

Potem mój senny umysł zarejestrował jednocześnie dwie rzeczy. Po pierwsze, drżałam nie dlatego, że podobało mi się to, co on robi — choć niewątpliwie mi się podobało. Drżałam, bo jego dotyk był z i m n y. Po drugie, przywierające do mnie ciało było zbyt wielkie, by mogło należeć do Starka.

— Widzisz, jak twoja dusza do mnie lgnie? — szepnął wówczas. — Sama do mnie przyjdziesz. Jest ci to pisane, a mnie jest pisane czekać na ciebie.

Gwałtownie wciągnęłam powietrze, przebudziłam się do reszty i usiadłam.

Byłam całkiem sama.

„Spokojnie... — mówiłam sobie. — Spokojnie... Kalony tu nie ma... wszystko w porządku... to był tylko sen...”

Instynktownie bez namysłu zaczęłam uspokajać oddech i stanowczo zbyt rozbuchane emocje. Starka nie było w pokoju, a ja bynajmniej nie chciałam, żeby przybiegał do mnie na łeb na szyję, bo poczuł mój strach, podczas gdy w rzeczywistości nic mi nie groziło. Może w niektórych sprawach nie miałam pewności, ale w tej jednej tak: nie chciałam, by chłopak pomyślał, że nie może mnie odstępować na krok.

Owszem, miałam fioła na jego punkcie i cieszyłam się z łączącej nas więzi, lecz nie oznaczało to jeszcze, że chcę, aby sądził, że nie mogę bez niego funkcjonować. Był moim wojownikiem, a nie niańką ani cieniem, i gdyby zaczął myśleć, że musi mnie ciągle obserwować... gapić się na mnie, gdy śpię...

Stłumiłam jęk zgrozy.

Otworzyły się drzwi prowadzące do małej, wspólnej dla dwóch sąsiadujących pokoi łazienki i do sypialni wszedł Stark. Od razu spojrzał na mnie. Miał na sobie dżinsy i czarną koszulkę z nadrukiem katolickiej organizacji charytatywnej „Kocia Buda”. Wycierał ręcznikiem mokre włosy. Najwyraźniej zdążyłam się już nieco opanować i przybrać neutralny wyraz twarzy, bo jak tylko zobaczył, że siedzę na łóżku, sama i bezpieczna, niepokój w jego wzroku przeszedł w uśmiech.

— O, widzę, że już nie śpisz. Tak myślałem. Wszystko dobrze?

— Tak, spoko — odparłam szybko. — Omal nie spadłam z łóżka i chyba się trochę wystraszyłam.

Jego uśmiech stał się bardziej łobuzerski.

— Pewnie wymachiwałaś rękami w poszukiwaniu mnie i mojego uroczego ciałka, aż straciłaś równowagę.

Uniosłam brew.

— Mam dziwne wrażenie, że źle oceniasz sytuację.

— Na wzmiankę o jego ciele (owszem, było urocze, ale nie chciałam, by myślał, że się na niego napalam) przyjrzałam mu się bliżej i stwierdziłam, że wygląda znacznie lepiej. Trzymał się mocno na nogach i nie był tak blady jak wtedy, gdy kładliśmy się spać. — Widzę, że zdrowiejesz.

— Jeszcze jak. Darius miał rację, szybko dochodzę do siebie. Spałem bite osiem godzin, a potem, korzystając z tego, że wciąż słodko chrapałaś, wyżłopałem trzy torebki krwi, no i proszę, czuję się jak nowo narodzony. — Podszedł do łóżka, nachylił się i pocałował mnie łagodnie. — Jeśli w dodatku mi powiesz, że dobrze cię chronię przed koszmarami Kalony, poczuję się niezniszczalny.

— Nie chrapię — powiedziałam stanowczo, po czym westchnęłam i otoczyłam Starka ramionami w pasie, wtulając się w niego i czekając, aż jego fizyczna bliskość przegoni pozostałości widmowej obecności Kalony. — Cieszę się, że ci lepiej.

Czy powinnam była mu powiedzieć, że Kalona wciąż się zakrada do moich snów, nawet kiedy on jest w pobliżu i tak bardzo się koncentruje na chronieniu mnie? Pewnie tak. Być może gdybym to zrobiła, przyszłość inaczej by się ukształtowała. Wtedy jednak myślałam jedynie o tym, żeby nie zakłócić jego pozytywnej energii, więc odpoczywałam w jego ramionach, póki sobie nie uświadomiłam, że jestem nieuczesana i tak dalej. Przeczesując niesforną czuprynę palcami i odwracając twarz od Starka, żeby nie wyczuł nieświeżego oddechu, wysmyknęłam się z jego objęć i ruszyłam dziarsko do łazienki.

— Wyświadczysz mi przysługę, gdy będę brała prysznic? — zapytałam przez ramię.

— Jasne. — Uśmiechnął się w swoim stylu, dając mi wyraźny znak, że czuje się już doskonale. — Mam ci umyć plecy?

— Nie to miałam na myśli. Ale dzięki. — Jak każdy facet myślał tylko o jednym. — Chcę, żebyś zwołał wszystkich adeptów, czerwonych i niebieskich, znalazł Afrodytę, Dariusa, siostrę Mary Angelę, moją babcię i wszystkie inne osoby, które powinny wziąć udział w dyskusji nad tym, kiedy i jak mamy wrócić do szkoły.

— Szkoda, że nie chodziło o plecy. Cóż, twoje życzenie jest dla mnie rozkazem, o pani. — Skłonił się i zasalutował przyłożoną do serca pięścią.

— Dziękuję — odpowiedziałam cicho, bo jego zaufanie i pełen szacunku gest omal nie doprowadziły mnie do płaczu.

— Hej. — Uśmiech zszedł mu z twarzy. — Wyglądasz na smutną. Naprawdę wszystko w porządku?

— Po prostu się cieszę, że mam takiego wojownika. — Była to prawda, choć niecała.

Znów się uśmiechnął.

— Szczęściara z ciebie, kapłanko.

Pokręciłam głową w odpowiedzi na jego zarozumialstwo i zamrugałam, by się pozbyć idiotycznych łez.

— Skrzyknij wszystkich, dobra?

— Jasne. Mają czekać w piwnicy?

Skrzywiłam się.

— No coś ty. Może siostra Mary Angela pozwoli zorganizować zebranie w jadalni? Moglibyśmy jednocześnie jeść i gadać.

— Niezła myśl.

— Dzięki.

— Do zobaczenia wkrótce, pani. — Z błyskiem w oku ponownie zasalutował i pospiesznie opuścił pokój.

Znacznie wolniejszym krokiem udałam się do łazienki. Działając jak automat, umyłam zęby i weszłam pod prysznic.

Długo stałam pod strumieniem gorącej wody. Potem, gdy już wiedziałam, że zdołam zapanować nad emocjami, pomyślałam o Kalonie.

Leżałam w jego ramionach! To nie były wspomnienia A-yi, nie byłam nawet pod jej wpływem, ale gdy mnie dotknął, po prostu odpłynęłam! To było przerażające i znamienne. W jego objęciach poczułam się tak dobrze, że pomyliłam go ze swoim zaprzysiężonym wojownikiem! Poza tym to wcale nie przypominało snu. Byłam zbyt rozbudzona, zbyt bliska pełnej świadomości. Ostatnia wizyta Kalony wstrząsnęła mną do głębi.

— Choćbym nie wiem jak się temu opierała, moja dusza go rozpoznaje — szepnęłam do siebie. A potem, jakby moje oczy pozazdrościły płynącej po twarzy wodzie, rozpłakałam się.

Do jadalni trafiłam, kierując się węchem i słuchem. W całym długim korytarzu rozbrzmiewały znajome śmiechy i podzwanianie sztućców o talerze. Przez chwilę zastanawiałam się, czy siostrom naprawdę nie przeszkadza ta inwazja młodocianych wampirów. Przystanęłam przed szerokim, pozbawionym drzwi łukowatym wejściem do dużej sali, by sprawdzić, jak się układa współpraca między zakonnicami a adeptami. Stoły ustawiono w trzech długich rzędach. Myślałam, że siostry zajmą miejsca we własnym gronie, z dala od młodzieży. Nic z tych rzeczy. Siedziały wprawdzie dwójkami lub trójkami, lecz w otoczeniu adeptów, zarówno czerwonych, jak i niebieskich. Wszyscy rozmawiali z ożywieniem, co kompletnie zburzyło moje wyobrażenie zakonnej jadalni jako miejsca modlitwy i cichej (nudnej) refleksji.

— Będziesz tak stać czy w końcu wejdziesz?

Odwróciłam się i zobaczyłam stojących za mną Afrodytę i Dariusa. Trzymali się za ręce, promienni i — jak by to powiedziały Bliźniaczki — szczerzący japę.

— Bądź pozdrowiona, Zoey — przywitał mnie Darius z oficjalnym, a zarazem ciepłym i przyjacielskim salutem.

Rzuciłam Afrodycie spojrzenie mówiące: „A widzisz? Niektórzy umieją się zachować", po czym uśmiechnęłam się do wojownika.

— Bądź pozdrowiony. Wyglądacie na zadowolonych z życia. Najwyraźniej udało wam się trochę zdrzemnąć.

— Znów zerknęłam na Afrodytę. — Czy jak tam wy to nazywacie — dodałam niewinnie.

— Zapewnili mnie, że spali. — Siostra Mary Angela, która dołączyła do nas w drzwiach, położyła wyraźny nacisk na ostatnie słowo.

Afrodyta przewróciła oczami w milczeniu.

— Darius mi powiedział, że upadły anioł odwiedza cię w snach, a Stark podobno potrafi temu zapobiec — rzekła siostra, jak zwykle od razu przechodząc do rzeczy.

— Co zrobił Stark? — Heath wyhamował przy nas i przytulił mnie mocno, całując prosto w usta. — Mam mu skopać tyłek?

— Kiepsko to widzę — wtrącił Stark, wychodząc z sali i dołączając do naszego grona.

W odróżnieniu od Heatha nie zaczął mnie obłapiać, ale jego spojrzenie było tak ciepłe i poufałe, że podziałało na mnie równie mocno jak uścisk tamtego.

I nagle poczułam się zmęczona facetami. Teoretycznie nadmiar adoratorów może się wydawać czymś fajnym, lecz w praktyce coraz wyraźniej się przekonywałam, że jest to równie zły pomysł jak dizajnerskie dżinsy z prostymi nogawkami. Jakby na potwierdzenie moich rozważań dołączył do nas Erik. Czerwona wampirka Venus, dawna współlokatorka Afrodyty, dosłownie kleiła się do jego boku. Ohyda.

— Cześć wszystkim! Rany, jaki jestem głodny! — zawołał Erik, obrzucając zebranych uśmiechem gwiazdora filmowego, który kiedyś tak uwielbiałam.

Kątem oka zauważyłam, że Heath i Stark jak sroka w gnat gapią się na niego i przyssaną do niego na kształt pijawki lub glonojada Venus, i dopiero wtedy sobie uświadomiłam, że żaden z moich pozostałych facetów nie został dotąd poinformowany o naszym zerwaniu. Stłumiłam zirytowane westchnienie i zamiast potraktować go jak powietrze, przywołałam na twarz plastikowy uśmiech.

— Cześć, Erik, cześć, Venus! Skoro jesteście głodni, to z całą pewnością trafiliście we właściwe miejsce. Zapachy są naprawdę kuszące.

Mina na moment mu zrzedła, ale jako świetny aktor natychmiast zaczął sprawiać wrażenie kogoś, kto już piętnaście sekund po rozstaniu ze mną rozpoczął nowe życie.

— Cześć, Zoey! Nie zauważyłem cię. Jak zawsze otoczona mężczyznami! O rany, ten wieczny tłok wokół ciebie! — Zachichotał szyderczo i przepchał się obok mnie, odpychając Starka ramieniem.

— Gdybym wypuścił strzałę i pomyślał „dupa", to myślisz, że by go trafiła? — zapytał mnie Stark miłym beztroskim tonem.

— Nie zdziwiłbym się — odparł Heath.

— Z doświadczenia wiem, że Erik ma naprawdę uroczy tyłeczek, chłopcy — oznajmiła Venus, z przekąsem wymawiając ostatnie słowo, po czym weszła do sali, dołączając do swojego nowego amanta.

— Hej, Venus, jedno słówko! — zawołała za nią Afrodyta.

Venus po chwili wahania spojrzała na nią przez ramię. Afrodyta rzuciła jej swój najwredniejszy uśmieszek.

— Plasterek — powiedziała, prychając złośliwie. — Nie odklej się!

Dopiero wtedy zauważyłam, że wszystkie głowy w jadalni są zwrócone w naszym kierunku, a rozmowy umilkły i zapadła cisza jak makiem zasiał.

Erik zrobił zaborczy ruch ręką. Venus przydreptała do niego posłusznie i ujęła go pod ramię, dosłownie wbijając sobie w cycek jego łokieć. Wtedy sala wybuchła szeptami.

„Erik już nie jest z Zoey!"

„Erik chodzi z Venus!"

„Zoey zerwała z Erikiem!"

No i kij wam w oko, pomyślałam.

ROZDZIAŁ DZIEWIĘTNASTY

Zoey

— Nigdy go nie lubiłem. — Heath ucałował mnie w czubek głowy, a potem zmierzwił mi włosy, jakbym była dwuletnią dziewczynką.

— Wiesz, że nie cierpię, jak to robisz! — zaoponowałam, usiłując przygładzić włosy, które i bez tego były nastroszone, bo zakonnice najwyraźniej nie uznawały prostownic.

— Ja też nigdy za nim nie przepadałem. — Stark ujął i pocałował moją dłoń. Potem spojrzał Heathowi prosto w oczy. — Nie zachwyca mnie również, że Zoey jest skojarzona z tobą, ale ogólnie mi nie przeszkadzasz.

— Ty mi też nie — odparł Heath. — Choć nie jestem zachwycony, że spałeś z Zo.

— Daj spokój, to było w ramach zadań wojownika. Muszę dbać o jej bezpieczeństwo.

— Zaraz się porzygam — wtrąciła Afrodyta. — Słuchajcie no, wory testosteronu, to Zoey rzuciła Erika niezależnie od tego, jakie plotki on rozpuszcza. Pamiętajcie, że każdego z was może spotkać podobny los, jeśli będziecie zbyt upierdliwi. — Wyzwoliła się z objęć Dariusa, podeszła do mnie i spojrzała mi w oczy. — Gotowa wejść i stawić czoło motłochowi?

— Zaraz. — Odwróciłam się do siostry Mary Angeli. — Jak się czuje babcia?

— Jest bardzo zmęczona. Obawiam się, że wczorajszy wieczór kosztował ją zbyt wiele wysiłku.

— Ale wszystko z nią dobrze?

— Dojdzie do siebie.

— Może powinnam do niej pójść i...

Zaczęłam się oddalać od jadalni, lecz Afrodyta chwyciła mnie za nadgarstek.

— Babci nic nie będzie. Daję głowę, że w tej chwili wolałaby, żebyś podjęła decyzję co do naszej przyszłości, zamiast zamartwiać się o nią.

— Zamartwiać? Ktoś coś mówił o zamartwianiu? — Zza rogu wybiegła Stevie Rae z Dallasem u boku. — Hej, Zo! — Zamknęła mnie w serdecznym uścisku. — Wybacz, że cię wczoraj tak potraktowałam. Chyba wszyscy mieliśmy ostatnio za dużo stresów. Wybaczysz mi? — szepnęła.

— Jasne — odszepnęłam, odwzajemniając uścisk i starając się nie zmarszczyć przy tym nosa. Pachniała piwnicą i ziemią, ale też czymś innym, nieprzyjemnym, czego nie potrafiłam zidentyfikować. — Wiesz — mruknęłam szybko — rzuciłam Erika, a teraz on paraduje przed wszystkimi z Venus.

— Fatalnie — powiedziała na głos, nie zwracając uwagi na otoczenie. — To trochę jakby twoja mama zapomniała, że masz urodziny, co?

— Fakt — przyznałam — fatalnie.

— Wejdziesz tam z podniesionym czołem czy podkulisz ogon i zwiejesz? — zapytała z podejrzanie słodkim uśmiechem.

— A jak myślisz, Ado Annie? — wtrąciła Afrodyta. — Zo nie ma zwyczaju unikać walki.

— Kto to jest Ado Annie? — zdziwił się Heath.

— Nie mam pojęcia — rzekł Stark.

— Postać z musicalu *Oklahoma* — odparła siostra Mary Angela i chrząknęła, by stłumić śmiech. — Zjemy śniadanie?

Ruszyła z uśmiechem do jadalni, a ja westchnęłam. Miałam ochotę pobiec z wrzaskiem w przeciwnym kierunku.

— Chodź, Zo. Wejdźmy tam i coś zjedzmy. Poza tym mam ci do opowiedzenia rzeczy, przy których twoje problemy z facetami zbledną. — Stevie Rae chwyciła mnie za rękę i kołysząc nią, wciągnęła mnie do stołówki. Razem ze Starkiem, Heathem, Dariusem, Afrodytą i Dallasem, którzy szli krok w krok za nami, zajęliśmy miejsca obok siostry Mary Angeli przy tym samym stole, przy którym siedzieli już Damien, Jack i Bliźniaczki.

— Hej, Zo! W końcu wstałaś! Spróbuj tych niesamowitych naleśników, których siostry dla nas nasmażyły — przywitał mnie Jack.

— Naleśników? — Od razu się rozchmurzyłam.

— No! Jest ich cała masa, podobnie jak boczku i placków ziemniaczanych! Tu jest lepiej niż w IHOP-ie! — Spojrzał wzdłuż stołu i wrzasnął: — Hej, podajcie naleśniki!

Talerze ruszyły w naszą stronę, a ja czułam, jak ślinka napływa mi do ust. Powiem szczerze — mam poważną słabość do naleśników.

— My tam wolimy grzanki po francusku — stwierdziła Shaunee.

— Fakt. Nie są takie rozlazłe — dodała Erin.

— Naleśniki wcale nie są rozlazłe! — zaprotestował Jack.

— Bądź pozdrowiona, Zo — przywitał mnie Damien, wyraźnie unikając dyskusji o naleśnikach.

— Bądź pozdrowiony — odparłam z uśmiechem.

— Nie licząc tych nastroszonych kłaków, wyglądasz znacznie lepiej niż przedtem — stwierdził Jack.

— Dzięki. O ile to miał być komplement — wymamrotałam z pełnymi ustami.

— Moim zdaniem wygląda niesamowicie — oświadczył siedzący nieco dalej Stark.

— Moim też. Uwielbiam jej włosy zaraz po wstaniu — wyszczerzył się Heath.

Właśnie przewracałam oczami pod adresem ich obu, gdy z drugiego końca sali dobiegł mnie głos Erika.

— Raaany, ale tam tłok. — Stał odwrócony do nas plecami, lecz i tak nie było wątpliwości, dlaczego tak się wydziera.

Czemu zrywanie nie może być łatwiejsze? Czemu Erik musiał się zachowywać jak palant? Bo naprawdę zraniłam jego uczucia, pomyślałam. Tyle że miałam już serdecznie dosyć przejmowania się jego uczuciami. Nie dość, że był zaborczym kretynem, to jeszcze w dodatku potwornym hipokrytą! Mnie nazwał dziwką, a sam nie potrzebował nawet jednego dnia, żeby się spiknąć z inną! Ohyda.

— Co się dzieje? Erik naprawdę jest z Venus? — przyciągnął moją uwagę głos Jacka.

— Zerwaliśmy wczoraj — powiedziałam, lekceważąco bawiąc się naleśnikiem i dając znak Erin, żeby mi podała talerz z boczkiem.

— No właśnie, Afrodyta nam powiedziała. Ale żeby tak od razu zacząć z Venus? — nie mógł wyjść z podziwu Jack, gapiąc się na Erika i obłapiającą go dziewczynę z takim zdumieniem, że aż zapomniał o jedzeniu. — Uważałem go za fajnego gościa — powiedział dziecinnym i potwornie rozczarowanym tonem, jakby Erik właśnie roztrzaskał jego wizję idealnego chłopaka.

Wzruszyłam ramionami.

— Daj spokój, Jack. On wcale nie jest taki zły. Po prostu nasz związek był niewypałem — wyjaśniłam przybita jego miną. — Afrodyta miała kolejną wizję — wypaliłam, by zmienić temat.

— Co widziałaś? — zapytał ją Damien.

Zerknęła na mnie, a ja niemal niedostrzegalnie kiwnęłam głową.

— Kalonę palącego wampiry i ludzi.

— Palącego? — zareagowała natychmiast Shaunee. — Wygląda mi to na coś, czemu powinnam zapobiec. W końcu to ja opiekuję się ogniem.

— Święta racja, bliźniaczko — przytaknęła Erin.

— Was, Panny Zrosłomóżdżki, w tej wizji nie było. — Afrodyta wycelowała w nie kleistym widelcem. — Był za to ogień, krew, zgroza i takie tam. Wy prawdopodobnie robiłyście wtedy zakupy.

Bliźniaczki zmrużyły groźnie oczy.

— A Zoey? — zapytał Damien.

Afrodyta znów zerknęła na mnie.

— Zoey była. W jednej wizji wynikły z tego dobre rzeczy, a w drugiej nie za bardzo.

— Jak to? — zapytał Jack.

— To była poplątana wizja. Coś w stylu obosiecznego miecza.

Miałam wrażenie, że unika konkretnej odpowiedzi, i już otwierałam usta, żeby jej kazać powiedzieć wszystko, gdy nagle siedząca niedaleko mnie po prawej stronie Kramisha uniosła rękę i zamachała do mnie kawałkiem papieru.

— Wiem, co to znaczy — oznajmiła. — Przynajmniej częściowo. Napisałam to wczoraj przed pójściem spać. — Uśmiechnęła się do siostry Mary Angeli. — Jak już skończyliśmy oglądać ten film o zakonnicach.

— Cieszę się, że ci się podobał, kochanie — rzekła siostra.

— Fajny, ale dzieciaki były wstrętne.

— Czym tak machasz? — zapytała Afrodyta.

— Chwila, chwila. Nie bądź taka wścibska. To dla Zoey. Podajcie jej.

Kartka przechodziła z rąk do rąk, aż dotarła do mnie. Jak już prawdopodobnie wszyscy się domyślili, był to kolejny wiersz. Stłumiłam westchnienie.

— Powiedz, że to nie jest następny proroczy poemat — powiedziała Afrodyta, jakby czytała mi w myślach. — Na boginię, głowa mi pęka na samą myśl o tym.

— To lepiej uzbieraj zapas tabletek — mruknęłam, czytając bezgłośnie pierwszy wers, mrugając, a potem podnosząc na nią wzrok. — Coś ty przed chwilą powiedziała? Coś o mieczu?

— Mówiła, że twoja obecność w wizji o Kalonie była jak obosieczny miecz. Właśnie dlatego daję ci ten wiersz teraz, zamiast czekać, aż cię dorwę na osobności. — Bystry wzrok Kramishy odszukał Erika. — W odróżnieniu od niektórych mam dość rozumu, żeby się nie obnosić z prywatnymi sprawami.

— „Miecz obosieczny" — zauważyłam — to pierwsza linijka wiersza.

— Masakra — jęknęła Stevie Rae.

— Masakra — przyznałam. — To dobre określenie.

— Co zamierzasz z tym zrobić? — zwrócił się do mnie Damien.

— Wziąć wiersz i z pomocą przyjaciół wykombinować, o co w nim chodzi. Ale wolałabym to robić w domu — rzekłam prosto z mostu.

Uśmiechnął się i pokiwał głową.

— W domu. Brzmi nieźle.

Spojrzałam na Afrodytę.

— A ty co sądzisz?

— Tęsknię za moim prysznicem Vichy — powiedziała.

— A ty, Darius?

— Musimy wrócić, zanim przystąpimy do dalszych działań.

— Shaunee i Erin?

Popatrzyły po sobie.

— Do domu — rzekła Erin. — Na sto procent.

— Stevie Rae?

— Wiecie co?... Muszę ci coś powiedzieć, zanim podejmiesz poważne decyzje.

— No to mów — zachęciłam ją.

Patrzyłam, jak bierze potężny oddech, a potem wypuszcza powietrze przez wydęte usta, jakby robiła sobie test na astmę. Zaczęła mówić szybko i wyraźnie, starając się, by słowa dotarły do wszystkich w sali.

— Jest więcej czerwonych adeptów niż ci tutaj. Nie zmienili się razem ze mną jak ta część. Wciąż są źli. Myślę... myślę, że dalej mogą być związani z Neferet. — Patrzyła na mnie błagalnym wzrokiem. — Wcześniej nic ci nie mówiłam, bo chciałam im dać szansę. Myślałam, że odzyskają człowieczeństwo, jeśli zostawimy ich w spokoju, żeby sobie wszystko przemyśleli, albo że im jakoś pomogę. Wybacz, Zo. Nie chciałam ci przysparzać problemów ani cię okłamywać.

Nie potrafiłam się na nią wściekać. Czułam jedynie ulgę, że wreszcie zdecydowała się wyznać mi prawdę.

— Czasem nie można powiedzieć przyjaciołom wszystkiego, co by się chciało — stwierdziłam.

Stevie jęknęła z ulgą.

— Och, Zoey! Więc mnie nie znienawidzisz?

— Co za pytanie — odparłam. — Sama miałam różne mroczne tajemnice, więc świetnie cię rozumiem.

— Gdzie oni są? — Słowa Damiena mogłyby się wydać oschłe, gdyby nie łagodny ton i empatia malująca się w brązowych oczach.

— Pod dworcem. Dlatego zasypałam tunel, którym tu przyszliśmy. Nie chciałam, żeby tamci się za nami przywlekli i narobili siostrom kłopotów.

— Powinnaś była nas wczoraj ostrzec — zauważył Darius. — Postawilibyśmy straże, kiedy wszyscy spali.

— Na drugim końcu tunelu zostali źli czerwoni adepci? — zapytała siostra Mary Angela, chwytając się za różaniec na szyi.

— Siostro, nie było żadnego zagrożenia! Darius, naprawdę nie musieliśmy wystawiać straży! — zarzekała się Stevie. — Światło dzienne tak na nich działa, że nawet pod ziemią poruszają się tylko w nocy!

Darius zmarszczył brwi, najwyraźniej nie do końca przekonany. Siostra milczała, przesuwając palcami po paciorkach różańca. Dopiero wtedy zauważyłam, że niektórzy z czerwonych adeptów rozprawiają z ożywieniem. Spojrzałam na Starka.

— Wiedziałeś o tamtych?

— Ja? No coś ty. Przecież od razu bym ci powiedział.

— Ja powinnam to zrobić. Naprawdę mi przykro — rzekła Stevie Rae.

— Czasem prawda jest tak głęboko zagrzebana, że trudno znaleźć dobry sposób na jej odgrzebanie — pocieszyłam ją, po czym rozejrzałam się po pozostałych czerwonych adeptach. — Ale wy wiedzieliście, co?

— Tak — przyznała Kramisha. — Nie lubimy tamtych. Są okropni.

— I śmierdzą — dodała z drugiego końca stołu mała Shannoncompton.

— Potwornie cuchną — uzupełnił Dallas. — Przypominają nam, jacy kiedyś byliśmy.

— A my nie chcemy o tym pamiętać — wtrącił muskularny Johnny B.

Przeniosłam wzrok na Stevie.

— Masz mi do powiedzenia coś jeszcze?

— Nooo... że chyba nie powinniśmy teraz wracać do tuneli pod dworcem. Dom Nocy wydaje mi się lepszym pomysłem.

— No to postanowione — podsumowałam. — Wracamy do domu.

ROZDZIAŁ DWUDZIESTY

Zoey

— Jestem jak najbardziej za powrotem tam, gdzie nasze miejsce, ale twoja babcia powinna zostać tutaj — powiedziała nagle Afrodyta. — Nie wiemy, co nas czeka w Domu Nocy.

— Czyżbyś widziała w swoich wizjach coś jeszcze? — zapytałam. Nie umknęło mojej uwagi, że Afrodyta patrzy nie na mnie, a na Stevie.

Pokręciła wolno głową.

— Nie, opowiedziałam ci wszystko. Po prostu mam przeczucie.

Stevie parsknęła nerwowym śmiechem.

— Daj spokój, Afrodyto, wszyscy jesteśmy zdenerwowani i trudno się dziwić. Dopiero co pogoniliśmy potworne maszkary, ale to jeszcze nie powód, żeby dodatkowo straszyć Zoey.

— Nie straszę jej, wieśniaro — mruknęła Afrodyta. — Po prostu jestem ostrożna.

— Warto przewidywać niebezpieczeństwa — rzekł w zamyśleniu Darius.

Zgadzałam się, że ostrożność nigdy nie zawadzi, i już otwierałam usta, żeby przytaknąć, gdy Stevie Rae spojrzała na Dariusa i zimnym matowym głosem wycedziła:

— To, że złożyłeś jej ślubowanie wojownika, nie znaczy jeszcze, że musisz się z nią we wszystkim zgadzać.

— Co? — zdziwił się Stark. — Złożyłeś Afrodycie ślubowanie?

— Serio? — zawtórował mu Damien.

— O jeny, super! — rozpromienił się Jack.

Siedzący przy sąsiednim stole Erik prychnął.

— Jestem zdumiony, że Zoey ci na to pozwoliła, zamiast cię włączyć do swojej prywatnej kolekcji.

Miarka się przebrała. Nie wytrzymałam.

— Idź do diabła, Erik! — wrzasnęłam.

— Zoey! — jęknęła siostra Mary Angela.

— Przepraszam — mruknęłam.

— Niby za co? — wtrąciła Afrodyta, nie przestając się gapić spode łba na Stevie Rae. — „Diabeł" to nie brzydkie słowo, tylko istota, z którą pewne osoby zdecydowanie powinny się spotkać.

— A co? — zapytała niewinnie Stevie Rae. — Nie chciałaś, żeby wszyscy wiedzieli o tobie i Dariusie?

— To wyłącznie moja sprawa — odparła Afrodyta.

— Jak już mówiłam — wtrąciła profesorskim tonem Kramisha — prywatne sprawy nie powinny być rozgłaszane publicznie. — Przeniosła ciemne oczy na Stevie. — Wiem, że jesteś naszą najwyższą kapłanką i tak dalej, więc się nie obraź ani nic, ale myślałam, że jesteś lepiej wychowana.

Stevie od razu się zreflektowała.

— Masz rację. Chyba po prostu nie pomyślałam, że to taka tajemnica. No wiecie, przecież prędzej czy później wszyscy i tak by się dowiedzieli. — Uśmiechnęła się do mnie i wzruszyła ramionami. — Raczej nie da się długo ukrywać ślubowania wojownika. — Potem spojrzała na Afrodytę. — Wybacz. Nie chciałam być wredna.

— Nie obchodzą mnie twoje przeprosiny. Nie jestem Zoey. Nie mam zamiaru wierzyć w każde twoje słowo.

— Dość tego! — krzyknęłam z taką złością i frustracją, że aż kilka osób się wzdrygnęło. — Słuchajcie wszyscy i weźcie to sobie do serca. Jak możemy walczyć z wielkim, zagrażającym światu złem, skoro wciąż się kłócimy między sobą? Stevie i Afrodyto, pogódźcie się z faktem, że jesteście skojarzone, i nauczcie się nie przynosić sobie wstydu. — Zobaczyłam rozżalenie w oczach Afrodyty i zdumienie w oczach Stevie Rae, lecz kontynuowałam. — Stevie, nie ukrywaj przede mną ważnych spraw, nawet jeśli uważasz, że masz po temu ważny powód. — Potem spojrzałam prosto w oczy Erikowi, który obrócił się na krześle i patrzył na mnie. — A ty, Eriku, wiedz, że mamy znacznie ważniejsze problemy niż twoje dąsy z powodu tego, że cię rzuciłam. — Usłyszałam chichot Starka i w następnej kolejności natarłam na niego. — Ty też się zachowuj!

Uniósł ręce w geście poddania.

— Rozbawiło mnie, że tak usadziłaś Erika Wielkiego.

— Niezbyt to miłe z twojej strony, bo dobrze wiesz, jak bardzo ta historia z tobą, Erikiem i Heathem mnie zraniła.

Starkowi zrzedła mina.

— Dariusie, wiem, że na dworze jest potwornie ślisko, ale czy myślisz, że dasz radę dojechać hummerem do Domu Nocy? — zapytałam.

— Tak — odrzekł wojownik.

— Kto jest dobrym jeźdźcem? — Natychmiast podniosło się kilka rąk, jakbym była jakąś groźną nauczycielką. — Shaunee, ty i Erin możecie jechać na tym samym koniu, na którym tu przyjechałyście. — Rozejrzałam się, by sprawdzić, kto jeszcze się zgłosił. — Johnny B., możesz pojechać na drugim razem z Kramishą?

— Jasne — odparł chłopak, a Kramisha pokiwała energicznie głową, po czym oboje opuścili ręce.

— Ty, Stark, możesz do mnie dołączyć na Persefonie — powiedziałam, nie zaszczycając go spojrzeniem. — Damien, Jack, Afrodyta, Shannoncompton, Venus i... — Wbiłam wzrok w ciemnowłosą czerwoną adeptkę, której imienia nijak nie mogłam sobie przypomnieć.

— Sophie — podpowiedziała Stevie Rae z wahaniem, jakby się bała, że urwę jej głowę.

— I Sophie. Pojedziecie hummerem z Dariusem. — Spojrzałam na Stevie. — Przypilnujesz, żeby reszta czerwonych i Erik dotarli bezpiecznie do Domu Nocy?

— Jeśli tego ode mnie oczekujesz, to tak — odparła.

— Świetnie. W takim razie skończcie śniadanie i jazda do domu. — Wstałam i powiodłam wzrokiem po wszystkich siostrach. — Doceniam waszą pomoc bardziej, niż potrafię opisać. Dopóki żyję, siostry benedyktynki mogą liczyć na przyjaźń najwyższej kapłanki. — Odwróciłam się, by wyjść. Gdy mijałam Starka, zauważyłam, że zamierza wstać, ale spojrzałam mu w oczy i pokręciłam głową. — Pójdę pożegnać się z babcią. Sama.

Widziałam w jego wzroku rozżalenie, lecz zasalutował z szacunkiem.

— Jak sobie życzysz, pani.

Wyszłam samotnie z sali, starając się nie zwracać uwagi na ciszę, jaka zaległa za moimi plecami.

— Więc wszystkich rozzłościłaś, *u-we-tsi-a-ge-ya*? — zapytała babcia, gdy już wysłuchała wystąpienia, które wygłosiłam, przechadzając się w tę i we w tę obok jej łóżka.

— No, nie wszystkich. Jednych rozzłościłam, a innych zraniłam.

Babcia długo mi się przyglądała. Gdy w końcu się odezwała, to jak zawsze w prostych słowach, ale i prosto z mostu.

— To zupełnie nie w twoim stylu, więc musiałaś mieć ważny powód, żeby się zachowywać tak nietypowo.

— Tym powodem jest strach i konsternacja. Wczoraj czułam się jak najwyższa kapłanka. Dziś znowu jestem dzieckiem. Mam problemy z chłopakami, a najlepsza przyjaciółka nie mówi mi całej prawdy.

— To oznacza jedynie, że ani ty, ani Stevie Rae nie jesteście ideałami — powiedziała babcia.

— Skąd mam wiedzieć, co to naprawdę znaczy? A jeśli jestem płytką dziwką, a Stevie przeszła na ciemną stronę?

— Tylko czas może pokazać, czy się myliłaś, ufając Stevie. Myślę też, że powinnaś przestać tak strasznie się obwiniać o to, że podoba ci się więcej niż jeden chłopak. Dokonujesz w tej sprawie dobrych wyborów. Z tego co mówisz, wynika, że Erik zachowywał się zaborczo i prostacko. Wiele młodych kobiet przymknęłoby na to oko, skoro jest takim, jak wy to nazywacie, ciachem. — W ustach babci zabrzmiało to nieco sztucznie. — Nauczysz się łączyć Heatha ze Starkiem, jak wiele najwyższych kapłanek. Albo może dojdziesz do wniosku, że właściwą drogą będzie wybór jednego z nich. Na tę decyzję, kochanie, masz jeszcze wiele, wiele lat.

— Pewnie tak — mruknęłam.

— Oczywiście, że tak. Jestem starsza i wiem. Z tego samego powodu widzę, że męczy cię coś więcej niż tylko chłopcy i Stevie Rae. O co chodzi, ptaszyno?

— Miałam wspomnienie A-yi, babuniu.

Jedynie gwałtowne wciągnięcie powietrza pokazało, jak bardzo to nią wstrząsnęło.

— Był tam Kalona?

— Tak.

— Było przyjemnie czy nieprzyjemnie?

— Jedno i drugie! Zaczęło się strasznie, ale im bardziej zbliżałam się do A-yi, tym bardziej to się zmieniało. Ona go kochała, babciu. A ja to czułam.

Babcia pokiwała głową.

— Tak, *u-we-tsi-a-ge-ya* — powiedziała powoli — to ma sens. A-ya została stworzona po to, by go kochać.

— To mnie przeraża! — zawołałam. — Mam poczucie, że nad niczym nie panuję!

— Ciii, córeczko — uspokajała mnie. — Przeszłość ma wpływ na nas wszystkich, ale to od nas zależy, czy pozwolimy jej dyktować, co mamy robić.

— Nawet na najgłębszym duchowym poziomie?

— Zwłaszcza na nim. Zadaj sobie pytanie, skąd pochodzą twoje cudowne moce.

— Od Nyks — odparłam.

— A czy obdarzyła nimi twoje ciało czy duszę?

— Jasne, że duszę. Ciało jest tylko opakowaniem dla niej. — Byłam tak zdumiona stanowczym brzmieniem własnego głosu, że aż zamrugałam. — Muszę pamiętać, że teraz ta dusza należy do mnie, a A-ę traktować jak wspomnienie z przeszłości.

— No widzisz — uśmiechnęła się babcia — wiedziałam, że odzyskasz równowagę. Jeśli uczysz się na błędach, wszystko jedno, czy pochodzących z tego życia czy z poprzedniego, każdy błąd zmienia się w szansę.

Nici z szans, jeśli moje błędy pozwolą Kalonie spalić świat, pomyślałam i omal nie powiedziałam tego głośno, ale właśnie wtedy babcia zamknęła oczy. Wydawała się tak zmęczona, poraniona i stara, że aż ścisnęło mnie w żołądku i poczułam silne mdłości.

— Przepraszam, że cię w to wpakowałam, babuniu — rzekłam.

Otworzyła oczy i poklepała mnie po dłoni.

— Nigdy nie przepraszaj za to, że jesteś ze mną szczera, *u-we-tsi-a-ge-ya*.

Ucałowałam ją leciutko w czoło, uważając, by nie dotknąć ran ani sińców.

— Kocham cię, babuniu.

— Ja też cię kocham, *u-we-tsi-a-ge-ya*. Idź z boginią i niech cię błogosławią nasi przodkowie.

Kładłam już rękę na klamce, gdy znów się odezwała.

— Trzymaj się prawdy, *u-we-tsi-a-ge-ya* — powiedziała jak zawsze silnym, pewnym i mądrym głosem. — Nigdy nie zapominaj, że słowa prawdy mają w sobie wielką moc. Nasz lud zawsze o tym pamięta.

— Będę się starała, babciu.

— O nic więcej nigdy cię nie proszę, Zoey, ptaszyno moja.

ROZDZIAŁ DWUDZIESTY PIERWSZY

Zoey

Powrót do Domu Nocy był powolny, dziwny i niezręczny.

Powolny, bo chociaż obie z Shaunee rozgrzewałyśmy ogniem kopyta klaczy, by móc przejechać Dwudziestą Pierwszą i skręcić w Utica przy nie działających światłach, droga i tak była śliska i trudna.

Dziwny, bo wszędzie panowała ta koszmarna ciemność. Kiedy w mieście gasną światła, wszystko wygląda jak w krzywym zwierciadle. Wiem, że brzmi to głupkowato, zwłaszcza w ustach kogoś, kto niby jest dzieckiem nocy i tak dalej, ale bez światła świat wygląda inaczej.

Niezręczny zaś był nasz powrót dlatego, że Shaunee i Erin wciąż zerkały na mnie takim wzrokiem, jakby uważały mnie za bombę, która w każdej chwili może wybuchnąć. Johnny B. i Kramisha prawie wcale się do mnie nie odzywali, a Stark, jadący za mną na mojej niesamowitej Persefonie, nawet nie objął mnie w pasie.

A ja? Ja po prostu chciałam wrócić do domu.

Darius jechał za nami hummerem z prędkością, która zapewne musiała mu się wydawać żółwia, mimo iż trzy klacze twardo kłusowały naprzód. Czerwoni adepci pod wodzą Stevie Rae i Erika szli za samochodem. Nie licząc warkotu silnika i stukotu kopyt, noc była równie cicha jak ciemna, choć raz po raz jakaś gałąź pękała pod naporem lodu i urywała się z potwornym trzaskiem.

Odezwałam się, dopiero gdy skręciliśmy w Utica.

— Więc nie zamierzasz już nigdy ze mną rozmawiać? — zapytałam Starka.

— Zamierzam — odparł.

— Dlaczego mam wrażenie, że dodałeś w duchu „ale..."?

Zawahał się i dosłownie czułam, jak się spina. W końcu zrobił długi wydech.

— Nie wiem, czy mam być na ciebie wściekły, czy przepraszać za to zamieszanie w jadalni — rzekł.

— To nie była twoja wina. A jeśli nawet, to w niewielkim stopniu.

— Tak, niby wiem. Wiem też, że ta cała historia z Erikiem cię zabolała.

Nie miałam pojęcia, co odpowiedzieć, więc jechaliśmy dalej w milczeniu. W końcu Stark odchrząknął.

— Strasznie po wszystkich pojechałaś — stwierdził.

— Musiałam ukrócić kłótnie, a ten sposób wydał mi się najlepszy.

— Następnym razem powinnaś spróbować czegoś w stylu: „Słuchajcie, może byście przestali się kłócić?". Nie wiem, może jestem dziwny, ale dla mnie ma to więcej sensu niż wyżywanie się na wszystkich.

Stłumiłam odruch odpysknięcia, że chciałabym zobaczyć, jak on sobie radzi na moim miejscu. Zamiast tego zastanowiłam się nad jego słowami. Może miał rację. Nie było mi dobrze ze świadomością, że wszystkich obsztorcowałam, zwłaszcza że ci „wszyscy" byli moimi przyjaciółmi.

— Następnym razem spróbuję wypaść lepiej — obiecałam w końcu.

Nie triumfował. Ani też nie zmienił się w protekcjonalnego twardziela. Po prostu położył mi ręce na ramionach.

— Jedną z rzeczy, które w tobie lubię, jest to, że naprawdę słuchasz, co mówią inni — rzekł.

Poczułam, jak po tym niespodziewanym komplemencie płoną mi policzki.

— Dzięki — powiedziałam cicho, głaszcząc chłodną wilgotną grzywę Persefony i ciesząc się, gdy zastrzygła uszami w odpowiedzi. — Grzeczna z ciebie dziewczynka — pochwaliłam ją.

— Powinnaś już zauważyć, że nie jestem dziewczynką — zażartował Stark.

— Zauważyłam. — Zaśmiałam się i napięcie natychmiast znikło, a Bliźniaczki, Johnny B. i Kramisha spojrzeli na nas z nieśmiałymi uśmieszkami.

— To jak? — zapytałam Starka. — W porządku między nami?

— Między nami zawsze będzie w porządku. Jestem twoim wojownikiem i obrońcą. Cokolwiek by się działo, będę cię ubezpieczał.

Gdy już byłam w stanie się odezwać, zauważyłam:

— Rola mojego wojownika może być czasem trudna.

Zaśmiał się w głos i długo nie mógł uspokoić. W końcu otoczył mnie rękoma w pasie.

— Zoey, czasem rola twojego wojownika będzie naprawdę nieznośna.

Już miałam burknąć, że sam jest nieznośny, ale jego dotyk mnie uspokajał, więc tylko mruknęłam, że bredzi, i rozluźniłam się w jego ramionach.

— Wiesz — powiedział — jeśli się potrafi zapomnieć o wszystkich niedogodnościach związanych z nawałnicą i o koszmarze starcia z Kaloną i Neferet, to ten lód wygląda nawet fajnie. Prawie jakby coś nas przeniosło z normalnego świata do zimowej krainy baśni. Białej Czarownicy by się tu podobało.

— Hej, *Lew, czarownica i stara szafa* to świetny film! Tobie też się podobał?

Odkaszlnął.

— Nie widziałem go.

— Nie? — Zrobiłam wielkie oczy i obejrzałam się przez ramię. — Czytałeś książkę?

— Książki — odparł, kładąc nacisk na liczbę mnogą.

— C. S. Lewis napisał więcej niż jedną.

— Czytasz książki?

— Owszem — przytaknął.

— Hm — powiedziałam, czując się (jak by to powiedziała babcia) skonfundowana.

— A co? — zapytał obronnym tonem. — Czytanie jest fajne.

— No wiem! Cieszę się, że czytasz. To ci dodaje uroku.

— I naprawdę tak myślałam. Uwielbiam, jak przystojni faceci mają też odrobinę intelektu.

— Serio? To pewnie cię zainteresuje, że właśnie przeczytałem *Zabić drozda*.

Uśmiechnęłam się i szturchnęłam go łokciem.

— Wszyscy to czytali.

— Ja pięć razy.

— No coś ty?

— Powaga. Niektóre fragmenty znam na pamięć.

— Jaja sobie robisz.

A wtedy Stark, mój wielki, zły, supermęski wojownik podniósł głos, przybrał akcent małej dziewczynki z Południa i zapytał przeciągle:

— Wujaszku, co to znaczy ladacznica?

— Mam wrażenie, że to nie jest najważniejszy fragment tej książki — zauważyłam ze śmiechem.

— A co powiesz na to: „Żadna zasmarkana belferska pinda do niczego mnie nigdy nie zmusi!"? To mój ulubiony.

— Wariat z ciebie, Stark — zachichotałam radośnie.

Spokojna i szczęśliwa skręciłam w długą drogę dojazdową do Domu Nocy. Myślałam właśnie o tym, jak czarodziejsko i gościnnie wygląda nasza rozświetlona radośnie szkoła, gdy nagle do mnie dotarło, że zapasowe generatory i staroświeckie latarnie olejne świecą jakby zbyt jasno. Potem zrozumiałam, że światło wcale nie dobiega od strony budynków, lecz z dziedzińca pomiędzy świątynią Nyks a resztą szkoły.

Natychmiast poczułam, jak Stark się spina.

— Co to ma znaczyć? — zapytałam.

— Zatrzymaj konie — rzekł.

— Prrr! — Pociągnęłam za lejce Persefony i zawołałam do pozostałych, żeby też stanęli. — Co się dzieje?

— Miej oczy otwarte. Bądź gotowa uciekać z powrotem do opactwa. Jak tylko dam ci znak, ruszaj, i to szybko. Nie czekaj na mnie! — Po tych słowach Stark zsunął się z grzbietu klaczy i pobiegł do stojącego za nami hummera.

Odwróciłam się i zobaczyłam, że Darius już wysiada z samochodu, a jego miejsce za kierownicą zajmuje Heath. Dwaj wojownicy zamienili parę słów, po czym Darius przywołał do siebie Erika i wszystkich czerwonych adeptów płci męskiej oraz Stevie Rae. Już miałam podjechać do hummera, kiedy Stark sam do mnie podbiegł.

— Co jest? — zapytałam.

— Coś się pali na terenie szkoły.

— Jesteś w stanie wyczuć, co to jest? — zapytałam Shaunee.

— Nie, ale... — Zmarszczyła nos w skupieniu. — To jakby coś świętego.

Świętego? Niby co?

Stark schwycił Persefonę za uzdę, by przyciągnąć moją uwagę.

— Zajrzyj pod drzewa.

Spojrzałam w prawo, na rząd grusz drobnoowocowych rosnących wzdłuż drogi prowadzącej do Domu Nocy, i zobaczyłam leżące pod nimi ciemne powyginane kształty. Uświadomiłam sobie, na co patrzę, i aż mnie zemdliło.

— Kruki Prześmiewcy — powiedziałam.

— Nie żyją — dodała Kramisha.

— Musimy to sprawdzić. Upewnić się — rzekła Stevie Rae, która podeszła do nas razem z czerwonymi chłopakami i Erikiem.

— Tak — przyznał Darius, wyciągając spod skórzanej kurtki dwa noże, po jednym w każdej ręce. — Zostań z Zoey — polecił Starkowi. Dał znak Stevie i Erikowi, żeby szli za nim, i ruszył w stronę drzew.

Poszło błyskawicznie.

— Trup! — wołał Darius po zlustrowaniu każdego ciała. Wkrótce było po wszystkim i cała trójka dołączyła do nas. Zauważyłam, że Stevie Rae bardzo zbladła.

— Nic ci nie jest? — zapytałam.

Spojrzała na mnie przestraszonym wzrokiem.

— Nic — powiedziała szybko. — Po prostu... — Zamilkła, przenosząc wzrok na makabryczne znaleziska pod drzewami.

— Strasznie śmierdzą — wyjaśniła Kramisha i wszyscy na nią spojrzeli. — No co? Te kruki mają we krwi coś ohydnego.

— Rzeczywiście ich krew dziwnie pachnie. Wiem, bo musiałam sprzątać po tych, które Darius zestrzelił z nieba — wyrecytowała pospiesznie Stevie, jakby ten temat z jakiegoś względu ją niepokoił.

— Hej, właśnie to od ciebie czułam! — powiedziałam z ulgą, że wreszcie udało mi się zidentyfikować nieznajomy zapach.

— Skupmy się na teraźniejszości — przywołał nas do porządku Darius. — Nie wiemy, co się tam dzieje. — Wskazał teren szkoły i migoczące płomienie oświetlające jego centrum.

— No właśnie. Czyżby szkoła naprawdę się paliła? — Stevie wyraziła na głos pytanie, które wszyscy sobie zadawaliśmy.

— Ja wiem, co to jest. — Głos wystraszył wszystkich oprócz naszych trzech klaczy, co powinno natychmiast dać mi do zrozumienia, kto przemawia do nas z ciemności rozciągającej się w kierunku sali gimnastycznej. — To stos pogrzebowy — kontynuowała Lenobia, nasza nauczycielka jazdy konnej, która jako jedna z nielicznych dorosłych wampirów stanęła po naszej stronie, gdy Kalona i Neferet zajęli szkołę.

Podeszła prosto do klaczy, witając się z nimi i sprawdzając, czy są całe, a na nas nie zwracając większej uwagi. Dopiero gdy się przekonała, że z jej ulubienicami wszystko w porządku, podniosła na mnie wzrok.

— Bądź pozdrowiona, Zoey — rzekła, nie przestając głaskać pyska Persefony.

— Bądź pozdrowiona — odpowiedziałam odruchowo.

— Zabiłaś go?

Pokręciłam głową.

— Wygnaliśmy go. Wiersz Kramishy mówił prawdę. Gdy nasza piątka połączyła siły, zdołaliśmy go pokonać miłością. Ale dla kogo...

— Neferet zginęła czy uciekła z nim? — przerwała mi Lenobia.

— Uciekła. Dla kogo jest ten stos pogrzebowy? — zdołałam wreszcie zapytać.

Piękne szaroniebieskie oczy Lenobii spojrzały prosto w moje.

— Anastasia Lankford nie żyje. Ukochany syn Kalony, Rephaim, zdążył poderżnąć jej gardło, nim zwołał swoich braci i ruszył w pościg za wami.

ROZDZIAŁ DWUDZIESTY DRUGI

Zoey

Usłyszałam przerażony jęk Stevie Rae, której zawtórowali wszyscy wokół. Tylko Darius zachował trzeźwość umysłu.

— Czy pozostały tu jakieś żywe kruki?

— Nie. I oby ich dusze gniły wiecznie w najgłębszych czeluściach Zaświatów — odparła gorzko Lenobia.

— Ktoś jeszcze zginął? — zapytałam.

— Nie, ale cały oddział szpitalny pełen jest rannych. Neferet była naszą jedyną uzdrowicielką, więc teraz, kiedy... — Lenobia urwała.

— W takim razie Zoey musi się nimi zająć — rzekł Stark.

— Ja? Przecież...

— Jeśli w Domu Nocy są ranni adepci lub ranne wampiry, potrzebują najwyższej kapłanki, a ty jesteś jedyną, jaką mamy — stwierdził po prostu.

— W dodatku komunikujesz się z duchem — dodał Darius. — Z całą pewnością potrafisz im ulżyć.

— Macie rację — powiedziała Lenobia, odgarniając z twarzy długie jasne włosy. — Wybaczcie, śmierć Anastasii bardzo mnie poruszyła. Mam mętlik w głowie. — Uśmiechnęła się do mnie, choć było to raczej wykrzywienie ust niż prawdziwy uśmiech. — Twoja pomoc bardzo nam się przyda, Zoey.

— Zrobię co w mojej mocy — odparłam, starając się, by mój głos brzmiał pewnie, choć w rzeczywistości sama myśl o rannych wywoływała we mnie mdłości.

— Pomożemy ci! — pocieszyła mnie Stevie Rae. — Skoro więź z jednym żywiołem pomaga, pięć żywiołów może pomóc pięć razy bardziej!

— Możliwe — mruknęła Lenobia, wciąż smutna i zrezygnowana.

— W każdym razie to przywróci im nadzieję.

Zdumiona patrzyłam, jak Afrodyta podchodzi do Dariusa i bierze go pod rękę. Lenobia przyglądała się jej sceptycznie.

— Niestety, wkrótce sama się przekonasz, że w Domu Nocy wiele się zmieniło, Afrodyto...

— Nie ma sprawy. Coraz lepiej sobie radzimy ze zmianami — odparła dziewczyna.

— Właśnie. Zmiany to nasza codzienność — dodała Kramisha, a kilka innych osób przytaknęło.

Byłam z nich taka dumna, że omal nie zalałam się łzami.

— Chyba jesteśmy gotowi, by wrócić do domu — powiedziałam.

— Do domu. — Lenobia powtórzyła moje słowa cichym, smutnym głosem. — W takim razie chodźcie za mną do tego, co z niego zostało. — Odwróciła się, cmoknęła i trzy klacze ruszyły za nią, nie czekając na nasze komendy.

Od głównej bramy przeszliśmy przez parking, na którym Heath na polecenie Dariusa zostawił hummera, a jeźdźcy zsiedli z koni. Fragment budynku nauczycielskiego i szpitala zasłaniał nam główną część campusu, więc widzieliśmy tylko roztańczone cienie płomieni. Wrażenie było niezwykłe.

Jeśli nie liczyć trzasku pożeranego przez ogień drewna, w szkole panowała całkowita cisza.

— Niedobrze — mruknęła Shaunee.

— To znaczy? — zapytałam.

— Wyczuwam w płomieniach smutek. Niedobrze — powtórzyła.

— Shaunee ma rację — przyznała Lenobia. — Zaprowadzę konie do stajni. Chcecie iść ze mną czy... — Umilkła, przenosząc wzrok na ruchome cienie płomieni na konarach starych dębów rosnących pośrodku campusu.

— Pójdziemy tam — powiedziałam, wskazując zasłonięty dziedziniec. — Trzeba spojrzeć prawdzie w oczy.

— Wrócę, gdy tylko oporządzę konie — rzekła i zniknęła w ciemnościach, a zwierzęta w ślad za nią.

Stark położył mi na ramieniu ciepłą silną dłoń.

— Pamiętaj, że Kalony ani Neferet tu nie ma. A to oznacza, że ty musisz przewodzić adeptom i wampirom. Biorąc pod uwagę twoje niedawne przejścia, powinno to być łatwe.

Heath stanął po mojej drugiej stronie.

— Święta racja. Nawet zajmowanie się rannymi adeptami i wampirami nie jest takie straszne jak Neferet i Kalona.

— Cokolwiek się stało, to wciąż jest nasz dom — dodał Darius.

— Zobaczmy ten bałagan, który Neferet nam zostawiła — powiedziałam gwałtownie, zostawiając Starka i Heatha i ruszając w stronę chodnika biegnącego wokół pięknej fontanny oraz ogrodów przed profesorskim wejściem z bajecznymi drewnianymi wierzejami. W końcu naszym oczom ukazał się wewnętrzny dziedziniec.

— O bogini! — jęknęła Afrodyta.

Moje nogi same się zatrzymały. Sceneria, którą mieliśmy przed oczami, była tak straszna, że po prostu nie potrafiłam się zmusić do zrobienia kolejnego kroku. Stos pogrzebowy składał się z olbrzymiej ilości drewna ułożonego wokół ławy piknikowej i pod nią. Rozpoznałam ją, bo choć płonęła, jej kształt wciąż był wyraźny — podobnie jak rysy leżącej na ławie osoby. Profesor Anastasia, piękna żona naszego nauczyciela szermierki, Smoka Lankforda, miała na sobie długą zwiewną szatę owiniętą białym płóciennym całunem, przez który jakimś sposobem prześwitywało jej ciało. Ręce skrzyżowano jej na piersi, a długie włosy spływały ku ziemi, unosząc się i iskrząc w płomieniach.

Noc przeszył potworny dźwięk, który przypominał rozdzierający krzyk krzywdzonego dziecka. Przeniosłam wzrok z koszmarnego stosu na miejsce u szczytu ławy i zobaczyłam klęczącego Smoka Lankforda. Mimo pochylonej głowy i zasłoniętej rozpuszczonymi włosami twarzy widać było, że szlocha. Obok niego siedział ogromny kot, którego rozpoznałam jako jego maine coona Shadowfaksa. Łasił się do Smoka i patrzył mu w oczy. Z kolei w ramionach mężczyzna trzymał małego kotka, który zawodził i próbował się wyrwać, najwyraźniej pragnąc wskoczyć na stos obok swojej pani.

— Ginewra — szepnęłam. — Kotka Anastasii.

I zakryłam dłonią usta, by stłumić rodzący się w gardle szloch.

Shaunee szybko odbiła od grupy i podeszła do stosu, stając znacznie bliżej niego, niż mogłoby którekolwiek z nas. Jednocześnie Erin podeszła do Smoka. Gdy jej przyjaciółka wznosiła ręce, wołając: „Ogniu, przybądź!", Erin cichutkim głosem przywołała wodę. Stos i zwłoki otoczyły nagle płomienie kamuflujące, a Smoka chłodna mgiełka przywodząca na myśl łzy.

Obok Erin stanął Damien.

— Wietrze, przybądź! — powiedział, by po chwili skierować łagodną bryzę na płonące ciało i rozwiać potworny odór.

Do tej dwójki dołączyła Stevie Rae.

— Ziemio, przybądź! — Powietrze natychmiast wypełnił delikatny słodkawy zapach łąki, przywołujący obrazy wiosny, wzrastania i zielonych łąk bogini.

Wiedziałam, że teraz kolej na mnie. Przepełniona smutkiem podeszłam do Smoka i łagodnie położyłam mu dłoń na drżącym od szlochu ramieniu. Podniosłam drugą rękę.

— Duchu, przybądź! — Poczułam cudowne poruszenie żywiołu, który zareagował na wezwanie. — Duchu, dotknij Smoka — mówiłam dalej. — Pociesz jego, Ginewrę i Shadowfaksa. Pomóż im znieść ból.

Skoncentrowałam się na przekierowaniu ducha poprzez siebie do Smoka i dwóch zrozpaczonych kotów. Ginewra przestała zawodzić, a ciało Smoka drgnęło, po czym nauczyciel powoli podniósł na mnie wzrok. Miał strasznie podrapaną twarz i głęboką ranę nad lewym okiem. Przypomniałam sobie, że gdy poprzednio go widziałam, walczył z trzema Krukami Prześmiewcami.

— Bądź pozdrowiony, Smoku — przywitałam go łagodnie.

— Jak można znieść coś takiego, kapłanko? — zapytał ochryple. Sprawiał wrażenie całkowicie rozbitego.

Na moment spanikowałam. Miałam dopiero siedemnaście lat! Jak mogłam wierzyć, że ukoję ból tego mężczyzny? Potem jednak duch odbił się od Smoka i wrócił do mnie, by zaraz znów odlecieć do niego — zdążyłam jednak zaczerpnąć od swojego żywiołu siłę.

— Spotkacie się jeszcze. Ona jest teraz z Nyks. Albo zaczeka na ciebie na niebiańskich polanach, albo urodzi się na nowo, a jej dusza odnajdzie cię jeszcze w tym życiu. Zniesiesz to, bo wiesz, że duch nigdy naprawdę się nie kończy. Że my nigdy się nie kończymy.

Patrzył mi w oczy badawczo, a ja spokojnie odwzajemniałam spojrzenie.

— Pokonaliście ich? Odeszli?

— Kalony i Neferet już tu nie ma. Kruków Prześmiewców też — zapewniłam go.

— To dobrze... dobrze... — Smok pochylił głowę i usłyszałam, jak cicho prosi Nyks, by troszczyła się o jego ukochaną, póki znów nie będą razem.

Ścisnęłam go za ramię, po czym czując się jak intruz, odsunęłam się, by pozostawić mu przestrzeń na przeżywanie żałoby.

— Bądź pozdrowiona, kapłanko — powiedział, nie podnosząc głowy.

Pewnie powinnam zrewanżować się czymś dojrzałym i mądrym, ale byłam tak przepełniona emocjami, że nie mogłam wykrztusić słowa. Nagle obok mnie znalazła się Stevie Rae, a zaraz za nią Damien. Erin odsunęła się od Smoka i stanęła po mojej drugiej stronie, a Shaunee dołączyła do niej. Staliśmy w milczeniu, z szacunkiem, nie tworząc kręgu, a jednak czując jego obecność, gdy wzmocniony magią ogień pochłaniał doczesne szczątki Anastasii.

Otaczającą nas ciszę przerywało jedynie skwierczenie płomieni i ciche modły Smoka. Wtedy coś przyszło mi do głowy. Rozejrzałam się wokół. Smok zbudował stos pośrodku brukowanego podjazdu łączącego świątynię Nyks z głównymi budynkami szkoły. To był dobry wybór: ogień mógł tam swobodnie hasać, a wszyscy inni profesorowie i adepci spokojnie zmieściliby się wokół, posyłając ku Nyks modlitwy w intencji Anastasii i jej małżonka, wspierając go swoją miłością bez zakłócania jego prywatności. Zmieściliby się — ale...

— Nikogo tu przy nim nie ma — powiedziałam cicho, nie chcąc, by Smok usłyszał niesmak w moim głosie. — Gdzie oni się, u diabła, podziali?

— Nie powinien być sam — zawtórowała mi Stevie Rae, ocierając łzy. — To nie w porządku.

— Ja z nim byłam, póki nie usłyszałam tętentu kopyt — rzekła Lenobia, podbiegając do nas.

— A gdzie pozostali? — zapytałam.

Pokręciła głową i ujrzałam w jej twarzy ten sam niesmak, który i ja odczuwałam.

— Adepci siedzą w pokojach, a nauczyciele w swoich mieszkaniach. Reszta, to znaczy wszyscy, którzy mogliby się o niego troszczyć, leży w szpitalu.

— To jakiś bezsens — stwierdziłam, nie mogąc tego ogarnąć. — Jak to możliwe, by uczniowie i nauczyciele nie chcieli przy nim być?

— Kalona i Neferet odeszli, lecz ich trucizna pozostała — odparła enigmatycznie Lenobia.

— Jesteś potrzebna w szpitalu — wtrąciła Afrodyta, która nagle znalazła się za naszymi plecami. Zauważyłam, że starannie odwraca wzrok od stosu i Smoka.

— Idź — poleciła mi Lenobia. — Ja z nim zostanę.

— My też — rzekł Johnny B. — Był moim ulubionym nauczycielem, zanim... no wiecie.

Ja wiedziałam. Zanim Johnny umarł i zmartwychwstał.

— Wszyscy z nim zostaniemy — powiedziała Kramisha. — To by było wredne zostawiać go samego, ale ty i twój krąg macie coś do załatwienia tam. — Wskazała głową szpital. — Chodźcie! — zawołała i pozostali czerwoni adepci wyszli z cienia, by otoczyć kołem Smoka i stos.

— Ja też zostanę — odezwał się Jack. Płakał jak bóbr, a mimo to bez wahania zajął miejsce w łańcuchu utworzonym przez czerwonych adeptów. Nie odstępowała go Cesarzowa ze spuszczonym ogonem i uszami, wyraźnie rozumiejąca tragedię. Erik bez słowa podszedł do Jacka, a zaraz po nim, zaskakując mnie, to samo zrobił Heath. Skinął mi głową z powagą.

Bałam się, że głos odmówi mi posłuszeństwa, więc szybko się odwróciłam i wraz z moim kręgiem, Afrodytą, Starkiem i Dariusem, wróciłam do Domu Nocy.

ROZDZIAŁ DWUDZIESTY TRZECI

Zoey

Szpitalny oddział w szkole nie był duży. Konkretnie rzecz biorąc, zajmował jedynie trzy małe salki na jednym z pięter budynku nauczycielskiego. Nic więc dziwnego, że ranna młodzież dosłownie się z nich wylewała. Mimo to muszę przyznać, że trzy dodatkowe materace z rannymi leżące w korytarzu już trochę mną wstrząsnęły. Adepci mrugali zdumieni na widok naszej gromadki stojącej w wejściu.

— Zoey? — Nim ktoś mnie zawołał, ze wszystkich sił starałam się nie patrzeć na rannych i nie wdychać unoszącego się w powietrzu zapachu krwi; teraz jednak odwróciłam się i zobaczyłam dwie biegnące w moją stronę wampirki. Rozpoznałam asystentki Neferet, coś w rodzaju pielęgniarek, i po namyśle przypomniałam sobie, że wysoka blondynka ma na imię Szafira, a ta niska skośnooka to Margareta. — Jesteś ranna? — Szafira zlustrowała mnie wzrokiem.

— Nie, nic mi nie jest. Nikomu z nas nic nie jest — zapewniłam ją. — Przyszliśmy pomóc.

— Zrobiłyśmy wszystko, co się dało dla nich zrobić bez uzdrowicieli — powiedziała bezceremonialnie Margareta.

— Żaden z adeptów nie jest w stanie bezpośredniego zagrożenia życia, choć nigdy nie wiadomo, jak ich rany mogą wpłynąć na Przemianę. Możliwe więc, że kilkoro...

— Dobrze, rozumiemy — przerwałam jej, nim zdążyła na cały głos i w obecności rannych powiedzieć „umrze". Niektórym przydałaby się odrobina taktu.

— Nie przyszliśmy tu ze względu na swoje umiejętności medyczne — wyjaśnił Damien. — Przyszliśmy, bo nasz krąg jest potężny i może ulżyć rannym w cierpieniu.

— Nie ma tu żadnych adeptów, którzy nie odnieśli ran — powiedziała Szafira, jakby to był wystarczający powód, aby nas wyprosić.

— Naprawdę zrobiłyśmy wszystko, co było możliwe — powtórzyła chłodno Margareta. — Bez najwyższej kapłanki...

Tym razem to Stark jej przerwał.

— Mamy najwyższą kapłankę, więc chyba już czas, żebyście ustąpiły i pozwoliły jej oraz jej kręgowi pomóc tej młodzieży.

— Właśnie! — natarła na nią Afrodyta. — Cofnijcie się!

Wampirki rzeczywiście się cofnęły, choć czułam na sobie ich zimne urażone spojrzenia.

— Co im odbiło? — zapytała cicho Afrodyta, gdy weszliśmy do korytarza.

— Nie wiem — odparłam cicho. — W sumie ich nie znam.

— A ja tak — odparł cicho Damien. — W trzecim formatowaniu pracowałem na ochotnika w szpitalu. Zawsze były pryncypialne. Myślałem, że to z powodu swojej pracy.

— Pryncypialne? — zapytała Shaunee.

— Przetłumaczysz nam, Stevie Rae? — poprosiła Erin.

— Pryncypialny znaczy „surowy i zasadniczy". Naprawdę powinnyście więcej czytać.

— Właśnie zamierzałem to powiedzieć — wtrącił Stark.

Damien westchnął.

Choć to niewiarygodne, z trudem powstrzymałam uśmiech. Okoliczności były ponure, ale dzięki temu, że moi przyjaciele zachowywali się normalnie, sama poczułam się odrobinę lepiej.

— Skoncentrujcie się, baranki — skarciła ich Afrodyta. — Jesteście tu po to, żeby pomagać adeptom. To są wasze pryncypialne pryncypia.

— Jaka światła gra słów — wtrącił Stark, rzucając mi spojrzenie z cyklu „ja to potrafię docenić inteligentny dowcip".

Afrodyta zmarszczyła brwi.

— Powiedziałam „skoncentrujcie się", a nie „krygujcie się".

— Stevie Rae? — zawołał jakiś chłopak z materaca.

— Drew? — Stevie natychmiast do niego podbiegła. — Jesteś cały? Co się stało? Złamałeś rękę?

Miał założony temblak, podbite i napuchnięte oko oraz pękniętą wargę, lecz zdołał się uśmiechnąć.

— Naprawdę się cieszę, że znowu żyjesz.

Odwzajemniła uśmiech.

— Ja też. I zapewniam cię, że nie polecam zbytnio tego umierania i zmartwychwstawania, więc lepiej odpocznij i wydobrzej. — Spojrzała na jego rany i zaraz się zreflektowała. — No, ale ty nie musisz się o to martwić. Raz-dwa się wyliżesz.

— Jasne. To nic takiego. Nie mam złamanej ręki. Tylko ją zwichnąłem, walcząc z Krukiem Prześmiewcą.

— Próbował ratować Anastasię. — Odnalazłam wzrokiem dziewczynę, której głos dobiegł z najbliższej salki. Drzwi były otwarte, a ona półleżała z ręką wspartą na aluminiowej poręczy łóżka. Niemal całe przedramię miała owinięte grubym bandażem, a oprócz tego z boku jej szyi biegła gruba ohydna szrama znikająca pod koszulą nocną. — I prawie mu się udało. Jeszcze trochę, a by ją uratował.

— Prawie to za mało — odparł napiętym głosem Drew.

— Ale więcej niż w przypadku większości adeptów — zauważyła. — Przynajmniej próbowałeś.

— Oż w mordę, Dejno, co się stało? — zapytała Afrodyta, mijając mnie i wchodząc do sali.

Dopiero wtedy rozpoznałam dziewczynę. Ona i jej dwie kumpelki, Enyo i Pefredo (nazwane tak na cześć trzech sióstr Gorgon i Scylli), należały do wrednej paczki Afrodyty, zanim ja przybyłam do Domu Nocy i jak to ujęła sama Afrodyta, jej świat się zawalił. Przygotowałam się na jakiś kąśliwy tekst Dejno, bo wszystkie dawne przyjaciółki Afrodyty odwróciły się od niej, gdy popadła w niełaskę Neferet, a ja zastąpiłam ją na stanowisku liderki Cór Ciemności. Na szczęście dziewczyna była zbyt wściekła i sfrustrowana, by komukolwiek dogryzać.

— Nic się nie stało. Oczywiście pod warunkiem, że się nie walczyło z tymi ohydnymi ptaszyskami. Bo wtedy atakowały. My — wskazała zdrową ręką gdzieś na zewnątrz — się postawiłyśmy. Podobnie jak Smok i Anastasia.

— Rzuciły się na Anastasię, kiedy Smok walczył z kilkoma na drodze — wtrącił Drew. — Był za daleko, żeby jej pomóc. Schwyciłem jednego i odciągnąłem od niej, a w tym czasie drugi zaatakował mnie od tyłu.

— I ja go chwyciłam — dodała Dejno, po czym wskazała gdzieś w dal. — Ian próbował pomóc, ale kruk złamał mu nogę jak gałązkę.

— Ian Bowser? — zapytałam, zaglądając przez drzwi do wskazanej przez Dejno sali.

— Tak, to ja — powiedział chuderlawy, lecz całkiem ładny chłopak z nogą wspartą na poduszkach i zagipsowaną aż po udo. Na tle białej pościeli wydawał się stanowczo zbyt blady.

— Pewnie cię strasznie boli — mruknęłam. Znałam Iana z zajęć teatralnych. Miał niezłego fioła na punkcie nauczycielki tego przedmiotu, profesor Nolan, która niestety jakiś miesiąc temu została zamordowana.

— Bywało lepiej — odparł, siląc się na uśmiech.

— Oj, bywało — dodała dziewczyna leżąca na materacu w końcu korytarza.

— Hanna Honeyyeager! Nie zauważyłem cię — zawołał Damien, okrążając mnie i podchodząc do dziewczyny. Doskonale rozumiałam, dlaczego wcześniej jej nie widział: była owinięta dużą białą kołdrą, w którą dosłownie się wtapiała. Była najjaśniejszą osobą, jaką widziałam w życiu, no wiecie, jedną z tych blondynek, które nie są w stanie się opalić i zawsze mają lekko zaróżowione policzki, jakby były zawstydzone lub podekscytowane. Znałam ją tylko dzięki Damienowi. Słyszałam, jak kiedyś rozmawiali o kwiatach: podobno Hanna była świetną ogrodniczką. Oprócz tego pamiętałam jedynie, że wszyscy zawsze zwracali się do niej po imieniu i nazwisku, trochę jak do Shannoncompton, tyle że nie łączyli tego w jeden wyraz.

— Co ci się stało, kochanie? — Damien ukląkł przy niej i wziął ją za rękę. Jej mała główka była owinięta bandażem z krwawą plamą w okolicach czoła.

— Kiedy kruki zaatakowały Anastasię, zaczęłam się na nie wydzierać. Strasznie — powiedziała.

— Ma niesamowicie przeraźliwy głos — wyjaśnił jakiś chłopak z ostatniej salki.

— Wygląda na to, że Kruki Prześmiewcy nie lubią takich głosów — stwierdziła Hanna Honeyyeager — bo jeden dał mi w łeb.

— Hej. — Erin ruszyła szybko w stronę sali, z której przed chwilą dobiegł głos chłopaka. — To ty, T.J.?

— Erin!

— O jeeeny! — pisnęła dziewczyna i wbiegła do salki.

— A Cole? Co z Cole'em? — zawołała Shaunee, ruszając w ślad za nią.

— Nie walczył z nimi — odpowiedział spiętym głosem T.J.

Shaunee zamarła w drzwiach, jakby jej ktoś dał w twarz.

215

— Jak to: nie walczył? Przecież... — Umilkła skonsternowana.

— O kurde! Twoje ręce! — dobiegł z salki T.J.-a głos Erin.

— Ręce? — zdziwiłam się.

— T.J. jest bokserem. Występował nawet na ostatnich letnich igrzyskach razem z wampirami — wyjaśnił Drew. — Próbował powalić Rephaima, ale nie za bardzo mu wyszło, bo kruk rozszarpał mu dłonie.

— O bogini, nie! — jęknęła Stevie Rae cichym przerażonym głosem.

Patrzyłam, jak Shaunee stoi przy wejściu do sali T.J.-a i nie wie, co ze sobą zrobić. Przez głowę przebiegały mi straszne myśli. Cole i T.J. byli najlepszymi przyjaciółmi i spotykali się z Bliźniaczkami: T.J. z Erin, a Cole z Shaunee. Obie pary często spędzały razem czas. Teraz kołatało mi się w głowie tylko pytanie: „Jakim cudem jeden mógł walczyć z krukami, a drugi nie?".

— Ja też chciałbym to wiedzieć. — Dopiero gdy Darius zareagował, uświadomiłam sobie, że myślałam na głos.

— Zwyczajnie — odparła ostatnia dziewczyna leżąca w korytarzu. — Kiedy stajnia się zapaliła, Neferet i Kalona zaczęli panikować, a kruki dosłownie zwariowały. Ale nie atakowały tych, którzy schodzili im z drogi, więc to właśnie robiliśmy, póki nie złapały Anastasii. Wtedy parę osób próbowało jej pomóc, a większość adeptów po prostu zwiała do pokojów.

Spojrzałam na nią. Miała ładne rude włosy i jasne, cudownie niebieskie oczy. Obie jej ręce powyżej łokcia spowijały bandaże, a połowa twarzy była posiniaczona i spuchnięta. Mogłabym przysiąc, że nigdy dotąd nie widziałam tej dziewczyny.

— Coś ty za jedna? — zapytałam.

— Ruda. — Uśmiechnęła się nieśmiało i wzruszyła ramionami. — Tak się nazywam. Nomen omen. Nie znacie mnie, bo dopiero niedawno zostałam naznaczona. Krótko przed burzą i tym wszystkim. Profesor Anastasia była moją mentorką. — Przełknęła ciężko ślinę, powstrzymując łzy.

— Bardzo mi przykro — powiedziałam, myśląc o tym, jakie to musiało być dla niej straszne zostać naznaczoną i oderwaną od rodziny, by zaraz potem trafić w sam środek tego koszmaru.

— Ja też próbowałam jej pomóc — powiedziała, a spod powieki wymknęła jej się jedna łza, ściekając po policzku. Ruda otarła ją i skrzywiła się z bólu. — Ale ten wielki kruk pokaleczył mi ręce i rzucił mną o drzewo. Mogłam tylko patrzeć, jak... — Jej głos przeszedł w szloch.

— A inni nauczyciele? Nie pomogli wam? — zapytał Darius oschle, choć było jasne, że jego gniew nie dotyczy Rudej.

— Nauczyciele wiedzieli, że kruki po prostu są bardzo zaniepokojone, bo odczuwają zdenerwowanie Neferet i jej małżonka. Mieliśmy rację, starając się ich nie drażnić — oznajmiła z wyższością Szafira, wciąż stojąca w wejściu do szpitala wraz z Margaretą.

Spojrzałam na nią z niedowierzaniem.

— „Po prostu bardzo zaniepokojone"? To jakaś kpina? Te stworzenia atakowały uczniów Domu Nocy, a wy nie zrobiliście nic, bo nie chcieliście ich drażnić?

— Hańba! — wycedził jej w twarz Darius.

— A co ze Smokiem i Anastasią? Najwyraźniej nie podzielali waszego zdania — zauważył Stark.

— A może to ty powinieneś najlepiej wiedzieć, co się stało, Jamesie Stark? — zapytała wyraźnie zadowolona z siebie Margareta. — Pamiętam, że byłeś bardzo blisko z Neferet i Kaloną. Zdaje się, że nawet opuściłeś szkołę w ich towarzystwie.

Stark zrobił krok w jej stronę z płonącymi coraz silniejszą czerwienią oczami. Schwyciłam go za nadgarstek.

— Nie! Nie wygramy tej wojny, walcząc między sobą — powiedziałam do niego, po czym przeniosłam wzrok na pielęgniarki. — Stark opuścił szkołę razem z Neferet i Kaloną, bo wiedział, że zamierzają zaatakować mnie, Afrodytę, Damiena, Shaunee, Erin i całe opactwo pełne zakonnic! — Z każdą wymienianą osobą robiłam kolejny krok w stronę Szafiry i Margarety, czując, jak moc ducha, którą tak niedawno przywołałam, by pomóc Smokowi, niebezpiecznie wiruje wokół mnie. One też to poczuły, bo obie cofnęły się chwiejnie o kilka kroków. Przystanęłam i uspokoiłam bicie serca. — Stanął po naszej stronie przeciwko nim — powiedziałam ciszej. — Neferet i Kalona nie są tym, za kogo ich uważacie. Zagrażają wszystkim. Teraz jednak nie mam czasu na przekonywanie was do czegoś, co powinno być dla was oczywiste od chwili, kiedy skrzydlaty facet wyłonił się spod ziemi w deszczu krwi. Jestem tu po to, by pomóc tym adeptom, a skoro wy najwyraźniej macie z tym problem, to będzie lepiej, jeśli ulotnicie się do swoich pokojów tak jak cała reszta.

Wstrząśnięte i obrażone wampirki wycofały się z przejścia i pobiegły po schodach w stronę nauczycielskich apartamentów. Westchnęłam. Powiedziałam Starkowi, że nie wygramy wojny, walcząc między sobą, a teraz sama przepędziłam groźbami te dwie kobiety. Gdy jednak odwróciłam się do rannych, przywitały mnie uśmiechy, wiwaty i oklaski.

— Miałam ochotę nagadać tym krowom, odkąd się tu znalazłam — odezwała się ze swej sali Dejno, uśmiechając się do mnie.

— I to ją nazywają Straszliwą — zakpiła Afrodyta, odnosząc się do imienia dziewczyny, które po grecku to właśnie oznacza.

— Jestem po prostu dobra w wyczuwaniu cudzych nastrojów. Nie potrafię nikomu przywalić tym czy innym żywiołem — rzekła Dejno, pocierając machinalnie chorą rękę, a potem zwróciła się do Afrodyty: — Słuchaj, nie powinnam być dla ciebie taka wredna przez ostatnie miesiące. Sorry.

Myślałam, że Afrodyta się nastroszy i nagada jej, bo Dejno faktycznie była dla niej wredna, podobnie jak cała reszta jej dawnych tak zwanych przyjaciółek.

— Cóż. Wszyscy czasem błądzimy. Zapomnij o tym — zaskoczyła mnie.

— Zabrzmiało to bardzo dojrzale — zauważyłam.

— Hej, a ty czasem nie miałaś tworzyć kręgu? — burknęła.

Uśmiechnęłam się od ucha do ucha, bo Afrodyta autentycznie się zaczerwieniła.

— Owszem — przyznałam. Spojrzałam na Stevie Rae, Damiena i Shaunee. — Erin! — zawołałam. — Mogłabyś na moment przerwać zabawę w pielęgniarkę i przyłączyć się do kręgu?

Wyskoczyła z salki T.J.-a jak pajac na sprężynie.

— Jasne. Pikuś.

Zauważyłam, że ona i Shaunee unikają swojego wzroku, ale w tym momencie nie miałam czasu ani siły na zajmowanie się ich problemami.

— No to gdzie jest północ, panno ziemio? — zapytałam Stevie Rae.

Podeszła do drzwi na przeciwległym końcu korytarza.

— Tu.

— Świetnie. W takim razie wszyscy już wiecie, co robić — powiedziałam.

Ustawili się na swoich miejscach jak zawodowcy: Damien, czyli powietrze, na wschodzie, Shaunee — ogień — na południu, a Erin — woda — na zachodzie. Gdy już byli gotowi, ja zajęłam miejsce pośrodku kręgu. Poczynając od Damiena przywoływałam odpowiadający każdemu żywioł, wędrując zgodnie z ruchem wskazówek zegara. Na końcu przywołałam do siebie ducha.

Na czas tworzenia kręgu zamknęłam oczy, a gdy skończyłam, otworzyłam je i zobaczyłam jarzącą się srebrną nić łączącą naszą piątkę. Odrzuciłam do tyłu głowę, uniosłam ręce i rozkoszując się dotykiem wszystkich żywiołów, krzyknęłam:

— Cudownie jest być w domu!

Moi przyjaciele zaśmiali się serdecznie i na krótką chwilę udało nam się zapomnieć o panującym wokół chaosie i czekających nas trudach.

Ale nie o bólu. Nie zapomniałam o przyczynie utworzenia tego kręgu, choć łatwo było się zatracić w szaleństwie żywiołów.

Uspokoiłam się i skoncentrowałam.

— Powietrze, ogniu, wodo, ziemio i duchu — zaczęłam silnym, pewnym głosem — przywołałam was tutaj z pewnego szczególnego powodu. Nasi przyjaciele, adepci z Domu Nocy, zostali ranni. Nie jestem uzdrowicielką. Nie jestem nawet najwyższą kapłanką w pełnym tego słowa znaczeniu.

— Urwałam i rozejrzałam się wokół kręgu, napotykając wzrok Starka, który mrugnął do mnie. Uśmiechnęłam się.

— Mam jednak jasny cel. Chcę, abyście dotknęły tych pokaleczonych młodych ludzi. Nie potrafię ich uleczyć, lecz mogę prosić, byście ukoiły ich ból i dały im siłę. Myślę zresztą, że wszyscy tego pragniemy: szansy na powrót do zdrowia. W imię Nyks zaklinam moc pięciu żywiołów, by wypełniła tych adeptów! — Skupiając na zadaniu cały swój umysł, ciało i duszę, wyrzuciłam do przodu ręce i wyobraziłam sobie, że ciskam żywiołami w rannych.

Usłyszałam okrzyki zdumienia i radości, a nawet jęki bólu. Pięć żywiołów kłębiło się po całym szpitalu, wnikając w pacjentów. Stałam w miejscu jako żywe medium, przez które przepływała ich moc, aż rozbolały mnie ręce i całe ciało zalał pot.

— Zoey! Dość już! Pomogłaś im. Uwolnij krąg.

Usłyszałam głos Starka i uświadomiłam sobie, że mówi do mnie od dłuższej chwili, ale byłam tak skupiona na zadaniu, że musiał krzyknąć, by w końcu do mnie dotarło.

Opuściłam zmęczone ręce i szeptem podziękowałam żywiołom, żegnając je po kolei, a potem nagle nogi się pode mną ugięły i upadłam na tyłek.

ROZDZIAŁ DWUDZIESTY CZWARTY

Zoey

— Nie, nie potrzebuję łóżka w szpitalu — powtórzyłam po raz trzeci Starkowi, który krążył wokół mnie i wyglądał na stanowczo zbyt zaniepokojonego. — Poza tym i tak nie ma żadnego wolnego.

— Hej, mnie już znacznie lepiej! — zawołała Dejno. — Możesz zająć moje!

— Dzięki, ale nie — powiedziałam i wyciągnęłam rękę do Starka. — Po prostu pomóż mi wstać, dobra?

Zmarszczył brwi z powątpiewaniem, lecz pomógł. Stałam nieruchomo, żeby nikt się nie domyślił, że świat wiruje mi przed oczami jak zwariowane tornado.

— Ona wygląda gorzej, niż ja się czuję — zauważył ze swego materaca Drew.

— „Ona" cię słyszy — powiedziałam. — A poza tym nic mi nie jest. — Wodziłam przymglonym wzrokiem od jednego rannego adepta do drugiego. Wszyscy wyglądali lepiej. Poczułam wielką ulgę. Odhaczyłam na swojej wirtualnej liście punkt „sprawdzić, czy ranni nie wiją się z bólu i nie umierają straszną śmiercią". Czas na kolejny punkt programu. Stłumiłam westchnienie, bo nie chciałam marnować tlenu. — No dobrze. Jest lepiej. Stevie Rae, musimy rozlokować czerwonych adeptów, zanim wzejdzie słońce.

— Świetny pomysł, Zo — przyznała Stevie siedząca na podłodze obok Drew. Przypomniałam sobie, jak kiedyś mówiła, że się w nim bujała, zanim umarła i zmartwychwstała, i przyznaję, że widok jej flirtującej z Drew w tym samym czasie, gdy prawdopodobnie coś ją łączyło z Dallasem, na chwilę wywołał we mnie samolubne poczucie triumfu. Może to było z mojej strony nieco wredne, lecz ucieszyłabym się, znajdując z nią wspólną płaszczyznę w postaci problemów z nadmiarem facetów. W końcu była moją najlepszą przyjaciółką.

— Zo? Jak myślisz?

— O kurczę, przepraszam. Możesz powtórzyć? — Uświadomiłam sobie, że Stevie coś do mnie mówiła, gdy ja karmiłam się nadzieją, że zgromadzi milion (albo przynajmniej dwóch) chłopaków.

— Mówiłam, że czerwoni adepci mogliby mieszkać w pustych sypialniach. Powinno ich wystarczyć, najwyżej będą spać po troje w jednym pokoju. Można najpierw sprawdzić, czy wszystkie okna są zasłonięte. Nie będzie tak komfortowo jak pod ziemią, ale wystarczy, przynajmniej dopóki ta głupia śnieżyca się nie skończy i nie będziemy mogli wykombinować czegoś lepszego.

— Dobrze. W takim razie do roboty. A kiedy wy będziecie rozwiązywać problem zakwaterowania, my — z namaszczeniem wymówiłam to słowo, spoglądając na swój krąg oraz Afrodytę, Dariusa i Starka — musimy pogadać z Lenobią.

Moja paczka pokiwała głowami, najwyraźniej podobnie jak ja pragnąc jak najszybciej się dowiedzieć, co się działo w Domu Nocy podczas naszej nieobecności.

— Wyliżecie się — powiedziałam do rannych, po czym pożegnałam się z nimi i ruszyłam do wyjścia.

— Dzięki, Zoey! — zawołał za mną Drew.

— Naprawdę dobra z ciebie kapłanka, nawet jeśli jeszcze nią nie jesteś! — wykrzyknął ze swojej sali Ian.

Nie byłam pewna, czy powinnam podziękować za tak dwuznaczny komentarz, więc tylko stałam w drzwiach szpitala, patrząc na adeptów i myśląc, że choć niedawno walczyli z Krukami Prześmiewcami i patrzyli na śmierć nauczycielki, wydają się zupełnie zwyczajni.

I wtedy to do mnie dotarło. Wydają się zwyczajni! Zaledwie dzień wcześniej niemal cała szkoła z wyjątkiem mojej ekipy, Lenobii, Smoka i Anastasii była pod wpływem charyzmatycznego czaru Kalony i Neferet i bynajmniej nie zachowywała się zwyczajnie.

Wróciłam do szpitalnego korytarza.

— Mam pytanie do was wszystkich. Może to zabrzmi dziwnie, ale naprawdę potrzebuję szczerych odpowiedzi, nawet jeśli wolelibyście zachować je dla siebie.

Drew wyszczerzył się ponad moim ramieniem w kierunku miejsca, w którym z całą pewnością stała moja najlepsza przyjaciółka.

— Pytaj, o co zechcesz, Zo. Skoro przyjaźnisz się ze Stevie Rae, nie mam przed tobą tajemnic.

— Hm, dzięki, Drew. — Udało mi się nie przewrócić oczami. — Pytanie dotyczy jednak was wszystkich. Czy uważaliście, że coś jest nie tak z Krukami Prześmiewcami, a może nawet z Kaloną i Neferet, przed atakiem na Anastasię?

Tak jak się spodziewałam, Drew odezwał się pierwszy.

— Nie ufałem skrzydlatemu, choć nie wiedziałem dlaczego. — Wzruszył ramionami. — Nie wiem, może przez te skrzydła. Wydawał mi się jakiś dziwny.

— Ja uważałam, że jest przystojny, ale ci jego krukowaci synkowie byli obrzydliwi — powiedziała Hanna Honeyyeager.

— Właśnie. Kruki były ohydne, a poza tym Kalona był stary, więc dosłownie nie mogłam pojąć, jakim cudem tyle adeptek się w nim buja — wtrąciła Ruda. — To tak jak z George'em Clooneyem: niby fajny i tak dalej, a jednocześnie za stary, żebym z nim chciała, no wiecie. Więc zupełnie nie kumałam, czemu tyle lasek napala się na Kalonę.

— A inni? — zapytałam.

— Tak jak mówiłaś, Kalona wyskoczył spod ziemi, a to było co najmniej dziwne. — Dejno urwała, spojrzała na Afrodytę, po czym kontynuowała: — Poza tym niektóre z nas już od pewnego czasu wiedziały, że Neferet nie jest tym, za kogo się podaje.

— Wiedziałyście, ale nic w tej sprawie nie zrobiłyście — zauważyła Afrodyta. Mówiła bez nienawiści czy nawet złości: po prostu stwierdzała fakt. Przykry, lecz prawdziwy.

Dejno uniosła brodę.

— Ja zrobiłam. — Wskazała zabandażowaną rękę. — Tyle że za późno.

— Od chwili zabicia profesor Nolan wszystko wyglądało dla mnie jak w krzywym zwierciadle — dobiegł od strony jednej z sal głos Iana. — Cała historia z Kaloną i Krukami Prześmiewcami tylko nasiliła to wrażenie.

— Widziałem, co ten facet robi z moimi kumplami! — zawołał z ostatniej salki T.J. — Byli jak zombie i wierzyli w każde jego słowo. Kiedy próbowałem z nimi o czymś gadać, na przykład pytałem, skąd mają pewność, że jest Erebem, wściekali się albo nabijali ze mnie. Od samego początku mi się nie podobał. A te cholerne ptaszyska były wcieleniem zła. Nie wiem, jak ktoś mógł tego nie widzieć.

— Ja też nie. Cóż, będziemy musieli się tego dowiedzieć — powiedziałam. — Na razie nie zaprzątajcie sobie tym głowy. Kalona uciekł, Neferet i kruki też. Po prostu wracajcie do zdrowia. Zgoda?

— Zgoda! — zawołali chórem, który zabrzmiał znacznie zdrowiej.

Ja z kolei po występie w roli medium pięciu żywiołów czułam się jak przepuszczona przez maszynkę, więc bynajmniej mi nie przeszkadzało, że Stark schwycił mnie za łokieć i podtrzymał podczas wychodzenia z budynku. Ku mojemu zdumieniu zawierucha ustała, a chmury, które od kilku dni przesłaniały niebo, miejscami się rozstąpiły, ukazując gwiazdy. Przeniosłam wzrok na główny dziedziniec. Ogień zdążył już całkowicie pochłonąć stos pogrzebowy Anastasii i dogasał, a Smok wciąż klęczał przed nim. Obok niego stała Lenobia, trzymając mu rękę na ramieniu. Kopcące resztki stosu otaczał krąg utworzony przez czerwonych adeptów, Erika, Heatha i Jacka, którzy milczeniem wyrażali szacunek dla żałobnika i jego ukochanej.

Dałam mojej drużynie znak, by szła za mną. Zatrzymaliśmy się w ciemnościach zbici w ciasną gromadkę.

— Musimy pogadać, ale raczej bez publiczności. Stevie Rae, może oddelegujesz do przygotowania pokojów kogoś innego?

— Jasne. Kramisha jest taka zorganizowana, jakby dosłownie miała zespół natręctw. Poza tym zanim umarła, a potem zmartwychwstała, była w szóstym formatowaniu. Wie o Domu Nocy mnóstwo rzeczy.

— Świetnie. Niech się tym zajmie. — Obróciłam się do Dariusa. — Trzeba się natychmiast pozbyć ciał Kruków Prześmiewców. Jeśli mamy szczęście i naprawdę się przejaśnia, ludzie o świcie zaczną wychodzić. Nie mogą ich znaleźć.

— Biorę to na siebie — rzekł Darius. — Niech czerwoni adepci mi pomogą. Mam na myśli chłopaków.

— Co chcecie zrobić z ciałami? — zapytała Stevie Rae.

— Spalić — odparła Shaunee i spojrzała na mnie. — Jeśli nie masz nic przeciwko.

— Świetnie — powiedziałam — tylko nie róbcie tego w pobliżu stosu Anastasii. Ze względu na Smoka.

— Spalcie je przy wschodnim murze. Tam gdzie ich obleśny tatuś wyskoczył spod ziemi. — Afrodyta przeniosła wzrok na Shaunee. — Jesteś w stanie podpalić ten stary dąb, który się rozłupał, gdy Kalona się wydostawał?

— Jestem w stanie podpalić wszystko — odrzekła dumnie Shaunee.

— W takim razie idź z Dariusem i chłopakami i postaraj się, żeby te stworzenia spłonęły do ostatniego pióra i stały się nierozpoznawalne dla nikogo. Potem oboje dołączcie do nas w moim pokoju — powiedziałam. — Zgoda?

— Zgoda — odparli chórem Darius i Shaunee.

Dziwiłam się, że Erin nie odezwała się słowem do przyjaciółki, ale gdy Shaunee już ruszyła za Dariusem w stronę czerwonych adeptów, tamta jednak zawołała:

— Zreferuję ci wszystko, co cię ominie, Bliźniaczko!

— No mam nadzieję! — odpowiedziała Shaunee, uśmiechając się do Erin przez ramię.

— Słuchajcie, bez Lenobii nic nie zrobimy. — Odwróciłam się i spojrzałam na nauczycielkę jeździectwa stojącą obok Smoka. — Nie wiem tylko, jak ją stamtąd wywabić.

— Po prostu mu to powiedz — rzekł Damien.

Spojrzałam na niego zdziwiona.

— Smok wie, jak niebezpieczni są Kalona i Neferet. Zrozumie, że Lenobia jest nam potrzebna. — Przeniósł wzrok na klęczącego wciąż wampira. — Zostanie tu, dopóki nie poczuje się gotów do odejścia. Nie możemy tego przyspieszyć ani go poganiać. Lepiej mu powiedzieć o Lenobii.

— Pomysłowy z ciebie gość, wiesz? — zapytałam.

— Potwierdzam — odparł z uśmiechem.

— Dobrze. — Wzięłam długi zmęczony oddech. — Stevie Rae, wytłumacz Kramishy, co ma zrobić. A wy — zwróciłam się do pozostałych — możecie już iść do mojego pokoju. Dołączę do was, jak tylko rozmówię się z Lenobią.

— Zo, poproszę Jacka, żeby pomógł Kramishy — wtrącił Damien.

Uniosłam brwi.

— Twój pokój ma ograniczoną pojemność. Poza tym mogę mu wszystko wyjaśnić później. Najpierw musimy sobie to wszystko poukładać.

Skinęłam głową i ruszyłam wolno w stronę Lenobii i Smoka. Widziałam, jak Darius i Stevie Rae odciągają adeptów na bok i tłumaczą im coś po cichu. Damien rozmawiał ze swoim chłopakiem, klepiąc Cesarzową po łbie.

Stark nie odstępował mnie na krok. Nie musiałam się na niego oglądać, bo cały czas czułam jego obecność. Wiedziałam, że gdybym się potknęła, podtrzymałby mnie. Wiedziałam też, że lepiej niż ktokolwiek inny rozumie, jak wiele sił kosztowało mnie panowanie nad żywiołami w szpitalu.

— Niedługo odpoczniesz — szepnął, jakby czytał mi w myślach — a ja skombinuję ci coś do jedzenia i picia.

— Dzięki — odszepnęłam, a on wziął mnie za rękę i razem podeszliśmy do Smoka i Lenobii. Oba koty w milczeniu łasiły się do swojego pana. Posiniaczona i poobijana twarz szermierza była mokra od łez, lecz jego oczy już wyschły.

— Smoku, potrzebuję na chwilę Lenobii. Nie chcę, żebyś zostawał tu sam, ale naprawdę muszę z nią porozmawiać.

Podniósł na mnie wzrok. Chyba jeszcze nigdy nie widziałam tak smutnej osoby.

— Nie będę sam. Będą ze mną Shadowfax i Ginewra oraz nasza bogini — powiedział i przeniósł wzrok z powrotem na stos. — Nie jestem jeszcze gotów, by opuścić Anastasię.

Lenobia ścisnęła go za ramię.

— Niebawem wrócę, przyjacielu — powiedziała.

— Znajdziesz mnie tu — odparł.

— Ja zostanę ze Smokiem. Kramisha wcale mnie nie potrzebuje. Ma już dość adeptów do rozstawiania po kątach — odezwał się nagle Jack, który niepostrzeżenie podszedł do nas wraz z Damienem. Cesarzowa zatrzymała się o jakiś metr dalej i leżała na trawie z pyskiem złożonym na łapach. Koty nie zwracały na nią najmniejszej uwagi. — To znaczy chciałbym z tobą zostać, jeśli nie masz nic przeciwko temu — dodał Jack niespokojnie, zwracając się do Smoka.

— Dziękuję, Jack — odparł zdławionym głosem szermierz.

Jack skinął głową, wytarł oczy i nie mówiąc nic więcej, usiadł obok Smoka, głaszcząc delikatnie Shadowfaksa.

— Dobra robota — powiedziałam cicho do chłopaka.

— Jestem z ciebie dumny — dodał Damien i pocałował go lekko w policzek, a Jack uśmiechnął się przez łzy.

— W takim razie chodźmy do mojego pokoju — rzekłam do pozostałych.

— Lenobio — odezwał się nagle Stark — Zoey musi jeszcze zajrzeć do kuchni. Spotkamy się z wami w jej pokoju najszybciej, jak to możliwe.

Lenobia w roztargnieniu skinęła głową, idąc już w stronę internatu z Damienem, Erin i Afrodytą.

— Po co... — zaczęłam, ale Stark wszedł mi w słowo.

— Zaufaj mi. Potrzebujesz tego.

Ujął mnie za łokieć i poprowadził do holu głównego budynku szkoły, skąd przechodziło się do stołówki. Zatrzymał się przed jej drzwiami.

— Wejdź tam i weź sobie coś do jedzenia. Zaraz do ciebie dołączę.

Zbyt zmęczona, by go wypytywać, usłuchałam. Dziwnie się czułam w całkowicie opustoszałym holu, zwykle skąpanym w silnym blasku rzucanym przez gazowe lampy, a teraz tylko nieznacznie oświetlonym. Zerknęłam na zegar. O tej porze powinno tu być pełno adeptów i nauczycieli. Chciałabym, żeby tak było. Chciałabym cofnąć czas i sprawić, żeby ostatnie dwa miesiące zniknęły i żeby jedynymi moimi zmartwieniami byli wredna Afrodyta i niedostępny przystojniak Erik.

Chciałam wrócić do czasów, kiedy nie miałam pojęcia o Kalonie, A-yi, śmierci i zniszczeniu. Chciałam żyć normalnie. Chciałam tego tak bardzo, że aż mnie mdliło. Powoli weszłam do stołówki, która także była całkiem pusta. Było tam ciemniej niż w holu, nie unosiły się żadne apetyczne zapachy, nie było adeptów plotkujących o innych adeptach ani nauczycieli patrzących z dezaprobatą na uczniów przemycających czipsy.

Dowlokłam się do piknikowej ławy, przy której zwykle siedziałam z przyjaciółmi, i klapnęłam ciężko na wypolerowane drewno. Po co Stark kazał mi tu wchodzić? Chciał coś dla mnie ugotować czy co? Na moment wizja wojownika przewiązanego fartuszkiem niemal mnie rozbawiła. Potem nagle zrozumiałam, o co mu chodziło. Jedna z lodówek w ogromnej szkolnej kuchni zawsze była pełna woreczków z ludzką krwią. Stark pewnie właśnie w tej chwili w niej szperał, wyjmując kilka z nich, żebym mogła wychłeptać sobie ich zawartość niczym gęsty czerwony sok.

Wiem, że to obrzydliwe, ale ślinka napłynęła mi do ust.

Stark miał rację. Musiałam naładować akumulatory, a woreczek (lub dwa) krwi był na to dobrym sposobem.

— Zo! Tu jesteś! Stark powiedział, że cię tu znajdę.

Zamrugałam zdziwiona na widok Heatha wchodzącego samotnie do stołówki.

I wtedy do mnie dotarło, że tylko częściowo odgadłam motywy Starka. Owszem, poszedł po krew dla mnie, lecz nie miała to być krew wzięta z jednej z szeregowych lodówek z nierdzewnej stali, tylko z żył uroczego piłkarza Heatha.

A niech to.

ROZDZIAŁ DWUDZIESTY PIĄTY

Rephaim

Przebudzenie było trudne. Nawet w nieuchwytnej krainie między świadomością a nieświadomością, zanim jeszcze w pełni poczuł ból targający jego okaleczonym ciałem, był świadom jej zapachu.

Początkowo sądził, że znów jest w szopie i że koszmar dopiero się zaczął — zaraz po wypadku, gdy odwiedziła go nie po to, by dobić, lecz aby dać mu wody i opatrzyć rany. Potem uświadomił sobie, że jest zbyt ciepło jak na szopę. Lekko zmienił pozycję i poczuł dojmujący ból, który przywrócił mu całkowitą świadomość i pamięć.

Był pod ziemią, w tunelach, do których go odesłała. Nienawidził tego miejsca.

Chociaż nie była to tak paranoiczna nienawiść jak w przypadku jego ojca. Rephaim po prostu nie znosił poczucia zamknięcia pod powierzchnią ziemi. Ponad głową nie miał nieba, pod stopami — zieleni i rosnącego świata. Nie mógł się wznieść w przestworza. Nie mógł...

Jego rozmyślania gwałtownie ustały.

Nie. Nie wolno mu myśleć o okaleczonym na zawsze skrzydle ani o tym, co będzie robił przez resztę życia. Jeszcze nie. Był na to zbyt słaby.

Zamiast tego pomyślał więc o niej.

Wziąwszy pod uwagę otaczający go zapach, nie było to trudne.

Znów się przesunął, tym razem z większą dbałością o chore skrzydło. Zdrowym ramieniem naciągnął na siebie koc i zagrzebał się w ciepłym łóżku — w jej łóżku! — jak w gnieździe.

Nawet będąc pod ziemią, miał osobliwe irracjonalne poczucie bezpieczeństwa płynące ze świadomości, że to miejsce należy do niej. Nie rozumiał, dlaczego ta dziewczyna wywiera na niego taki wpływ. Wiedział jedynie, że wykonując jej polecenia mimo bólu i rozpaczy, w pewnym momencie uświadomił sobie, że tak naprawdę podąża za zapachem czerwonej kapłanki. Kierując się nim, przemierzał kręte, pozornie opuszczone tunele, przystając w kuchni, gdzie zmusił się do zjedzenia i wypicia czegoś. Adepci zostawili po sobie pełne lodówki. Lodówki! Były jednym z cudów nowoczesnej techniki, które w ostatnich dziesięcioleciach obserwował jako duch. Spędził niemal wieczność na patrzeniu i czekaniu, na marzeniu o chwili, kiedy znów będzie mógł dotykać, smakować i prawdziwie żyć.

Doszedł do wniosku, że ten wynalazek bardzo mu się podoba. Nie był natomiast przekonany, czy podoba mu się cały współczesny świat. W krótkim czasie, który upłynął, odkąd Rephaim odzyskał fizyczną powłokę, zrozumiał, że większość ludzi nie ma zbyt wielkiego poszanowania dla potęgi pradawnych istot — przy czym do pradawnych nie zaliczał wampirów, którzy byli dla niego jedynie atrakcyjnymi zabawkami. Niezależnie od tego co mówił ojciec, nie byli godni, by rządzić u jego boku.

Czy to dlatego Stevie Rae pozwoliła mu żyć? Czy była zbyt słaba i nieskuteczna, zbyt nowoczesna, by zrobić to co powinna — zabić go?

Potem jednak pomyślał o sile, jaką się wykazała. Nie tylko o sile fizycznej, choć ta też była niezwykła, ale także wewnętrznej, pozwalającej dominować nad żywiołem ziemi tak bardzo, że ta rozstępowała się na jej rozkaz. Tego nie można było nazwać słabością.

Nawet jego ojciec wspominał o mocach Czerwonej. Neferet także ostrzegała go przed lekceważeniem przywódczyni podziemnych wampirów.

I proszę bardzo, wiedziony zapachem jej krwi Rephaim przyszedł tu i dosłownie uwił sobie gniazdko...

Z okrzykiem zgrozy podniósł się gwałtownie z wygodnego posłania, z grubego materaca i miękkich poduszek pod ciepłym kocem. Stanął wsparty o stolik na skraju łóżka, starając się utrzymać pion i nie pozwolić, by zawładnął nim nieubłagany mrok tego miejsca.

Wróci do kuchni. Naje się znowu i napije, zapalając po drodze wszystkie możliwe latarnie. Wyzdrowieje mocą własnej woli, a potem opuści ten grobowiec i wróci na ziemię, by odnaleźć ojca i swoje miejsce w tym świecie.

Odsunął zastępujący drzwi koc i wyszedł z pokoju Stevie Rae do tunelu. „Jestem już zdrowszy... silniejszy — powtarzał sobie, kuśtykając. — Mogę się poruszać bez laski".

Ciemność była niemal nieprzenikniona. Na ścianach wisiały wprawdzie rzadko rozmieszczone latarnie, ale wiele z nich już tylko się tliło. Przyspieszył, obiecując sobie, że je napełni i zapali, jak tylko się naje. Postanowił nawet wypić krew ze znajdujących się w lodówce woreczków, choć nie robiła ona na nim zbyt dobrego wrażenia. Potrzebował paliwa, by wyzdrowieć, tak samo jak latarnie potrzebowały go, by świecić.

Walcząc z towarzyszącym każdemu krokowi bólem, podążał krętym tunelem do samej kuchni. Ledwie tam wszedł i otworzył pierwszą lodówkę, by wyjąć woreczek krwi i krojoną szynkę, poczuł w okolicach krzyżach dotyk zimnego ostrza.

— Jeden niewłaściwy ruch, ptakoludzie, a przepołowię ci kręgosłup. To by cię wreszcie zabiło, co?

Znieruchomiał.

— Tak — powiedział. — To by mnie zabiło.

— Jak na moje oko to on już jest prawie trupem — dodał drugi kobiecy głos.

— Fakt, skrzydło ma zupełnie rozwalone. Nie wygląda na kogoś, kto mógłby nam coś zrobić — przyznał inny głos, tym razem męski.

Ostrze wciąż dotykało pleców Rephaima.

— Jesteśmy tu, bo inni nas lekceważyli, więc n a m nie wolno nikogo lekceważyć. Zrozumiano? — zapytała osoba trzymająca nóż.

— Jasne, Nicole. Wybacz.

— W porządku.

— Zrobimy tak, ptakoludzie: ja się cofnę, a ty bardzo powoli się obrócisz. Tylko niech ci nic głupiego nie przyjdzie do głowy. Nawet jak mój nóż cię nie dosięgnie, Kurtis i Starr mają spluwy. Jeden zły ruch i będziesz równie martwy, jak gdybym ci przecięła kręgosłup.

Przycisnęła czubek noża do pleców kruka tak mocno, że utoczyła kroplę krwi.

— Ale śmierdzi! — powiedział Kurtis. — Nawet do jedzenia się nie nadaje!

— Zrozumiano, ptaku? — zapytała Nicole, ignorując towarzysza.

— Tak.

Odsunęła nóż i Rephaim usłyszał szuranie odsuwających się stóp.

— Obróć się.

Zrobił to i stanął twarzą w twarz z trojgiem adeptów. Czerwone półksiężyce na czołach identyfikowały ich jako podwładnych Stevie Rae; Rephaim jednak od razu zauważył, że ta trójka różni się od Stevie niczym księżyc od słońca. Jego wzrok tylko się prześliznął po potężnym Kurtisie i zupełnie przeciętnej blondynce Starr, którzy mimo wymierzonych w kruka pistoletów niczym go nie zaciekawili, i spoczął na

Nicole. Bez wątpienia to ona tu dowodziła. I to ona utoczyła mu krwi, choć tylko w postaci jednej kropelki. A takich rzeczy Kruk Prześmiewca nie zapomina.

Była drobna, z długimi ciemnymi włosami i brązowymi oczami tak ciemnymi, że zdawały się czarne. Spojrzał w nie i nagle doznał wrażenia, że objawiła się przed nim Neferet! W oczach tej nastolatki czaiła się ta sama osobliwa ciemność i przenikliwość, którą wcześniej widywał we wzroku Tsi Sgili. Był tak wstrząśnięty, że przez chwilę potrafił tylko się gapić, myśląc: „Czy ojciec wie, że ona osiągnęła zdolność manifestowania się poza swoim ciałem?".

— Cholera, koleś wygląda, jakby zobaczył ducha! — zachichotał Kurtis, podrygując wraz ze swoim pistoletem.

— O ile pamiętam, mówiłaś, że nie znasz żadnych Kruków Prześmiewców — mruknęła z wyraźną podejrzliwością Starr.

Nicole zamrugała i znajomy cień Neferet się ulotnił, a Rephaim zadał sobie pytanie, czy tylko mu się zdawało, że go widzi.

Ale nie. Nie miał tak bujnej wyobraźni. Neferet przez moment naprawdę tam była. Objawiła się wewnątrz tej dziewczyny.

— Nigdy w życiu nie widziałam żadnego z tych stworów! — Nicole natarła na koleżankę, nie odrywając wzroku od Rephaima. — Uważasz, że kłamię?

Nie podniosła głosu, lecz kruk, przyzwyczajony do przebywania w obecności potęgi i grozy, wyczuł w niej buzującą, z trudem opanowywaną agresję. Starr prawdopodobnie też ją czuła, bo natychmiast się wycofała.

— No co ty, co ty? Nic takiego nie powiedziałam. Po prostu się dziwię, że tak go przeraził twój widok.

— Fakt — odparła swobodnie Nicole — dziwne. Może powinniśmy go o to zapytać. No więc co robisz na naszym terenie, ptakoludzie?

Nie umknęło uwagi Rephaima, że dziewczyna nie zadała mu tego pytania, które rzekomo zamierzała zadać.

— Rephaim — powiedział, starając się, by jego głos zadźwięczał silnie. — Nazywam się Rephaim.

Cała trójka zrobiła wielkie oczy, jakby niezmiernie zdumiał ją fakt, że ten maszkaron w ogóle ma jakieś imię.

— Brzmi prawie normalnie — zauważyła Starr.

— Jest bardzo daleki od normalności i lepiej będzie, jak to zapamiętasz — fuknęła Nicole. — Odpowiedz na moje pytanie, Rephaimie.

— Uciekłem do tuneli po tym, jak zostałem zraniony przez wojownika z Domu Nocy — wyznał. Instynkty, które przez tyle stuleci nigdy go nie zwiodły, podpowiadały mu, by przemilczeć udział Czerwonej, bo nawet jeśli stojący przed nim adepci byli chronionymi przez nią odszczepieńcami, nie w pełni należeli do jej stada i nie byli jej posłuszni.

— Tunel prowadzący do opactwa się zawalił — powiedziała Nicole.

— Kiedy przez niego przechodziłem, jeszcze był cały.

Dziewczyna zrobiła krok ku niemu i zaczęła węszyć.

— Czuję na tobie zapach Stevie Rae.

Machnął lekceważąco zdrową ręką.

— Cuchnę łóżkiem, w którym spałem. — Przekrzywił głowę, jakby jej pytanie go zastanowiło. — Stevie Rae? Mówisz o Czerwonej, waszej kapłance?

— Stevie Rae jest czerwoną wampirką, ale nie jest naszą kapłanką — warknęła Nicole, a jej oczy rozbłysły niezdrowym szkarłatem.

— Nie? — udawał zdziwienie. — Wiem, że czerwona kapłanka o takim imieniu walczyła na czele grupy adeptów z moim ojcem i jego królową. Miała takie same znaki jak wy. To nie jest wasza kapłanka?

— I w tej bitwie zostałeś ranny? — zapytała Nicole, nie racząc odpowiedzieć na jego pytanie.

— Tak.

— A co potem? Gdzie jest Neferet?

— Odeszła. — Nie ukrywał goryczy. — Uciekła z moim ojcem i tymi z moich braci, którym udało się pozostać przy życiu.

— Dokąd? — zapytał Kurtis.

— Gdybym to wiedział, nie ukrywałbym się pod ziemią jak tchórz. Byłbym u boku ojca, tam gdzie moje miejsce.

— Rephaim... — Nicole zmierzyła go długim, badawczym spojrzeniem. — Słyszałam już to imię.

Milczał, wiedząc, że lepiej pozwolić jej się domyślić, z kim ma do czynienia, niż chwalić się jak jakiś osioł.

Gdy dziewczyna zrobiła wielkie oczy, zrozumiał, że sobie przypomniała, w jakim kontekście o nim słyszała.

— Ona mówiła, że jesteś ulubieńcem Kalony, jego najpotężniejszym synem.

— Tak. To prawda. A kim jest ta „ona", która tak o mnie mówiła?

Nicole ponownie zignorowała jego pytanie.

— Co wisi w drzwiach pokoju, w którym spałeś?

— Koc w kratę.

— To pokój Stevie Rae — wtrąciła Starr. — Dlatego pachnie jak ona.

Nicole udawała, że jej nie słyszy.

— Odleciał bez ciebie, choć byłeś jego ulubieńcem.

— Właśśśśnie — zaświszczał z gniewem, którego wcześniej nie był świadom.

— To musi znaczyć, że oni wrócą — zwróciła się Nicole do Kurtisa i Starr. — Ten kruk jest jego ulubieńcem. Ojciec na pewno go tu nie zostawi. A my jesteśmy jej ulubieńcami. On wróci po kruka, a ona po nas.

— Mówisz o Czerwonej? O Stevie Rae?

Tak błyskawicznie, że jej ciało zmieniło się w ruchomą plamę, Nicole doskoczyła do Rephaima, schwyciła go dłońmi za poranione ramiona, płynnym ruchem uniosła wielkiego Kruka Prześmiewcę z ziemi i rzuciła nim o ścianę tunelu. Z czerwonymi ślepiami zionęła mu w twarz cuchnącym oddechem.

— Słuchaj uważnie, ptakoludzie. Stevie Rae, którą nazywasz Czerwoną, nie jest naszą kapłanką. Nie rządzi nami. Nie należy do nas. Pokumała się z Zoey i jej bandą, a to nam nie odpowiada. My nie mamy kapłanki. Mamy królową, która nazywa się Neferet. I w ogóle skąd ta twoja wariacka obsesja na punkcie Stevie Rae?

Rephaim wił się z bólu. Strzaskane skrzydło paliło, jakby je przypalano gorącym żelazem. Z całego serca żałował, że nie jest zdrów i nie może zniszczyć tej aroganckiej adeptki jednym kłapnięciem dzioba.

Niestety — był słaby, ranny i porzucony.

— Mój ojciec chciał, by ją pojmano. Mówił, że jest niebezpieczna. Neferet jej nie ufała. Nie mam obsesji. Po prostu wypełniam wolę ojca — wystękał.

— Przekonajmy się, czy mówisz prawdę — rzekła Nicole, po czym jeszcze mocniej ścisnęła jego ramię, które i tak trzymała już jak w imadle, zamknęła oczy i spuściła głowę.

Ku swemu zdziwieniu Rephaim poczuł, że jej palce zaczynają się rozgrzewać. Gorąco wnikało w niego, płynąc z krwią w żyłach, uderzając z dziko bijącym sercem, targając całym ciałem.

Nicole wzdrygnęła się, po czym otworzyła oczy i uniosła głowę. Uśmiechała się chytrze. Przyciskała go do ściany jeszcze przez jedną ciągnącą się w nieskończoność minutę. Potem puściła.

— Uratowała cię — powiedziała, wpatrzona w skulone na podłodze bezwładne ciało.

— Co ty pieprzysz? — zawołał Kurtis.

— Stevie Rae go uratowała? — zdziwiła się Starr.

Nicole i Rephaim udawali, że ich nie słyszą.

— Tak — wydyszał kruk, walcząc o ustabilizowanie oddechu i zachowanie przytomności. Potem milczał, poprzez opary bólu usiłując zrozumieć, co właściwie wydarzyło się przed chwilą. Czerwona adeptka coś z nim zrobiła, dotykając go, jakimś sposobem zajrzała w głąb jego umysłu, a może nawet duszy. Jednakże wiedział też, że jest inny niż jakakolwiek istota, której dotąd dotykała, i że jego myśli musiały być dla niej trudne, prawie niemożliwe do odczytania niezależnie od posiadanego talentu.

— Dlaczego? — pytała dalej Nicole.

— Zajrzałaś mi do głowy, więc musisz wiedzieć, że nie mam pojęcia, dlaczego to zrobiła...

— Zgadza się — wycedziła. — Ale nie wychwyciłam też żadnych negatywnych uczuć w stosunku do niej. Jak mam to rozumieć?

— Nie jestem pewien, czy ja rozumiem. „Negatywnych uczuć"? To nic dla mnie nie znaczy.

Prychnęła.

— Ty w ogóle mało rozumiesz. Nigdy nie widziałam dziwaczniejszego umysłu. No więc słuchaj, ptakoludzie: skoro twierdzisz, że nadal wypełniasz polecenia ojca, to powinieneś przynajmniej chcieć ją pojmać, a może i zabić.

— Ojciec nie chciał jej śmierci. Chciał ją mieć całą i zdrową, by móc zbadać i być może wykorzystać jej moce — odparł Rephaim.

— Jak sobie chcesz. Tak czy inaczej, kiedy zajrzałam w ten twój ptasi móżdżek, nie znalazłam nic, co by świadczyło, że chcesz ją schwytać.

— Po co miałbym teraz o tym myśleć? Przecież jej tu nie ma.

Pokręciła głową.

— Nie kupuję tego. Jeśli się chce kogoś schwytać, to się tego chce i już, obojętne, czy ten ktoś tu jest czy nie.

— To nielogiczne.

Gapiła się na niego.

— Muszę wiedzieć jedno: jesteś z nami czy nie?

— Z wami?

— Taaa, z nami. Zamierzamy zabić Stevie Rae — powiedziała jakby nigdy nic, po czym znów przemieściła się ze swoją nadprzyrodzoną prędkością i schwyciła go z całej siły za ramię. — Decyduj! Jesteś z nami czy nie?

Wiedział, że musi odpowiedzieć. Nawet jeśli Nicole nie potrafiła w pełni odczytać jego myśli, z pewnością była w stanie odkryć pewne rzeczy, które wolałby zachować dla siebie. Szybko podjął decyzję i spojrzał w jej szkarłatne oczy.

— Jestem synem mego ojca — rzekł szczerze.

Wpatrywała się w niego rozjarzonym wzrokiem, płonącą dłonią paląc jego ciało. Potem znów uśmiechnęła się przebiegle.

— Dobra odpowiedź, ptakoludzie, bo głównie to znalazłam w twojej łepetynie. Z całą pewnością jesteś synkiem swojego tatusia. — Puściła go. — Witaj w moim zespole. I bez obaw: skoro twojego tatusia chwilowo tu nie ma, nie powinno go zbytnio obchodzić, czy schwytasz Stevie żywą czy martwą.

— A z martwą jest mniej kłopotu — dodał Kurtis.

— O wiele mniej — przytaknęła Starr.

Nicole się roześmiała. Tak bardzo przypominała w tym Neferet, że pióra na karku Rephaima zjeżyły się w przerażeniu. *Ojcze, strzeż się!* — wykrzyknął jego umysł. — *Tsi Sgili jest potężniejsza, niż ci się zdaje!*

ROZDZIAŁ DWUDZIESTY SZÓSTY

Zoey

— Heath, co ty tu robisz?

Schwycił się za pierś, jakby został trafiony w serce, i zataczał się, pojękując komicznie.

— Twój chłód mnie zabija, kochanie!

— Debil z ciebie — powiedziałam. — Jeśli już coś cię zabija, to całkowity brak rozsądku. A teraz gadaj wreszcie, co tu robisz. Myślałam, że poszedłeś palić kruki z Dariusem i Shaunee.

— Taki miałem zamiar, bo moja nadludzka siła z całą pewnością by im się przydała. — Poruszył brwiami i wyprężył muskuły. Potem klapnął na ławkę obok mnie. — Ale znalazł mnie Stark i powiedział, że jestem ci potrzebny, więc przyszedłem.

— Mylił się. Powinieneś tam wrócić i pomóc Dariusowi.

— Źle wyglądasz, Zo — powiedział, nagle poważniejąc.

Westchnęłam.

— Miałam ostatnio różne przejścia i tyle. Jak my wszyscy.

— Pomaganie rannym nieźle ci dało popalić — zauważył.

— Owszem, ale nic mi nie będzie. Po prostu muszę jakoś dotrwać do końca nocy, a potem się przespać.

Przez chwilę obserwował mnie w milczeniu, później wyciągnął rękę w moją stronę. Machinalnie podałam mu dłoń.

— Zo, staram się nie zwariować na myśl o tym, że coś wyjątkowego łączy cię ze Starkiem. Coś, czego nie ma między nami.

— Złożył mi ślubowanie wojownika, które jest możliwe tylko w przypadku wampira — powiedziałam przepraszającym tonem. Naprawdę było mi przykro, że wciąż ranię tego chłopaka, którego kocham od podstawówki.

— Tak, słyszałem. I jak już mówiłem, staram się jakoś to znieść, ale jest mi trudniej, kiedy mnie odtrącasz.

Nie mogłam nic powiedzieć, bo doskonale wiedziałam, o co naprawdę mu chodzi. To Stark go tu przysłał. Heath chciał, żebym się napiła jego krwi. Na samą myśl o tym ślinka napłynęła mi do ust, a oddech przyspieszył.

— Wiem, że tego chcesz — szepnął.

Nie potrafiłam spojrzeć mu w oczy, więc opuściłam wzrok na nasze złączone ręce. W przytłumionym świetle pustej stołówki tatuaże na mojej dłoni były prawie niewidoczne i wszystko wyglądało tak jak przez wiele minionych lat. Na myśl o kontraście między tym widokiem a naszą obecną sytuacją aż rozbolał mnie brzuch.

— I wiesz, że ja także tego chcę.

Wtedy wreszcie spojrzałam mu w oczy.

— Wiem, Heath. Ale po prostu nie mogę tego zrobić.

Myślałam, że się wścieknie, lecz zamiast tego oklapnął, opuścił ramiona i pokręcił głową.

— Dlaczego nie pozwolisz, żebym ci pomógł w jedyny możliwy dla mnie sposób?

Wzięłam głęboki oddech i powiedziałam mu całą prawdę.

— Bo przeszkadza mi aspekt seksualny.

Zamrugał zdumiony.

— Tylko to?

— Seks to chyba poważna sprawa — zauważyłam.

— Nie no, jasne. Nie żebym to wiedział z doświadczenia, ale mniej więcej rozumiem, do czego zmierzasz.

Poczułam, że się rumienię. Czy on chciał mi powiedzieć, że wciąż jest prawiczkiem? Byłam pewna, że gdy zostałam naznaczona i odeszłam ze świata ludzi do Domu Nocy, moja była przyjaciółka zaczęła się do niego przystawiać. Więcej — doskonale wiedziałam, że ta franca totalnie się na niego uwzięła.

— A Kayla? Myślałam, żeście się spiknęli, jak odeszłam.

Zaśmiał się ponuro.

— Chciałaby, ale nic z tego. Nie i jeszcze raz nie. Interesuje mnie tylko jedna dziewczyna. — Uśmiechnął się do mnie, tym razem szczerze. — I nawet jeśli jesteś najwyższą kapłanką, więc ściśle rzecz biorąc, trudno cię nazywać dziewczyną, dla mnie wciąż nią pozostajesz.

Znów nie wiedziałam, co odpowiedzieć. Zawsze myślałam, że przeżyję swój pierwszy raz właśnie z Heathem, lecz potem nieźle namieszałam i straciłam cnotę z Lorenem Blakiem, co było zdecydowanie największym błędem mojego życia. Wciąż czułam do siebie obrzydzenie, gdy o tym myślałam.

— Hej, przestań myśleć o Blake'u. Co się stało, to się nie odstanie, więc lepiej o tym zapomnij.

— Nauczyłeś się czytać w myślach?

— Zawsze potrafiłem czytać w twoich, Zo. — Spoważniał. — Ale ostatnio chyba słabiej mi to idzie.

— Przykro mi z powodu tego wszystkiego, Heath. Nienawidzę cię ranić.

— Nie jestem już dzieckiem. Wiedziałem, w co się pakuję, kiedy wsiadałem do pikapa i jechałem do Tulsy, żeby się z tobą spotkać. Nie musi być między nami łatwo, ale musimy być wobec siebie uczciwi.

— Zgoda. Ja też chcę być uczciwa. I mówię prawdę: nie mogę sobie pozwolić na picie twojej krwi. Nie mogę stawić czoła temu, co by się między nami wydarzyło z tego powodu. Nie jestem gotowa na seks, nawet jeśli cały świat wokół nas dostał małpiego rozumu.

— „Dostał małpiego rozumu"? Mówisz jak twoja babcia!

— Heath, zmiana tematu nie wpłynie na moją decyzję. Nie zamierzam się kochać, więc nie będę pić twojej krwi.

— Rany, Zo, nie rób ze mnie debila. Rozumiem! — powiedział. — OK, nie będziemy uprawiać seksu. Spędziliśmy razem mnóstwo lat, nie uprawiając seksu. To nic nowego.

— Chodzi o coś więcej niż tylko wzajemne pożądanie. Wiesz, co z nami wyprawia Skojarzenie. Nawet kiedy byłam tak poważnie ranna, że omal nie umarłam, doznania były intensywne, a gdybym napiła się twojej krwi teraz, byłyby dziesięć razy intensywniejsze.

Przełknął głośno ślinę i przeczesał palcami włosy.

— Zgoda. Wiem. Ale Skojarzenie działa w obie strony, prawda? Gdy pijesz moją krew, czujesz to co ja, a ja to co ty.

— Owszem. I to wszystko kręci się wokół przyjemności i seksu — zauważyłam.

— W takim razie zamiast się skupiać na seksie, skupmy się na przyjemności.

Uniosłam brwi.

— Jesteś facetem, Heath. Od kiedy to faceci nie skupiają się na seksie?

Myślałam, że zacznie pajacować, odpowiedział jednak całkiem poważnie.

— Czy ja kiedykolwiek cię poganiałem w tej sprawie?

— Pamiętasz spotkanie w domku na drzewie?

— Byłaś w czwartej klasie! To się nie liczy. Poza tym wybiłaś mi to z głowy. — Nie uśmiechnął się, lecz jego brązowe oczy rozbłysły.

— A zeszłego lata na tyle twojego samochodu nad jeziorem?

— Tego też nie można liczyć. Miałaś na sobie to nowe bikini. Poza tym wcale cię nie poganiałem.

— Tylko obmacywałeś.

— Bo było po czym! — Urwał i ściszył głos. — Chodzi mi o to — rzekł już normalnym tonem — że od dawna jesteśmy razem i do tej pory całkiem dobrze nam to wychodziło bez seksu. Czy chcę się z tobą kochać? Jasne, że tak. Czy chcę się z tobą kochać, kiedy masz umysł tak zaprzątnięty tym całym Blakiem i wszystkim, co się wokół dzieje, że wcale nie jesteś zainteresowana seksem ze mną? Nie, nie i jeszcze raz nie! — Podetknął mi palec pod brodę i zmusił mnie, bym spojrzała mu w twarz. — Obiecuję, że nie będzie w tym seksu, bo to co istnieje między nami, jest znacznie ważniejsze niż seks. Pozwól, żebym to dla ciebie zrobił, Zoey.

Otworzyłam usta, nim zdołałam się powstrzymać.

— Zgoda — wyszeptałam mimowolnie.

Uśmiechnął się, jakby właśnie zdobył decydujący o mistrzostwie punkt.

— Super!

— Ale żadnego seksu.

— Absolutnie żadnego. Od tej pory możesz mnie nazywać Heath Zero Seksu. Hej, właśnie sobie przypomniałem, że Zeroseksu to moje drugie imię.

— Heath. — Przyłożyłam mu palec do ust, żeby się zamknął. — Przestań się wygłupiać.

— Dobra. Nie ma sprawy — wybełkotał zza mojego palca. Potem puścił moją dłoń, sięgnął do kieszeni dżinsów i wyjął mały scyzoryk. Zdjął kurtkę i otworzył nożyk. W półmroku stołówki jego ostrze przypominało dziecinną zabawkę.

— Chwila! — pisnęłam nagle, gdy zaczął je zbliżać do boku swojej szyi.

— Co?

— Tutaj? Chcesz to robić akurat tutaj?

Uniósł brwi.

— A czemu nie? Przecież nie zamierzamy się kochać.

— Tak, tylko... tylko ktoś może wejść.

— Stark pilnuje drzwi. Nikogo nie wpuści.

Zamilkłam wstrząśnięta. Wiedziałam, że Stark go tu przysłał, ale żeby miał stać na czatach? To już była...

W nozdrza uderzył mnie zapach krwi Heatha i wszystko inne odpłynęło. Odnalazłam wzrokiem wąską strużkę w miejscu zetknięcia szyi z ramieniem. Chłopak odłożył scyzoryk na stół i wyciągnął do mnie ramiona.

Wtuliłam się w niego, chłonąc zapach jego ciała, krwi, pożądania, domu i mojej przeszłości. Przygarnął mnie mocno, a ja dotknęłam językiem szkarłatnej kreseczki. Zadrżał. Wiedziałam, że powstrzymuje jęk rozkoszy. Zawahałam się, lecz było zbyt późno. Krew eksplodowała w moich ustach. Nie mogąc się opanować, mocno przycisnęłam wargi do rany i piłam zachłannie. W tym momencie nie obchodziło mnie, że nie jestem gotowa na seks, że otaczający mnie świat jest wielkim kłębem chaosu ani nawet że znajdujemy się w stołówce, której drzwi strzeże Stark (prawdopodobnie odbierający wszystkie moje uczucia). Obchodził mnie tylko Heath, jego krew, ciało, dotyk.

— Ciii... — Miał głęboki i nieco ochrypły, ale dziwnie kojący głos. — Wszystko w porządku, Zo. Jest nam dobrze i nic poza tym. Myśl o tym, jak bardzo cię to wzmacnia. Musisz być silna, pamiętasz? Liczy na ciebie... hm, jakiś miliard ludzi. Ja, Stevie Rae, nawet Afrodyta, choć osobiście uważam ją za wredną krowę. No i Erik, choć sobie u wszystkich nagrabił...

Gadał i gadał, a im dłużej go słuchałam, tym było dziwniej. Jego głos przestał być głęboki i ochrypły, a zaczął brzmieć tak, jakbyśmy rozmawiali o zwyczajnych sprawach i jakbym wcale nie wysysała mu krwi z szyi. Nie czułam już dzikiego pożądania, lecz coś, co pozwalało myśleć i nad czym mogłam zapanować. Żeby było jasne: wciąż byłam w siódmym niebie, tyle że poczucie normalności łagodziło moją rozkosz i pozwalało ją ogarnąć. Kiedy więc poczułam się już silna i odmłodzona, potrafiłam przestać. „Zagój się", pomyślałam i polizałam czerwoną kreskę na szyi Heatha, automatycznie zmieniając obecne w mojej ślinie endorfiny w antykoagulanty. Patrzyłam, jak krwawienie ustaje i ranka zaczyna się zasklepiać, a jedynym dowodem naszego czynu pozostaje wąska różowa kreska.

Spojrzałam mu w oczy.

— Dziękuję.

— Nie ma sprawy — odparł. — Zawsze możesz na mnie liczyć, Zo.

— Świetnie. Potrzebuję cię, żebyś mi przypominał, kim naprawdę jestem.

Pocałował mnie. Jego pocałunek był łagodny, ale głęboki, przepełniony bliskością i pożądaniem, które Heath powstrzymywał w oczekiwaniu na to, aż będę gotowa. Oderwałam usta od jego warg i wtuliłam się w niego, a on westchnął, przygarniając mnie mocno.

Podskoczyliśmy na dźwięk otwieranych wahadłowych drzwi.

— Zoey, naprawdę powinnaś już iść do pokoju. Czekają na ciebie! — zawołał Stark.

— Dobra, dobra, już idę — powiedziałam, wyślizgując się z objęć Heatha i pomagając mu włożyć kurtkę.

— Poszukam Dariusa i pozostałych i pokażę im, ile może zrobić zwykły człowiek — rzekł Heath.

Niczym dzieciaki, które coś zbroiły, podeszliśmy do stojącego z pokerową twarzą i trzymającego drzwi Starka.

— Dzięki, że mnie przyprowadziłeś — zwrócił się do niego Heath.

— To część mojej pracy — odparł ostro wojownik.

— W takim razie chyba zasługujesz na podwyżkę — rzekł z uśmiechem Heath, po czym pochylił się i cmoknął mnie w policzek, pożegnał się i ruszył ku drzwiom prowadzącym na główny dziedziniec.

— Nie przepadam za tą częścią pracy — mruknął Stark, patrząc w ślad za nim.

— Chodźmy już do pokoju — powiedziałam i ruszyłam energicznie korytarzem prowadzącym do wyjścia znajdującego się najbliżej internatów. Stark szedł za mną w niezręcznym milczeniu.

— Wyglądałaś jak pijawka — burknął wreszcie zdegustowany.

— I tak się czułam — odparłam bez namysłu, jakby złośliwe słowa same płynęły mi z ust. Zachichotałam głupio.

Na swoją obronę mam to, że przeżywałam coś zupełnie niezwykłego. Krew Heatha sprawiła, że stałam się silniejsza niż kiedykolwiek od momentu pojawienia się Kalony.

— To nie jest śmieszne — burknął Stark.

— Przepraszam. Wyrwało mi się. — Znów zachichotałam, po czym zmusiłam się do milczenia.

— Będę ze wszystkich sił udawał, że nie jesteś cała w skowronkach i że nie czułaś przed chwilą tego wszystkiego, co czułaś — powiedział napiętym głosem.

Nawet w swoim upojeniu rozumiałam, że musiało mu być bardzo ciężko, gdy odbierał moje silne doznania z obcowania z innym chłopakiem i uświadamiał sobie, jak wiele łączy mnie z Heathem. Wzięłam go pod rękę. Początkowo był zimny i sztywny jak posąg, ale z czasem się rozluźnił. Zanim otworzył mi drzwi do żeńskiego internatu, spojrzałam na niego.

— Dzięki, że jesteś moim wojownikiem — powiedziałam. — I że robisz wszystko, abym była silna, nawet jeśli cię to rani.

— Cała przyjemność po mojej stronie, pani. — Uśmiechnął się, lecz wyglądał staro i bardzo, bardzo smutno.

ROZDZIAŁ DWUDZIESTY SIÓDMY

Zoey

— Chcesz coli? — zawołałam przez ramię do Starka, który niecierpliwie czekał na mnie w bardzo cichej i bardzo dziwnej świetlicy internatu. Mówię „dziwnej" właśnie z powodu tej ciszy, bo chociaż siedziała tam garstka adeptów gapiących się na płaskoekranowe telewizory, nie było słychać żadnych rozmów czy śmiechów. Żadnych. Gdy Stark i ja weszliśmy do sali, tamci spojrzeli na nas i mogłabym przysiąc, że dostrzegłam w ich oczach nienawiść. Wciąż jednak milczeli.

— Nie, niczego mi nie trzeba. Weź dla siebie i chodźmy na górę — powiedział, ruszając w stronę schodów.

— Dobra, dobra, już idę. Tylko... — W tym momencie dosłownie wpadłam na dziewczynę o imieniu Rebecca. — O rany, przepraszam! — rzuciłam, odsuwając się. — Nie widziałam cię, bo...

— Taaa, wiem, co robiłaś. To co zawsze. Zarywałaś faceta.

Zmarszczyłam brwi. Słabo znałam Rebeccę, ale wiedziałam, że swego czasu miała fioła na punkcie Erika. A, i jeszcze przyłapałam Starka, jak ją gryzł i niemal gwałcił, oczywiście zanim wybrał dobro i został moim wojownikiem. Ona, rzecz jasna, nie pamiętała o przemocy, a jedynie o przyjemności

249

płynącej z ukąszenia — również dzięki ówczesnym zdolnościom Starka.

To wszystko nie upoważniało jej bynajmniej do rzucania mi takich tekstów, ale niestety nie miałam czasu niczego jej wyjaśniać. Poza tym, szczerze mówiąc, nie interesowała mnie jej żałosna osoba, która praktycznie na czole miała napisane: „Jestem zazdrosna o Zoey". Wydałam więc obrzydliwe prychnięcie à la Afrodyta, ominęłam ją, podeszłam do lodówki i zaczęłam szukać coli.

— To przez ciebie! To ty narobiłaś tego bałaganu!

Westchnęłam. Znalazłam puszkę coli i odwróciłam się.

— Jeśli masz na myśli to, że wygnałam Kalonę, który bynajmniej nie jest wcieleniem Ereba, tylko złym upadłym nieśmiertelnym, oraz Neferet, która nie jest najwyższą kapłanką Nyks, tylko równie złą królową Tsi Sgili pragnącą zawładnąć światem, to owszem. Zrobiłam to z pomocą kilkorga przyjaciół.

— Dlaczego uważasz, że zjadłaś wszystkie rozumy?

— Wcale tak nie uważam. Gdybym była wszechwiedząca, wiedziałabym na przykład, dlaczego wciąż nie rozumiesz, że Kalona, Neferet i Kruki Prześmiewcy są źli, mimo że zabili Anastasię.

— Kruk zabił ją tylko dlatego, że go rozwścieczyłaś swoją ucieczką i walką z Kaloną, który zdaniem wielu osób, w tym moim, jednak jest Erebem.

— Zastanów się, Rebecco. Kalona nie jest Erebem. Jest ojcem Kruków Prześmiewców, które spłodził, gwałcąc czirokeskie kobiety. Ereb by czegoś takiego nie zrobił. Naprawdę nie przyszło wam to do głowy?

Zachowywała się, jakby nie usłyszała ani słowa z moich wyjaśnień.

— Kiedy cię tu nie było, wszystko szło świetnie. Ale wróciłaś i znowu namieszałaś. Nie możesz się wynieść na dobre i pozwolić nam wszystkim robić tego, na co mamy ochotę?

— Wam wszystkim? Czy masz na myśli także tych adeptów ze szpitala, których twoi skrzydlaci przyjaciele omal nie zabili? A może mówisz o Smoku, który samotnie opłakuje śmierć żony?

— To wszystko stało się przez ciebie. Póki nie uciekłaś, nikogo nie atakowali.

— Dziewczyno, czy ty naprawdę nie słyszysz, co mówię?

— Cześć, Rebecca!

Stark stanął za jej plecami w drzwiach kuchni.

Odwróciła głowę, zarzuciła grzywą i uśmiechnęła się zalotnie.

— Cześć, Stark!

— Erik jest wolny — powiedział bezceremonialnie.

Zamrugała zdziwiona.

— Zerwali ze sobą — dodał.

— Ach tak? — Siliła się na obojętność, ale język ciała zdradzał, jak bardzo ją to ucieszyło. Spojrzała na mnie. — Wreszcie cię rzucił!

— Raczej na odwrót, ty... ty... dziwko! — wypaliłam.

Zrobiła krok w moją stronę, unosząc rękę, jakby chciała mnie uderzyć. Tak mnie to zaskoczyło, że nawet nie pomyślałam o przywołaniu żywiołów, żeby dały jej nauczkę. Na szczęście Stark był mniej zaskoczony i szybko nas rozdzielił.

— Rebecco, już dość cię skrzywdziłem. Nie zmuszaj mnie, żebym użył wobec ciebie siły. Po prostu stąd idź — powiedział z bardzo wojowniczą i groźną miną.

Natychmiast się cofnęła.

— Niech ci będzie. Ona nie zasługuje na to, żebym sobie brudziła paznokcie. — Odwróciła się i wyszła obrażona.

Otworzyłam puszkę i pociągnęłam długi łyk.

— To było okropne.

— Fakt. Chyba tracę zmysły. W normalnych okolicznościach nigdy bym nie przerwał porządnej babskiej bijatyki.

Przewróciłam oczami.

— Superman z ciebie. Chodźmy na górę, tam jest normalniej.

Wyszliśmy z kuchni. Musieliśmy przejść przez świetlicę, by dojść do schodów, a to oznaczało przedzieranie się przez kolejną porcję nienormalności. Rebecca siedziała w otoczeniu największej z obecnych tam grupek adeptów, szepcząc coś i przerywając tylko na chwilę, by spojrzeć na mnie spode łba, podobnie zresztą jak wszyscy jej towarzysze.

Przyspieszyłam i niemal wbiegłam po schodach.

— To jakaś szajba — przyznał Stark, gdy zbliżaliśmy się do mojego pokoju.

Skinęłam tylko głową, bo trudno mi było znaleźć słowa opisujące to, co czułam, powracając do szkoły będącej moim domem i odkrywając, że niemal wszyscy w niej mnie nienawidzą. Ledwie jednak otworzyłam drzwi sypialni, natychmiast rzucił mi się w ramiona wielki kłębek rudego futra miauczący głosem zrzędliwej starej baby.

— Nala! — Ignorując marudzenie kotki, ucałowałam ją w nosek, a ona kichnęła mi w twarz. Roześmiałam się i przełożyłam puszkę z colą do drugiej ręki, żeby nie polać zwierzaka. — Tęskniłam za tobą, maleńka. — Wtuliłam twarz w miękkie futerko, dzięki czemu Nala natychmiast przerzuciła się z trybu zrzędzenia w tryb rozkosznego pomrukiwania.

— Jak już skończysz te pieszczoty, musimy pogadać. O ważnych sprawach — powiedziała Afrodyta.

— Ojej, nie bądź taka czepialska — skarcił ją Damien.

— A ty się od...czep! — Afrodyta pokazała mu wyciągnięty środkowy palec.

— Przestańcie! — uciszyła ich Lenobia, nim ja zdążyłam to zrobić. — Ciało mojej przyjaciółki wciąż się tli za oknem, więc nie jestem w nastroju do wysłuchiwania młodzieńczych pyskówek.

Oboje wymamrotali przeprosiny, wyglądając na speszonych.

— Wiecie co? — zaczęłam, wykorzystując chwilową ciszę. — Każdy, ale to każdy z tych adeptów na dole działa mi na nerwy.

— Serio? Kiedy tu wchodziliśmy, siedziały tam same żony ze Stepford — rzekł Damien.

— Serio — przytaknął Stark. — Dosłownie musiałem odciągać Rebeccę od Zoey.

Po minach Afrodyty i Damiena poznałam, że wspominają niezbyt grzeczną przeszłość Starka. Oboje milczeli.

Spojrzałam na Lenobię.

— Co się dzieje? Kalony już dawno tu nie ma. Chyba nawet nie ma go w tym kraju. Jak to możliwe, że wciąż ma wpływ na adeptów?

— I na wampiry — dodał Damien. — Żaden nauczyciel oprócz ciebie nie dotrzymał Smokowi towarzystwa. To oznacza, że wszyscy pozostali także są po stronie Kalony.

— Albo po prostu dali się pokonać lękowi — odparła Lenobia. — Trudno ocenić, czy się boją, czy też demon zaszczepił w nich coś, co nadal tam tkwi, choć jego już nie ma.

— To nie demon — usłyszałam własny głos.

Rzuciła mi ostre spojrzenie.

— Dlaczego to mówisz, Zoey?

Speszona przestąpiłam z nogi na nogę, po czym usiadłam na łóżku, sadzając sobie skuloną Nalę na kolanach.

— Po prostu wiem o nim pewne rzeczy, a jedną z nich jest to, że nie jest demonem.

— A co za różnica, jak go nazywamy? — zapytała Erin.

— Cóż — zauważył Damien — prawdziwe nazwy mają moc. Tradycja głosi, że użycie czyjegoś prawdziwego imienia podczas rytuału może być bardziej wiążące niż wysyłanie energii na oślep czy nawet posługiwanie się imieniem użytkowym.

— Słuszna uwaga, Damien. W takim razie nie będziemy nazywać go demonem — zgodziła się Lenobia.

— Jak również, w odróżnieniu od pozostałych adeptów, nie będziemy zapominać, że jest zły — dodała Erin.

— Nie wszyscy zapomnieli — powiedziałam. — Adepci ze szpitala nie byli pod jego wpływem. Lenobia, Smok i Anastasia też nie. Dlaczego? Co was odróżnia od całej reszty?

— Już wcześniej doszliśmy do wniosku, że Lenobia, Smok i Anastasia zostali hojniej obdarzeni przez Nyks — przypomniał mi Damien.

— No dobrze — przyznała Afrodyta — a uczniowie, którzy walczyli z Krukami Prześmiewcami?

— Hanna Honeyyeager potrafi sprawić, że kwiaty kwitną — rzekł Damien.

Wbiłam w niego wzrok.

— Kwiaty? Serio?

— Tak. — Wzruszył ramionami. — Ma żyłkę do ogrodnictwa.

Westchnęłam.

— A inni adepci ze szpitala?

— T.J. jest świetnym bokserem — powiedziała Erin.

— A Drew niesamowitym zapaśnikiem — dodałam.

— Ale czy te zdolności można uznać za prawdziwe dary? — zastanawiała się Lenobia. — Wampiry są utalentowane. To raczej norma niż wyjątek.

— Wiecie coś o Ianie Bowserze? — zapytałam. — Ja znam go tylko z zajęć teatralnych. Miał fioła na punkcie profesor Nolan.

— Znam go! — powiedziała Erin. — Jest bardzo słodki.

— Słodki. No cóż... — mruknęłam przytłoczona beznadzieją naszego zadania. Adepci byli mili i dobrzy w tym czy owym, lecz bycie dobrym nie oznaczało jeszcze, że otrzymali dar od Nyks. — A ta nowa dziewczyna, Ruda?

— W ogóle jej nie znamy. — Damien zerknął na Lenobię. — A ty?

Pokręciła głową.

— Nie. Wiem tylko, że Anastasia była jej mentorką i że przez kilka dni tak się do siebie zbliżyły, iż dziewczyna była gotowa zaryzykować życie, by ratować nauczycielkę.

— Co jednak nie oznacza, że ma w sobie coś szczególnego. Wiemy jedynie, że dokonała właściwego wyboru i... — Urwałam gwałtownie, uświadamiając sobie sens własnych słów. — Jasne! — Roześmiałam się.

Wszyscy gapili się na mnie jak sroka w gnat.

— Straciła rozum — stwierdziła Afrodyta. — Prędzej czy później musiało do tego dojść.

— Straciłam? Raczej zyskałam! — zaprzeczyłam. — Znalazłam odpowiedź. Na boginię, to przecież takie proste! Ci adepci nie są wybitnie uzdolnieni. Są po prostu adeptami, którzy dokonali właściwego wyboru!

Przez kilka długich sekund wszyscy milczeli. Potem Damien podjął temat.

— Tak jak w codziennym życiu. Nyks daje nam wolną wolę.

Uśmiechnęłam się do niego.

— I niektórzy podejmują właściwe decyzje.

— A niektórzy głupie — podsumował Stark.

— Bogini! To naprawdę proste — przyznała Lenobia. — W takim razie czar Kalony nie kryje w sobie żadnej tajemnicy!

— Wszystko jest kwestią wyboru — podsumowała Afrodyta.

— I prawdy — dodałam.

— Pasuje! — wtrącił Damien. — Nie mogłem pojąć, dlaczego tylko troje profesorów potrafiło przejrzeć grę Kalony. Zawsze sądziłem, że w s z y s t k i e wampiry są szczególne i otrzymały dary od bogini.

— Większość tak — przyznała Lenobia.

— Lecz niezależnie od darów odnalezienie prawdy i obranie właściwej drogi zawsze jest kwestią wyboru — powiedział cicho Stark, patrząc mi w oczy. — Żadne z nas nie powinno o tym zapominać.

— Może dlatego Nyks nas tu sprowadziła. Żeby nam przypomnieć, że wszystkie jej dzieci posiadają wolną wolę — mruknęła w zamyśleniu Lenobia.

„O to właśnie chodzi w całej historii z A-yą — pomyślałam. — Mam wybór. Nie muszę podążać jej ścieżką. Ale czy to nie znaczy, że Kalona także ma wolną wolę i może wybrać dobro?"

— Ma ktoś pomysł, co z tym zrobić? — zapytałam, odsuwając od siebie rozważania o Kalonie.

— Pewnie. Ty idziesz za Kaloną, a my za tobą — stwierdziła Afrodyta, a gdy wszyscy na nią spojrzeliśmy, kontynuowała: — Kalona udowodnił, że jest zły, więc dokonajmy wyboru, że go zniszczymy. — Nim zdążyłam cokolwiek powiedzieć, dodała: — To jest możliwe. W jednej z moich wizji Zoey go załatwiła.

— W wizji? — zapytała Lenobia.

Afrodyta szybko opisała swoje dwie wizje, pomijając fakt, że w tej „niezbyt przyjemnej" przyłączałam się do Kalony.

Kiedy skończyła, odchrząknęłam, zebrałam się w sobie i oznajmiłam:

— W złej wizji byłam z Kaloną. W sensie dosłownym. Byliśmy kochankami.

— Ale w tej drugiej zrobiłaś coś, by go przezwyciężyć — zauważyła Lenobia.

— To było jasne, choć cała reszta tonęła w wielkim chaosie — stwierdziła Afrodyta. — No więc, jak już mówiłam, Zoey musi do niego pójść.

— Nie podoba mi się to — mruknął Stark.

— Mnie też nie — poparła go Lenobia. — Szkoda, że nie wiemy nic więcej o tym, co sprawi, że ziści się jedna lub druga z tych wizji.

— Na boginię, co za debilka ze mnie! — jęknęłam nagle, grzebiąc w kieszeni w poszukiwaniu złożonej kartki. — Kompletnie zapomniałam o wierszu Kramishy!

— Oż kurczę, ja też! — przyznała Afrodyta. — Nienawidzę poezji!

— Zadziwia mnie to, moja piękna — rzekł od drzwi Darius, który właśnie wszedł do pokoju w towarzystwie Stevie Rae i Shaunee. — Ktoś o twojej inteligencji powinien ją doceniać.

Afrodyta rzuciła mu słodki uśmiech.

— Gdybyś ty mi czytał wiersze, na pewno bym polubiła poezję. Jak wszystko w twoim wykonaniu.

— Ohyda — prychnęła Shaunee, siadając obok Erin.

— Totalna — przyznała jej przyjaciółka, uśmiechając się od ucha do ucha.

— Cieszę się, że zdążyliśmy na wiersz — oznajmiła Stevie Rae, siadając obok mnie i głaszcząc Nalę. — Byłam ciekawa, co Kramisha stworzyła tym razem.

— Dobrze — powiedziałam — w takim razie przeczytam na głos.

I przeczytałam.

Obosieczny miecz
Jedna strona zniszczenie
Druga wolność
Jestem twym węzłem gordyjskim
Uwolnisz mnie czy zniszczysz?
Idź za prawdą, a wtedy
Znajdziesz mnie na wodzie
Oczyścisz przez ogień
Nigdy już nie zamknie mnie ziemia

A powietrze wyszepcze ci to
Co duch już wie:
Że nawet po rozpadzie
Możliwe jest wszystko
Jeśli wierzysz
Oboje będziemy wolni

— Mówię to z wielką przykrością, ale nawet ja rozumiem, że to Kalona przemawia do ciebie — odezwała się Afrodyta wśród ciężkiej ciszy, która zaległa, gdy skończyłam czytać.

— Mnie też się tak wydaje — dodała Stevie Rae.

— Cholera jasna — mruknęłam.

ROZDZIAŁ DWUDZIESTY ÓSMY

Zoey

— Nie podoba mi się to — mruknął Stark.

— Już to mówiłeś — żachnęła się Afrodyta. — A poza tym komu się podoba? Ale choćbyśmy nie wiem jak tego chcieli, ten durny wiersz nie zniknie.

— Proroctwo — poprawił ją Damien. — Wiersze Kramishy to w istocie proroctwa.

— Co wcale nie jest takie złe — zauważył Darius. — Każde z takich proroctw jest dla nas ostrzeżeniem.

— W takim razie te wiersze w połączeniu z wizjami Afrodyty stanowią dla nas istotne narzędzie — stwierdziła Lenobia.

— O ile uda nam się je rozszyfrować — mruknęłam.

— Z poprzednim się udało — przypomniała mi — więc i z tym się uda.

— Tak czy owak, chyba wszyscy się zgadzamy, że Zoey musi wyruszyć śladem Kalony — rzekł Darius.

— Po to zostałam stworzona — powiedziałam, natychmiast przyciągając uwagę wszystkich. — Nienawidzę tego. Nie wiem, co z tym zrobić. Przez większość czasu czuję się jak wielka kula śnieżna turlająca się w dół zbocza w środku zimy, ale nie mogę lekceważyć prawdy. — Przypomniałam sobie podszepty Nyks i dodałam: — Prawda daje siłę. Dokonywanie właściwych wyborów też. To prawda, że jestem związana z Kaloną: pamiętam ten związek i dlatego tak mi trudno walczyć z Kaloną, lecz już raz udało mi się go pokonać. Myślę, że muszę odnaleźć w sobie to coś, co mi umożliwiło wygraną, i ponownie podjąć decyzję, że go pokonam.

— Może tym razem na dobre? — zasugerowała Stevie Rae.

— Mam szczerą nadzieję.

— Jedno jest pewne: teraz nie będziesz sama — rzekł Stark.

— Właśnie — przytaknął Damien.

— Jak nic — dodała Shaunee.

— No — podsumowała Erin.

— Zoey za wszystkich, wszyscy za Zoey! — wygłosiła Stevie Rae.

Spojrzałam na Afrodytę, która odpowiedziała dramatycznym westchnieniem.

— Dobra już, dobra. Gdzie baranie stadko, tam i ja.

Darius otoczył ją ramieniem.

— Ty też nie będziesz sama, moja piękna.

Dopiero po fakcie uświadomiłam sobie, że Stevie Rae wcale nie zadeklarowała, iż do nas dołączy.

— Wasza solidarność jest bardzo budująca, lecz nie możemy nic zrobić, bo nie wiemy, gdzie jest Kalona — zauważyła Lenobia.

— W moim śnie znajdował się na wyspie. A konkretnie na wieży zamku stojącego na wyspie — powiedziałam.

— Można jakoś zidentyfikować to miejsce? — zapytał Damien.

— Z niczym mi się nie kojarzyło, ale było bardzo piękne, z niewiarygodnie błękitną wodą i mnóstwem drzewek pomarańczowych wokół zamku.

— Niezbyt nam pomogłaś — mruknęła Afrodyta. — Pomarańcze są wszędzie: na Florydzie, w Kalifornii, w regionie śródziemnomorskim... I we wszystkich tych okolicach można spotkać wyspy.

— On nie jest w Ameryce — odparłam automatycznie.

— Nie mam pojęcia, skąd to wiem, ale jestem pewna.

— W takim razie i my przyjmijmy to za pewnik — rzekła Lenobia.

Jej przekonanie poprawiło mi nastrój, lecz zarazem ogarnęło mnie jeszcze większe zdenerwowanie i poczułam mdłości.

— Słuchaj — powiedziała Stevie Rae — może tak naprawdę wiesz więcej o miejscu jego pobytu. Musisz tylko przestać o tym myśleć, żeby sobie przypomnieć.

— Gadaj do rzeczy, wieśniaro — zażądała Afrodyta.

— Pozwólcie, że przetłumaczę z farmerskiego na angielski: wiedziałaś bez namysłu, że Kalona nie znajduje się w Ameryce. Może zamiast na siłę próbować sobie przypomnieć resztę, powinnaś odsapnąć, a wiedza sama przyjdzie?

— Przecież właśnie to powiedziałam — mruknęła Stevie Rae.

— One są jak bliźniaczki — zauważyła Shaunee.

— Niesamowite, co? — przytaknęła Erin.

— Zamknijcie się! — powiedziały jednocześnie Afrodyta i Stevie, a Bliźniaczki zaniosły się śmiechem.

— Co was tak bawi? — zapytał Jack, wchodząc do pokoju. Zauważyłam, że wciąż ma na policzkach smugi po łzach i bardzo smutne oczy.

Podszedł do Damiena i usiadł obok niego.

— Nic. Po prostu Bliźniaczki się wygłupiają — odparł Damien.

— Dość już tych żartów — rzekła Lenobia. — Są zupełnie bezproduktywne i nijak nam nie pomagają w wytropieniu Kalony.

— Wiem, gdzie on jest — mruknął Jack jakby nigdy nic.

— Wiesz, gdzie jest Kalona? — zdziwił się Damien, wlepiając w niego wzrok.

— I on, i Neferet. To proste. — Podniósł swój iPhone. — Internet się naprawił i mój wampirski Twitter dosłownie wariuje. Cała sieć jest pełna wiadomości o tym, że Szechina zmarła nagłą i tajemniczą śmiercią, a Neferet zjawiła się na zebraniu najwyższej rady w Wenecji i oznajmiła, że jest wcieleniem Nyks, a Kalona Erebem, który zstąpił na ziemię, więc to ona powinna zostać nową arcykapłanką. — Gapiliśmy się na niego. Jestem pewna, że miałam otwarte usta. Jack zmarszczył brwi. — Przecież sobie tego nie wymyśliłem! Przysięgam. Sami zobaczcie. — Wyciągnął rękę z iPhone'em, a Darius go wziął. Gdy stukał w ekran dotykowy, Damien otoczył Jacka ramieniem i ucałował prosto w usta.

— Jesteś genialny! — rzekł.

Jack się uśmiechnął, a potem wszyscy zaczęli mówić jeden przez drugiego.

Wszyscy oprócz Starka i mnie.

W samym środku tego chaosu do pokoju wkroczył Heath. Zawahał się na moment, po czym obszedł łóżko dookoła i klapnął obok mnie po tej stronie, która nie była zajęta przez Stevie Rae.

— Co się dzieje, Zo?

— Jack znalazł Kalonę i Neferet — poinformowała go Stevie.

— Świetnie — rzekł Heath, po czym zerknął na mnie i skorygował: — No nie, może nie świetnie.

— Niby czemu? — zainteresowała się Stevie.

— Zapytaj Zoey.

— Co jest? — zwrócił się do mnie Damien, a wszyscy umilkli.

— To nie była Wenecja — powiedziałam. — Na sto procent. W moim śnie Kalona nie znajdował się w Wenecji. Wprawdzie sama nigdy tam nie byłam, widziałam jednak zdjęcia. Poza tym poprawcie mnie, jeśli się mylę, ale w okolicach Wenecji chyba raczej nie ma żadnych gór, co?

— Żadnych — potwierdziła Lenobia. — Byłam tam kilka razy.

— Może to i dobrze, że we śnie nie przeniosłaś się tam, gdzie Kalona naprawdę jest — zauważyła Afrodyta. — Może to oznacza, że te sny nie spełniają się aż tak dosłownie.

— Może.

— Coś tu jest nie tak — mruknął Stark.

Stłumiłam westchnienie irytacji. Było oczywiste, że podsłuchiwał moje emocje.

Afrodyta zignorowała Starka i mówiła dalej:

— Pamiętasz, jak w moich wizjach Neferet i Kalona stali przed grupą siedmiu potężnych wampirek?

Przytaknęłam.

— Najwyższa Rada Nyks! — wykrzyknęła Lenobia.

— Nie wiem, dlaczego od razu o tym nie pomyślałam. — Potrząsnęła głową, wyraźnie zła na siebie. — Zgadzam się z Afrodytą, Zoey. Może przywiązywałaś do tych snów zbyt dużą wagę. Kalona tobą manipuluje — powiedziała łagodnie, jakby się obawiała, że zaraz zrobię coś głupiego.

— Nie, przecież wam mówię, że Kalony nie było w Wenecji! Był... — Urwałam, bo nagłe wspomnienie wyskoczyło, jakby ktoś uderzył mnie otwartą dłonią w czoło. — Kurczę! W ostatnim moim śnie był gdzie indziej, ale w jednym z poprzednich chyba faktycznie w Wenecji! Mówił, że mu się tam podoba, że czuje moc i... — Potarłam czoło, jakby masaż miał pomóc mojemu mózgowi lepiej funkcjonować. — Mówił, że czuje w tym miejscu jakąś pradawną moc i rozumie, dlaczego jacyś oni tam się zbierają.

— Musiał mieć na myśli nas, wampiry — rzekła Lenobia.

Pomyślałam o tamtym śnie i skonsternowana zmarszczyłam brwi.

— Nie sądzę, żebyśmy byli wtedy w centrum Wenecji. Owszem, widziałam to sławne miejsce z gondolami i wielkim zegarem, tyle że w oddali. My znajdowaliśmy się gdzie indziej.

— Zo, nie chcę być złośliwa, ale czy ty nigdy nie odrabiasz zadań domowych? — zapytała Stevie Rae.

— Co? — zdziwiłam się.

— Wyspa San Clemente — podpowiedziała Lenobia.

— Co? — powtórzyłam błyskotliwie.

Damien westchnął.

— Masz tu gdzieś *Vademecum adepta*?

Wskazałam brodą biurko.

— Powinno być tam.

Wstał, przedarł się przez bałagan na pulpicie i spod sterty przedmiotów wydobył właściwą książkę. Wertował ją przez jakieś dwie sekundy (czyżby znał całą na pamięć?), po czym podał mi otwartą. Zamrugałam wstrząśnięta, rozpoznając piękny pałac w kolorze łososiowym, na którego tle spotkałam się z Kaloną w jednym ze swoich snów.

— To z całą pewnością sceneria jednego z moich snów o Kalonie. Siedzieliśmy tu, na tej ławce. — Wskazałam rysunek.

Afrodyta nagle wyślizgnęła się z objęć Dariusa i podeszła, by zajrzeć mi przez ramię.

— Cholera! Powinnam była rozpoznać to miejsce. Przysięgam, że odkąd znów jestem człowiekiem, kompletnie zidiociałam.

— O co chodzi? — zapytał Stark, stając przy mnie.

— To samo miejsce było w jej drugiej wizji dotyczącej mojej śmierci — odpowiedziałam, wyręczając Afrodytę. Westchnęłam. — Choć wiem, że to zabrzmi głupio, do tej chwili o tym nie pamiętałam. To znaczy we śnie sobie uświadomiłam, że to może być to samo miejsce, w którym widziałaś, jak tonę, ale po przebudzeniu... hmmm... — spojrzałam

264

na Starka — ...coś odwróciło moją uwagę. — Zobaczyłam w jego oczach błysk zrozumienia, że to on zbudził mnie z tego snu. To było wtedy, gdy pierwszy raz ze sobą spaliśmy. Gdy Stark zaczynał właśnie wybierać dobro. — Poza tym — dodałam szybko — w twoim śnie tonęłam, bo nie miałam nikogo, kto mógłby mnie uratować. W tamtym okresie wszyscy byli na mnie wściekli. Teraz nie jestem już sama, więc ta wizja się nie ziści. — Afrodyta nie odpowiadała, toteż spojrzałam na nią i zobaczyłam, że wpatruje się w Starka.

— W drugiej wizji twojej śmierci nie byłaś całkiem sama — powiedziała powoli. — Zanim zginęłaś, przez chwilę widziałam twarz Starka. Był tam.

— Co? Bredzisz! Nigdy nie pozwoliłbym jej skrzywdzić! — wybuchnął chłopak.

— Nie mówię, że to ty za tym stałeś. Mówię tylko, że tam byłeś — odparła chłodno.

— Co jeszcze widziałaś? — zapytał Heath, prostując się i wyglądając równie wojowniczo jak Stark.

— Afrodyta miała dwie wizje śmierci Zoey — powiedział Damien. — W jednej Kruk Prześmiewca odcinał jej głowę.

— To się prawie stało! — wypalił Heath. — Byłem przy tym! Wciąż ma bliznę.

— Liczy się to, że moja głowa wciąż tkwi na karku. A skoro udało mi się zachować działający mózg, musimy wykombinować, jak zapobiec spełnieniu się drugiej wizji, czyli mojemu utonięciu. Niestety żadna z wizji nie zawierała zbyt wielu szczegółów.

— Jesteś pewna, że druga rozgrywała się na wyspie San Clemente, w miejscu spotkań Najwyższej Rady? — zapytała Lenobia.

Afrodyta wskazała otwartą książkę na moich kolanach.

— Kiedy umierała, widziałam w tle ten pałac.

— Cóż — powiedziałam — w takim razie będę musiała zachować szczególną ostrożność.

— A my wszyscy musimy ci w tym pomóc — rzekła Lenobia.

Starałam się nie zdradzać poczucia klaustrofobii, które po raz kolejny mnie ogarnęło. Czy już zawsze wszyscy będą chodzić za mną krok w krok?

Stark milczał. Nie musiał nic mówić, bo jego ciało dosłownie promieniowało frustracją.

— Chwila. Właśnie sobie coś uświadomiłem. — Damien wziął ode mnie podręcznik i przerzucił kartkę, po czym uśmiechnął się triumfalnie. — Wiem, gdzie się znajduje wyspa Kalony, i masz rację, to nie Wenecja. — Pokazał mi stronę. — To jest obraz z twojego snu?

Na stronie było trochę tekstu (którego z całą pewnością nie czytałam) i obrazek przedstawiający fragment pięknej pagórkowatej wyspy otoczonej lazurowym morzem. W oddali widniały kontury aż nazbyt znajomego zamku.

— Tak — odparłam z przekonaniem. — Tam byłam w ostatnim śnie. Ale co to za miejsce, do diabła?

— Wyspa Capri we Włoszech — wyjaśniła Lenobia. — Starożytne miejsce spotkań Najwyższej Rady Nyks. Dopiero po roku siedemdziesiątym dziewiątym naszej ery przeniesiono siedzibę rady do Wenecji.

Ucieszyłam się, widząc konsternację na kilku otaczających mnie twarzach. Do grona niedoinformowanych najwyraźniej nie należał jednak Damien.

— Wampiry były patronami Pompejów — oznajmił profesorskim tonem. — W sierpniu siedemdziesiątego dziewiątego roku wybuchł Wezuwiusz. — Wszyscy wciąż gapili się na niego jak wielkie, tępe złote rybki, więc westchnął i kontynuował: — Capri leży niedaleko Pompejów.

— Faktycznie! Coś o tym czytałam w części historycznej — przyznała Stevie Rae.

Ja niestety nie mogłam się pochwalić przeczytaniem części historycznej i po minach Bliźniaczek widziałam, że one też. Czemu mnie to nie dziwiło?

— Hm. Ciekawe. Owszem, to ta wyspa. Tylko po co Kalona miałby tam lecieć, skoro od tysięcy lat rada się tam nie zbiera? — zapytałam.

— Chce przywrócić dawny porządek — przypomniał mi Stark. — Wciąż to powtarza.

— To w końcu Kalona jest w pałacu na San Clemente czy na Capri? — zapytałam skołowana.

— Według Twittera Kalona i Neferet rozmawiali z Najwyższą Radą parę godzin temu, więc raczej nie zdążyli stamtąd wyjechać — powiedział Jack.

— Ale jestem pewien, że bazę mają na Capri — rzekł Stark.

— W takim razie wygląda na to, że czeka nas wycieczka do Włoch — stwierdził Damien.

— Mam nadzieję, że macie ważne paszporty, wiochmeni — mruknęła Afrodyta.

ROZDZIAŁ DWUDZIESTY DZIEWIĄTY

Zoey

— Skończ z tymi złośliwościami, Afrodyto — skarciła ją Stevie Rae. — Wiesz, że wszyscy adepci wyrabiają sobie paszporty, jak tylko zostaną naznaczeni. To rodzaj młodzieńczej emancypacji.

— Całe szczęście, że ja mam paszport, chociaż nie jestem naznaczony — rzekł Heath.

Miałam ochotę wrzasnąć: „Ty nigdzie nie jedziesz, bo zaraz by cię zabili!", lecz nie chciałam mu robić obciachu, więc skoncentrowałam się na szczegółach operacji.

— Ktoś wie, jak mamy się dostać do Włoch?

— Mam nadzieję, że pierwszą klasą — mruknęła Afrodyta.

— To akurat jest najprostsze. Weźmiemy odrzutowiec Domu Nocy — powiedziała Lenobia. — A raczej weźmiecie. Ja dam wam upoważnienie, ale nie pojadę.

— Jak to? — Opadły mi ręce. Lenobia była tak mądra i tak poważana w wampirskim świecie, że nawet Szechina darzyła ją wielkim szacunkiem. Musiała z nami jechać! Jak miałam sobie dać radę bez niej?

— Nie może — powiedział Jack i wszyscy spojrzeli na niego zdumieni. — Musi zostać ze Smokiem i pilnować, żeby szkoła całkowicie nie przeszła na ciemną stronę, bo Kalona najwyraźniej wciąż na nią oddziałuje, choć fizycznie go tu nie ma.

Lenobia uśmiechnęła się do niego.

— Święta racja. W tej chwili nie mogę opuścić Domu Nocy. — Rozejrzała się po pokoju, patrząc na każdego po kolei, a w końcu zawieszając wzrok na mnie. — Potrafisz ich poprowadzić. Już to robiłaś. Po prostu rób to dalej.

„Ale przecież nie raz wszystko popsułam! I nawet nie wiem, czy mogę sobie zaufać, jeśli chodzi o Kalonę!" — miałam ochotę krzyknąć. Zamiast tego jednak odezwałam się spokojnie:

— Ktoś musi opowiedzieć Najwyższej Radzie prawdę o Neferet i Kalonie. A ja jestem zwykłą adeptką. Nikt nie będzie mnie słuchał.

— Nie, Zoey, jesteś naszą najwyższą kapłanką, pierwszą adeptką, która nią została, i wysłuchają cię, bo Nyks cię wspiera. Dla mnie to oczywiste, dla Szechiny też takie było, więc i dla nich będzie.

Ja osobiście nie byłam o tym przekonana, lecz wszyscy uśmiechali się do mnie tak pokrzepiająco, że aż mnie zemdliło. Zamiast jednak się porzygać albo rozpłakać, czego też byłam bliska, zapytałam rzeczowo:

— To kiedy ruszamy?

— Jak najszybciej — odparła Lenobia. — Nie mamy pojęcia, jakie szkody wyrządza w tej chwili Kalona. Pomyśl o katastrofie, którą tu wywołał w ciągu kilku zaledwie dni.

— Jest prawie świt. Musimy poczekać do kolejnego zachodu słońca — zauważył szorstkim z frustracji głosem Stark. — Teraz, gdy nawałnica ustała, chmury nie będą go przysłaniać, więc Stevie i ja usmażylibyśmy się w drodze do samolotu.

— Wyruszycie stąd po zmroku — rzekła Lenobia. — Do tego czasu spakujcie się, najedzcie i odpocznijcie. Ja załatwię resztę.

— Według mnie Zoey nie powinna przebywać na San Clemente — oznajmił Stark i spojrzał wyczekująco na Dariusa. — Nie sądzisz, że to zły pomysł, żeby znalazła się tam, gdzie tonęła w wizji Afrodyty?

— Stark — zaoponowałam — Afrodyta widziała też, jak kruk pozbawia mnie głowy tu, w Tulsie. Ale to się nie wydarzyło, bo przyjaciele przyszli mi z pomocą. To, gdzie ja jestem, nie jest tak ważne jak to, że wiem o niebezpieczeństwie i otaczam się ludźmi, którzy mnie chronią.

— Przecież ona widziała tam także mnie! A jeśli ja nie zdołam cię ochronić, to kto zdoła?

— Ja — powiedział Darius.

— Powietrze — dodał Damien.

— Ogień też potrafi komuś dopiec — stwierdziła Shaunee.

— Ja panuję nad wodą i niech mnie diabli, jeśli dam Zoey utonąć — zapewniła z urazą Erin.

— Ziemia zawsze będzie strzegła Zoey — powiedziała Stevie Rae, choć w jej wyrazistych oczach malował się jakiś smutek.

— Co do mnie, to jestem denerwująco ludzka, ale wciąż wredna — kontynuowała Afrodyta. — Jeśli ktoś zdoła wyprowadzić w pole Dariusa, ciebie i baranie stadko, pozostanę jeszcze ja.

— Dodaj do tej wampirsko-adepcko-ludzkiej mieszanki jeszcze jednego denerwującego człowieka — rzekł Heath.

— No widzisz? — zwróciłam się do Starka, mrugając szybko, by nie wypuścić spod powiek gromadzących się tam łez. — Nie wszystko na twojej głowie. Każdy dołoży swoją cegiełkę.

Zobaczyłam w jego oczach udrękę. Śmierć kapłanki, której ślubował się strzec, to największy koszmar wojownika, więc sama wzmianka o tym, że Afrodyta widziała go na miejscu zbrodni, a ja mimo to ginęłam, musiała nim wstrząsnąć.

— Wszystko będzie dobrze. Obiecuję — dodałam.

Skinął głową i odwrócił wzrok, jakby nie mógł patrzyć mi w oczy.

— W porządku. Bierzmy się do roboty. Pakujcie jak najmniej rzeczy. Nie będzie czasu na dźwiganie wielkich bagaży. Niech każdy zabierze tylko torbę na książki z artykułami pierwszej potrzeby — powiedziała Lenobia. Na widok pobladłej z przerażenia twarzy Afrodyty musiałam zamaskować śmiech kaszlem. — Spotkamy się w stołówce o zmierzchu.

— Ruszyła ku wyjściu, ale zatrzymała się w drzwiach. — Zoey, nie powinnaś spać sama. Postaraj się zrobić wszystko, by Kalona nie zdołał przeniknąć do twoich snów. Nie chcemy, żeby się domyślił, dokąd się wybierasz.

Z trudem przełknęłam ślinę, lecz skinęłam głową.

— Dobra.

— Bądźcie pozdrowieni.

— Bądź pozdrowiona — odparliśmy chórem wszyscy, nawet Heath.

Gdy Lenobia zamknęła za sobą drzwi, przez długą chwilę panowała całkowita cisza. Chyba byliśmy nieco oszołomieni i niezupełnie jeszcze do nas dotarło, że mamy jechać do Włoch, by stanąć przed Najwyższą Radą Nyks. A przynajmniej ja miałam przed nią stanąć. Niech to diabli. Miałam przemawiać do Najwyższej Rady! Pomyślałam, że gdy już tam dotrę, chyba raczej stanę przed tymi wszystkimi starymi potężnymi wampirkami i na ich oczach dostanę potwornej sraczki. Tak, to z pewnością zrobiłoby wrażenie na członkiniach rady. I z pewnością użyłyby na określenie mnie różnych słów oprócz „wyjątkowa".

W mój półhisteryczny umysłowy bełkot wdarło się pytanie Jacka.

— Co zrobimy z Cesarzową i kotami?

Spojrzałam na pomrukującą przy moim boku Nalę.

— Hm...

— Nie możemy ich zabrać — rzekł Stark. — Co to, to nie. — Po czym już bardziej w swoim stylu dodał: — Odkują się na nas, jak wrócimy. Zwłaszcza koty. One są pamiętliwe.

— Mnie to mówisz? — prychnęła Afrodyta. — Miałeś okazję poznać moją kotkę? A skoro o niej mowa, to zamierzam podczas jedzenia i pakowania urządzić jej małą lekcję wychowawczą. — Uśmiechnęła się nieśmiało do Dariusa. — Jeśli chcesz się przyłączyć, zapraszam.

— Mnie dwa razy nie trzeba mówić — odparł. — Bądź pozdrowiona, kapłanko — zwrócił się do mnie, po czym wziął ją za rękę i razem wyszli, by udać się do pokoju Afrodyty w celu znanym tylko im i bogini.

— Lepiej i my weźmy się do roboty — mruknął Damien.

— Nie do wiary: mam zabrać tylko j e d n ą torbę z rzeczami? To gdzie ja zmieszczę wszystkie swoje buty? — zapytał Jack.

— Sądzę, że mamy wziąć tylko jedną parę — podsunął usłużnie Heath.

Po chwili Jack opuszczał pokój w towarzystwie Damiena, nie przestając pojękiwać ze zgrozy.

Zostałam ze Starkiem, Heathem i Stevie Rae. Nim zrobiło się naprawdę niezręcznie, Stark mnie zaskoczył.

— Heath, chciałbyś dziś spać z Zoey?

— Stary, jeśli o mnie chodzi, to zawsze chciałbym z nią spać.

Szturchnęłam go w ramię, ale nie przestał się szczerzyć jak przygłup.

— A ty jakie masz plany? — zapytałam Starka.

Unikał mojego wzroku.

— Chcę przed świtem zrobić obchód terenu. Sprawdzę, czy Lenobia nie potrzebuje pomocy przy organizacji. Potem pójdę coś zjeść.

— A gdzie będziesz spał?

— W ciemnościach. — Odwrócił się do mnie i skłonił ceremonialnie, przykładając pięść do serca. — Bądź pozdrowiona, pani.

Nim zdążyłam cokolwiek odpowiedzieć, już go nie było.

Milczałam zdumiona.

— Spanikował z powodu tej wizji Afrodyty — odezwała się Stevie Rae, wstając z mojego łóżka i grzebiąc w szufladach, które należały do niej, nim umarła, a potem zmartwychwstała. Cieszyłam się, że Neferet i reszta wampirów oddali mi część jej rzeczy, dzięki czemu teraz miała w czym szperać.

— Nie przejmuj się Starkiem, Zo — powiedział Heath. — Jest wściekły na siebie, a nie na ciebie.

— Doceniam fakt, że chcesz mnie pocieszyć, ale dziwnie się słucha, jak bierzesz jego stronę.

— Biorę twoją stronę, kochanie! — Dał mi kuksańca, po czym bezceremonialnie się przeciągnął, a na koniec otoczył mnie ramieniem.

— Słuchaj, Heath, wyświadczysz mi przysługę? — zapytała Stevie Rae.

— Jasne!

— Mógłbyś zejść do kuchni i przynieść nam coś do jedzenia? Trzeba przejść przez świetlicę i skręcić w prawo. W lodówkach zawsze są jakieś kanapki. Możesz też poszukać czipsów, choć prawdopodobnie znajdziesz co najwyżej precelki i te niby-zdrowe pieczone chrupki.

— A fe! — jęknęliśmy oboje.

— Dasz radę?

— Jasne, Stevie Rae, nie ma sprawy. — Heath objął mnie i ucałował niezdarnie w czoło, po czym podniósł się z łóżka. W drzwiach uśmiechnął się do Stevie. — Jak jeszcze kiedyś będziesz chciała pogadać z Zo na osobności, wystarczy powiedzieć. Jestem człowiekiem i do tego piłkarzem, ale nie aż tak głupim.

— Będę o tym pamiętać — zapewniła go.

Heath mrugnął do mnie i wyszedł.

— Matko, ile on ma energii! — powiedziałam.

— Zo — oznajmiła bez wstępów Stevie — nie mogę lecieć z wami do Włoch.

— Co? Musisz! Jesteś ziemią! Potrzebny mi pełen krąg!

— Tworzyłaś go już beze mnie. Afrodyta mnie zastąpi, jeśli jej pomożesz.

— Nie może być ziemią. Żywioł ją odrzuca — odparłam.

— Ale już wcześniej użyczyłaś jej ducha i udało się. Możesz to zrobić jeszcze raz.

— Stevie Rae, jesteś mi potrzebna.

Spuściła głowę. Wyglądała na zdruzgotaną.

— Proszę, nie mów tak. Muszę zostać. Nie mam wyjścia. Czerwoni adepci potrzebują mnie jeszcze bardziej niż ty.

— Wcale nie — powiedziałam szczerze. — Są w szkole pod opieką mnóstwa dorosłych wampirów. Nawet jeśli te wampiry zachowują się dziwnie, sama ich obecność wystarczy, by twoi podopieczni nie odrzucili Przemiany.

— Nie tylko o to chodzi. I nie tylko o nich.

— O, nie! Stevie, ty chyba nie myślisz wciąż o tych złych adeptach?

— Jestem ich najwyższą kapłanką — rzekła cicho, błagając mnie wzrokiem o zrozumienie. — Odpowiadam za nich. Zanim będziesz musiała tam pójść i zrobić im coś strasznego, jeszcze raz spróbuję do nich dotrzeć i obudzić w nich człowieczeństwo.

— Stevie...

— Zoey, wysłuchaj mnie! To kwestia wyboru. Ja dokonałam właściwego. Stark też. Wszyscy tu obecni są na dobrej drodze, choć kiedyś byli źli. Sama mówiłaś, że kiedyś byliśmy straszni, ale nasz wybór to zmienił. Nie umiem przestać wierzyć, że tamci też mogą wybrać dobro. Pozwól mi spróbować.

— Sama nie wiem... A jeśli cię skrzywdzą?

Zaśmiała się, potrząsając jasnymi loczkami.

— Daj spokój, Zo! Nie mogą mnie skrzywdzić. Są we wnętrzu ziemi! Jeśli spróbują mi coś zrobić, wezwę swój żywioł, żeby im skopał tyłki, i oni o tym wiedzą.

— Może śmierć była im pisana i dlatego nie potrafią odzyskać człowieczeństwa — powiedziałam cicho.

— Nie potrafię w to uwierzyć. Przynajmniej na razie. — Podeszła do swojego dawnego łóżka i usiadła naprzeciwko mnie jak kiedyś, nim świat wokół nas oszalał. — Chciałabym z wami polecieć. Naprawdę. Do licha, Zo, jesteś w większym niebezpieczeństwie niż ja! Ale muszę zrobić co do mnie należy, czyli spróbować dotrzeć do tych adeptów i dać im jeszcze jedną szansę. Rozumiesz to?

— Jasne, rozumiem. Tyle że naprawdę mi cię brakowało i żałuję, że nie będziesz mi towarzyszyć.

Łzy napłynęły jej do oczu.

— Mnie też ciebie brakowało, Zo. I strasznie mi przykro, że coś przed tobą ukrywałam. Po prostu potwornie się bałam, że nie zrozumiesz.

— Wiem, jak to jest, gdy ma się tajemnice. Okropne uczucie.

— Mało powiedziane. Wciąż się przyjaźnimy, no nie?

— Pewnie — odparłam. — Zawsze będziemy najlepszymi przyjaciółkami.

Z szerokim uśmiechem rzuciła się w moje ramiona i przytuliłyśmy się tak mocno, że zbudziłyśmy Nalę, która natychmiast zaczęła zrzędzić jak marudna matka.

Akurat w tym momencie do pokoju wpadł Heath z rękoma pełnymi jedzenia. Zatrzymał się w progu i wbił w nas wzrok.

— O rany, jestem w niebie! Dziewczyny robią akcję!

— Co za kicz — mruknęłam.

— Heath, jesteś równie obrzydliwy jak śmierdząca padlina w środku gorącego lata — stwierdziła Stevie.

— Fakt — przytaknęłam. — Ohyda.

— Takiego faceta sobie wybrałaś.

— Ale przyniosłem żarcie — podlizywał się Heath.

— Dobra — oznajmiłam wspaniałomyślnie. — Wybaczamy ci.

— Nawiasem mówiąc, informuję cię, że śpię dzisiaj tu, w swoim dawnym łóżku, i nie mam zamiaru przysłuchiwać się żadnym miłosnym scenkom. — Stevie zwracała się do Heatha, lecz to ja jej odpowiedziałam.

— Mam tylko jedno do powiedzenia na temat dziewczyn, które obściskują się z facetami w łóżku, gdy w pokoju są inne dziewczyny: beznadzieja. Innymi słowy, nie musisz się martwić o to, co się będzie działo tutaj. — Wskazałam swoje łóżko. — Heath będzie grzeczny, bo rozmawialiśmy już o tym, że nasz związek opiera się na czymś więcej niż tylko seks. Prawda, Heath?

Obie przeszyłyśmy go wzrokiem.

— Tak. Smutna i tragiczna, ale jednak prawda — przyznał niechętnie.

— Świetnie. W takim razie najedzmy się, a potem pomogę Zo się spakować i wreszcie będziemy mogli się trochę zdrzemnąć — powiedziała Stevie.

Zasypiałam już, wtulona wygodnie w znajome silne ramiona Heatha, gdy nagle do mnie dotarło: on nie może z nami lecieć!

— Heath — szepnęłam — musimy pogadać!

— Zmieniłaś zdanie w sprawie obściskiwania? — odszepnął.

Szturchnęłam go łokciem.

— Co jest? — zapytał.

— Nie wściekaj się, ale naprawdę nie możesz ze mną lecieć do Włoch.

— Jaja sobie robisz.

— Twoi rodzice w życiu nie pozwolą, żebyś opuścił tyle dni w szkole.

— Przecież są ferie zimowe.

— Nie. Była przerwa spowodowana nawałnicą, a teraz pogoda się poprawia. Jutro albo pojutrze otworzą szkoły.

— No to nadrobię wszystko po powrocie.

Zmieniłam taktykę.

— Musisz tu zostać i zadbać o to, żeby mieć jak najlepsze stopnie. To ostatni semestr przed college'em. Jeżeli teraz nawalisz, nie dostaniesz stypendium.

— Daj spokój. Zapomniałaś, że Broken Arrow ma platformę internetową?

— Jak mogłabym zapomnieć o czymś tak denerwującym jak to, że starzy mogą w dowolnej chwili zaglądać do moich ocen i zadań domowych? — Potem zamknęłam usta, uświadomiwszy sobie sens jego słów.

— No właśnie, już rozumiesz? Mogę odrabiać zadania w sieci. Będę na bieżąco. Możesz mi nawet pomagać albo jeszcze lepiej: Damien może mi pomagać. Bez urazy, Zo, ale chyba jest lepszym uczniem niż ty.

— Pewnie, że tak, choć to teraz nieistotne. Starzy w życiu cię nie puszczą.

— Nie mogą mi zabronić. Mam osiemnaście lat.

— Przestań, Heath. I tak już fatalnie się czuję na myśl o tym całym bałaganie, którego narobiłam w twoim życiu. Nie chcę, żebyś przeze mnie zawalił ostatni semestr, dostał szlaban aż do wyjazdu na studia i narażał życie.

— Już ci mówiłem, że potrafię sam o siebie zadbać — odparł.

— Dobrze. W takim razie pójdźmy na kompromis. Zadzwoń do rodziców, kiedy wstaniemy, i zapytaj, czy możesz jechać ze mną do Włoch. Jeśli się zgodzą, to proszę bardzo. Jeśli nie, zostajesz w Tulsie i idziesz grzecznie do szkoły.

— A muszę im opowiadać o Kalonie i tak dalej?

— Hm... chyba niezbyt mądrze byłoby informować całe społeczeństwo o tym, że upadły nieśmiertelny i oszalała najwyższa kapłanka chcą zawładnąć światem. Nie, o tym nie musisz im opowiadać.

Zawahał się.

— Dobra — rzekł w końcu. — Spróbuję.

— Słowo?

— Słowo.

— To świetnie, bo zamierzam się przysłuchiwać całej rozmowie, więc nie będziesz miał okazji na żadne spietruszone sztuczki.

— Zo, wiesz, że nie ma słowa „spietruszone".

— U mnie jest. A teraz śpij, Heath.

Przygarnął mnie mocniej.

— Uwielbiam cię, Zo.

— A ja ciebie.

— Będę cię chronił.

Zasnęłam w jego ramionach z uśmiechem na ustach. Nim odpłynęłam, zdążyłam pomyśleć, że mój partner sprawia wrażenie naprawdę silnego i że muszę go pochwalić za to, jak dba o swoje ciało.

Następna myśl nie pochodziła już ze świata jawy i nie była ani trochę pokrzepiająca. „Cholera jasna, co ja znowu robię na dachu tego zamku?"

ROZDZIAŁ TRZYDZIESTY

Zoey

Bez najmniejszych wątpliwości był to ten sam dach tego samego zamku. Drzewka pomarańczowe uginały się pod ciężarem pachnących na chłodnym wietrzyku dojrzałych owoców. Pośrodku znajdowała się ta sama fontanna, którą widziałam już wcześniej, w kształcie nagiej kobiety ze spływającą z uniesionych rąk wodą. Dopiero teraz jednak zrozumiałam, dlaczego wydała mi się znajoma: była podobna do Nyks, a przynajmniej do jednej z jej podobizn. Później przypomniałam sobie także, że to miejsce jest pierwotną siedzibą Najwyższej Rady, więc obecność przedstawiającej boginię fontanny nie powinna nikogo dziwić. Miałam ochotę usiąść przy niej i wdychać głęboko zapach cytrusów oraz morskiej wody. Nie chciałam odwracać się w kierunku, który podpowiadała mi intuicja, i widzieć osoby, którą spodziewałam się tam zobaczyć. Ale byłam jak kula śnieżna tocząca się w dół zbocza — nie miałam kontroli nad schodzącą lawiną. Odwróciłam się więc tam, gdzie wiodła mnie własna dusza.

Kalona klęczał na skraju otoczonego blankami dachu, zwrócony do mnie plecami. Był ubrany, a raczej nieubrany, tak samo jak poprzednim razem: miał na sobie jedynie dżinsy. Czarne skrzydła były rozpostarte, zasłaniając niemal całe ciało z wyjątkiem opalonych ramion. Głowę miał pochyloną i nie wydawał się świadom mojej obecności. Nogi same poprowadziły mnie ku niemu. Gdy byłam już blisko, zorientowałam się, że klęczy w miejscu, z którego wcześniej się rzuciłam.

Potem Kalona napiął ramiona, zaszeleścił skrzydłami, wreszcie uniósł głowę i obejrzał się przez ramię. Płakał. Łzy rysowały na jego twarzy mokre pasemka. Wyglądał na zdruzgotanego, doszczętnie pokonanego. Ledwie jednak mnie dostrzegł, przeszedł niewiarygodną przemianę: wyraz bezbrzeżnego szczęścia, który zagościł na jego twarzy, uczynił ją tak piękną, że dosłownie zaparło mi dech. Kalona wstał i z okrzykiem radości ruszył w moją stronę.

Myślałam, że weźmie mnie w ramiona, ale on w ostatniej chwili się zatrzymał i tylko uniósł rękę, jakby chciał mnie pogłaskać po policzku, zatrzymał palce o cal od mojej skóry, zawahał się, po czym opuścił dłoń.

— Wróciłaś.

— Sny to nie rzeczywistość. Nie zginęłam — odparłam, choć trudno mi było wydobyć z siebie głos.

— Królestwo snów jest częścią Zaświatów. Nigdy nie lekceważ potęgi tego, co się w nim dzieje. — Otarł twarz grzbietem dłoni i ku mojemu zaskoczeniu parsknął wstydliwie śmiechem. — Pewnie się wygłupiłem. Oczywiście wiedziałem, że nie zginęłaś, ale mimo wszystko to wyglądało tak realistycznie i tak potwornie znajomo...

Wpatrywałam się w niego, nie wiedząc, co powiedzieć — jak zareagować na tę wersję Kalony, wersję wyglądającą i zachowującą się raczej jak anioł niż jak demon. Przypominał mi nieśmiertelnego, który z własnej woli poddał się A-yi i pozwolił uwięzić w jej objęciach, tak bezbronny, że wciąż nie mogłam przestać o tym myśleć. Kontrast pomiędzy jego teraźniejszym zachowaniem a tym z poprzedniego snu, w którym Kalona był w bardzo uwodzicielskim nastroju, obmacywał mnie i tak dalej, zupełnie mnie skołował.

Zmrużyłam oczy.

— Możesz mi wytłumaczyć, jakim sposobem znowu się tu znalazłam? Nie śpię sama. I mówiąc to, nie mam na myśli towarzystwa koleżanek. Śpię z ludzkim chłopakiem, z którym jestem skojarzona. Łączy nas zdecydowanie więcej niż przyjaźń. Nie powinieneś być w stanie tu przeniknąć. — Wskazałam swoją głowę.

— Nie jestem w twojej głowie. Nigdy nie przywoływałaś mnie do swoich snów. To ja przywoływałem do siebie twoją esencję. Wdzierałem się bez zaproszenia.

— Wcześniej mówiłeś co innego.

— Kłamałem. Teraz mówię prawdę.

— Dlaczego?

— Z tego samego powodu, z którego zdołałem cię tu dzisiaj ściągnąć, choć śpisz w ramionach innego. Bo po raz pierwszy mam uczciwe zamiary. Nie zamierzam tobą manipulować. Będę mówił wyłącznie prawdę.

— Jak możesz oczekiwać, że w to uwierzę?

— Prawda pozostaje prawdą niezależnie od tego, czy w nią wierzysz czy nie. Jesteś tu, Zoey, choć nie powinno cię tu być. Czy to nie jest wystarczający dowód?

Przygryzłam wargę.

— Nie wiem. Nie znam panujących tu zasad.

— Ale znasz potęgę prawdy. Pokazałaś mi to podczas swojej poprzedniej wizyty. Czy nie możesz sięgnąć do tej wiedzy, by zweryfikować moje słowa?

Dzięki Damienowi wiedziałam, że „zweryfikować" znaczy „sprawdzić prawdziwość", więc stałam tam z przygryzioną wargą i głupią miną nie dlatego, że nie wiedziałam, o co chodzi mojemu rozmówcy, tylko dlatego, że nie wiedziałam, co odpowiedzieć. Byłam kompletnie oszołomiona jego zachowaniem. W końcu otworzyłam usta, żeby mu powiedzieć, że niestety nie mogę zweryfikować jego słów w oparciu o moc prawdy, kiedy nie mam nawet pojęcia, w jakiej sprawie mógłby kłamać. On jednak uniósł rękę, nakazując mi milczenie.

— Kiedyś mnie zapytałaś, czy zawsze byłem taki jak teraz, a ja odpowiedziałem unikami i kłamstwami. Dziś chciałbym pokazać ci prawdę. Pozwolisz mi na to, Zoey?

Znowu powiedział do mnie „Zoey"! Ani razu nie nazwał mnie A-yą, tak jak kiedyś. I ani razu mnie nie dotknął!

— N...nie wiem — wyjąkałam głupio i zrobiłam pół kroku do tyłu, oczekując, że lada chwila dobry Kalona zniknie, a w jego miejsce pojawi się zły uwodzicielski nieśmiertelny.

— A jak chcesz mi ją pokazać?

Jego piękne bursztynowe oczy pociemniały ze smutku. Pokręcił głową.

— Nie, Zoey. Nie musisz się obawiać, że będę próbował cię uwieść. Gdybym się do tego uciekł, sen by się rozpadł i zbudziłabyś się w ramionach innego mężczyzny. Żeby zobaczyć to, co chcę ci pokazać, musisz jedynie wziąć mnie za rękę. — Wyciągnął do mnie silną zwyczajną dłoń.

Zawahałam się.

— Przysięgam, że moja skóra nie porazi cię zimnym żarem pożądania, które we mnie wzbudzasz. Wiem, że nie masz powodu, by mi ufać, więc proszę cię jedynie, byś zaufała prawdzie. Dotknij mnie, a zobaczysz, że nie kłamię.

„To tylko sen — pomyślałam. — To całe gadanie o Zaświatach to jakieś bzdury. Sen to sen. Nie jest rzeczywisty". Prawda była jednak prawdą zarówno we śnie, jak i na jawie. Prawdziwa była moja chęć ujęcia Kalony za rękę i sprawdzenia, co takiego chce mi pokazać.

Podałam mu dłoń.

Mówił prawdę. Po raz pierwszy jego skóra nie poraziła mnie zimną namiętnością i mocą, której nie chciałam zaakceptować, nawet jeśli nie potrafiłam jej całkowicie odrzucić.

— Chcę ci pokazać swoją przeszłość. — Machnął wolną ręką przed naszymi oczami, jakby czyścił niewidoczną szybę. Raz, drugi, trzeci. Powietrze zafalowało i z okropnym rozdzierającym odgłosem coś się otworzyło, jakby Kalona oddarł i odsłonił kawałek sennego świata. — Pokaż prawdę!

Na jego rozkaz odsłonięty fragment zadrżał, po czym jakby ktoś nagle włączył duży płaskoekranowy telewizor, zaczęłam oglądać fragmenty przeszłości Kalony.

Pierwsza scena była tak cudna, że aż zaparło mi dech. Zobaczyłam Kalonę, jak zwykle półnagiego, ale tym razem trzymającego w ręku długi, groźnie wyglądający miecz, a w pochwie na plecach drugi. Miał śnieżnobiałe skrzydła! Stał przed okazałą bramą marmurowej świątyni, niebezpieczny i szlachetny niczym prawdziwy wojownik. Zaraz jednak jego surowe spojrzenie złagodniało. Po schodach świątyni zeszła kobieta, a on uśmiechnął się do niej z wyraźnym uwielbieniem.

Witaj, Kalono, mój wojowniku...

Z przeszłości dobiegło mnie niezwykłe echo jej głosu. Krzyknęłam zdziwiona. Nie musiałam patrzeć na twarz, by rozpoznać boginię.

— Nyks! — zawołałam.

— Owszem — przyznał Kalona. — Byłem zaprzysiężonym wojownikiem Nyks.

Jego odpowiednik z wizji wszedł za boginią do świątyni. Potem sceneria się zmieniła i nagle walczył oboma mieczami z czymś, czego nie potrafiłam zidentyfikować — z czymś czarnym i co rusz zmieniającym kształt. Raz był to ogromny wąż, chwilę później otwarte usta pełne połyskujących zębisk, to znów obrzydliwa pajątkowata kreatura ze szponami i kłami.

— Co to?

— Jedna z twarzy zła — odparł Kalona powoli, jakby wypowiedzenie tych słów przychodziło mu z najwyższym trudem.

— Ale przecież byłeś w królestwie Nyks! Jak ono mogło się tam wedrzeć?

— Zło jest wszędzie, podobnie jak dobro. Tak został skonstruowany ten świat i Zaświaty. Potrzebna jest równowaga, nawet w krainie Nyks.

— I dlatego potrzebowała wojownika? — zapytałam, patrząc, jak sceneria znów się zmienia i połyskujący białymi skrzydłami Kalona idzie za boginią przez bujną łąkę, nieustannie rozglądając się wokół, jakby wypatrywał niebezpieczeństwa. Jeden z mieczy trzymał w ręku gotowy do użycia. Drugi tkwił w pochwie.

— Tak — rzekł nieśmiertelny. — Dlatego potrzebuje wojownika.

— Potrzebuje. — Zastanawiając się, dlaczego użył tej formy, z wysiłkiem odwróciłam wzrok od scen z jego przeszłości i spojrzałam na niego. — Skoro wciąż go potrzebuje, dlaczego jesteś tu, a nie przy niej?

Zacisnął zęby. Jego oczy wyrażały ból.

— Spójrz tu — rzekł łamiącym się głosem — a ujrzysz prawdę.

Znów skupiłam wzrok na zmieniających się scenach i zobaczyłam stojącą Nyks oraz klęczącego przed nią Kalonę. Tak jak wtedy gdy pojawiłam się we śnie, nieśmiertelny płakał. Stojące przed nim wcielenie Nyks tak bardzo przypominało Matkę Boską z groty benedyktynek, że aż się wzdrygnęłam. Z czasem jednak zaczęłam dostrzegać, że z boginią jest coś nie tak. W odróżnieniu od harmonijnego pięknego oblicza Maryi twarz naszej bogini była sroga i choć to dziwne, bardziej przypominała kamień niż tamta rzeźba.

— *Pani, proszę, nie rób tego!* — dotarł do mnie błagalny głos Kalony.

— *Ja nic nie robię, Kalono. Masz wybór. Nawet swoim wojownikom daję wolną wolę, choć nie zmuszam ich, by rozsądnie z niej korzystali.*

Byłam zdumiona zimnym brzmieniem głosu Nyks. Przez chwilę przypominała mi dawną Afrodytę.

— *Nie potrafię się przed tym obronić. Zostałem stworzony, by to czuć. To nie jest wolna wola, lecz przeznaczenie.*

— *Jako twoja bogini zapewniam cię, że to co czujesz, nie jest dziełem przeznaczenia, tylko twojej woli.*

— *Nie potrafię się pozbyć tych uczuć! Nie potrafię zmienić tego, kim jestem!*

— *Mylisz się, mój wojowniku. Musisz więc ponieść konsekwencje swego błędu.*

Uniosła kształtną rękę i pstryknęła palcami w kierunku Kalony. Jakaś siła uniosła go z kolan i odrzuciła do tyłu.

Spadał bezwładnie.

Patrzyłam, jak krzyczy i wije się w udręce, opadając w nieskończoność. Gdy w końcu wylądował, połamany i pokrwawiony, na bujnej łące przywodzącej na myśl prerię, jego skrzydła nie były już białe, lecz kruczoczarne jak teraz.

Z okrzykiem bólu Kalona uniósł rękę i wymazał wizję przeszłości. Gdy powietrze wokół nas zafalowało i znów stało się ogrodem położonym na zamkowej wieży, nieśmiertelny puścił moją dłoń i oddalił się, by usiąść na ławce pod drzewkiem pomarańczowym. Milczał wpatrzony w migoczący błękit Morza Śródziemnego.

Poszłam za nim, ale nie usiadłam. Stałam przed Kaloną, przyglądając mu się, jakbym naprawdę potrafiła go przejrzeć na wylot.

— Dlaczego cię strąciła? Co zrobiłeś?

Spojrzał mi w oczy.

— Zbyt mocno ją kochałem — rzekł tak beznamiętnie, że jego słowa zabrzmiały, jakby wypowiedział je duch.

— Jak można zbyt mocno kochać boginię? — zapytałam odruchowo i w tym samym momencie wszystko zrozumiałam. Sama doskonale wiedziałam, że istnieją różne rodzaje miłości. Najwyraźniej miłość Kalony do Nyks była niewłaściwa.

— Byłem zazdrosny. Znienawidziłem Ereba.

Zamrugałam zdumiona. Ereb był małżonkiem i odwiecznym ukochanym Nyks.

— Moja miłość sprawiła, że złamałem śluby. Przez tę obsesję na jej punkcie nie potrafiłem jej chronić. Zawiodłem jako wojownik.

— To straszne — powiedziałam, myśląc o Starku. Dopiero od kilku dni był moim wojownikiem, ale już wiedziałam, że gdyby nie udało mu się mnie ochronić, odczułby to jako utratę części własnej duszy. A jak długo Kalona służył Nyks? Stulecia? Jak długi fragment wieczności?

Z niedowierzaniem uświadomiłam sobie, że mu współczuję, i natychmiast się za to skarciłam. Owszem, miał złamane serce i został wygnany z królestwa Nyks, lecz potem upodobnił się do zła, z którym wcześniej walczył.

Skinął głową, jakby słyszał moje myśli.

— Robiłem straszne rzeczy — rzekł. — I wciąż je robię. Upadek mnie zmienił. Bardzo długo nie czułem nic. Szukałem i szukałem, rozpaczliwie pragnąc znaleźć coś, co zaleczy krwawą ranę zadaną mi w serce przez Nyks. Coś, a właściwie kogoś. Gdy wreszcie ją znalazłem, nie wiedziałem, że nie jest prawdziwa, że jest tylko złudzeniem stworzonym po to, by mnie uwięzić. Z własnej woli rzuciłem się w jej ramiona. Wiesz, że kiedy zaczęła się z powrotem zmieniać w glinę, z której ją zrobiono, płakała?

Wzdrygnęłam się. Wiedziałam, o czym mówi Kalona. Przeżyłam to razem z A-yą.

— Tak — wychrypiałam. — Pamiętam.

Zrobił wielkie oczy.

— Pamiętasz? Masz jej wspomnienia?

Nie chciałam się przyznawać, jak wiele łączy mnie z A-yą, lecz wiedziałam, że nie mogę skłamać. Ulepiłam więc malutki kawałek prawdy i podałam mu go w krótkich, lakonicznych słowach.

— Tylko jedno. Jak się rozpuszczam. I pamiętam jej łzy.

— Cieszę się, że pamiętasz tylko to, bo jej duch bardzo długo pozostawał ze mną uwięziony w ciemności. Nie mogłem jej dotknąć, ale czułem, że wciąż tam jest. Myślę, że tylko dzięki temu nie postradałem zmysłów.

Zadrżał cały i uniósł ręce, jakby chciał odepchnąć od siebie to wspomnienie. Potem długo milczał. Myślałam, że skończył już z odsłanianiem przeszłości, i próbowałam się przedrzeć przez własny szok i niedowierzanie, by go o coś spytać, kiedy znów się odezwał:

— Później zniknęła. Wtedy zacząłem wołać. Szeptałem, że chcę się oswobodzić, i w końcu świat mnie usłyszał.

— To znaczy Neferet?

— Owszem, Tsi Sgili była jedną z osób, które odpowiedziały na mój zew, ale nie jedyną.

Potrząsnęłam głową.

— Nie ty wezwałeś mnie do Domu Nocy. Nyks mnie naznaczyła. Dlatego się tam znalazłam.

— Czyżby? Muszę mówić prawdę, bo inaczej nasz sen się rozpłynie, więc nie będę próbował cię przekonać poprzez udawanie, że wiem coś, czego w rzeczywistości nie wiem. Powiem jedynie, w co wierzę, a wierzę, że i ty mnie usłyszałaś. A przynajmniej ta część ciebie, która kiedyś była A-yą, usłyszała i rozpoznała mój głos. — Zawahał się, po czym dodał: — Być może ręka Nyks kierowała twoim odrodzeniem. Może to bogini cię przysłała, żebyś...

— Nie! — Nie mogłam tego dłużej słuchać. Serce waliło mi tak mocno, że omal nie wyskoczyło z piersi. — Nyks nie przysłała mnie do ciebie, a ja nie jestem A-yą. Co z tego, że udzieliło mi się jakieś jej wspomnienie? W tym życiu jestem p r a w d z i w ą dziewczyną z wolną wolą i własnym rozumem.

Jego oczy znów złagodniały. Uśmiechnął się do mnie czule.

— Wiem, Zoey. Właśnie dlatego tak się plączę w swoich uczuciach do ciebie. Zbudziłem się z podziemnego snu, pragnąc dziewczyny, która mnie uwięziła, a zamiast niej znalazłem młodą kobietę, która ma wolną wolę i walczy ze mną.

— Dlaczego to robisz? Dlaczego tak mówisz? Udajesz kogoś, kim nie jesteś! — krzyknęłam z nadzieją, że pomoże mi to zabić straszne i cudne zarazem uczucie, które wzbudzały we mnie jego słowa.

— To się stało, gdy spadłaś. Przypomniałem sobie, jak sam spadałem. Znów miałem złamane serce. Nie mogłem tego znieść. Przysiągłem sobie, że jeśli jeszcze raz zdołam cię do siebie sprowadzić, pokażę ci prawdę.

— Jeśli to rzeczywiście prawda, to musisz wiedzieć, że stałeś się złem, z którym kiedyś walczyłeś.

Odwrócił ode mnie wzrok, ale nim to zrobił, zdążyłam dostrzec w jego oczach wstyd.

— Wiem.

— Ja wybrałam inną drogę. Nie mogę pokochać zła. Chciałeś prawdy, to ją masz — odrzekłam.

Natychmiast na mnie spojrzał.

— A jeśli odrzucę zło?

Jego pytanie całkowicie mnie zaskoczyło, więc odruchowo wypaliłam:

— Nie możesz go odrzucić, póki jesteś z Neferet.

— A jeśli nie będę? Jeśli się okaże, że będąc z tobą, mogę wybrać dobro?

— Niemożliwe. — Pokręciłam kilkakrotnie głową.

— Dlaczego tak twierdzisz? To już się zdarzało. Dobrze o tym wiesz, bo sama się przyczyniłaś do właściwego wyboru. Przykładem niech będzie twój wojownik.

— Nie. Ta wersja ciebie nie jest prawdziwa. Nie jesteś Starkiem. Jesteś upadłym nieśmiertelnym, kochankiem Neferet. Gwałciłeś kobiety, niewoliłeś i zabijałeś ludzi. Twoi synowie omal nie uśmiercili mojej babci. Jeden z nich zabił profesor Anastasię! — Chwytałam się wszystkich możliwych oskarżeń, jakimi mogłam go obrzucić. — Przez ciebie adepci i nauczyciele z Domu Nocy zaczęli się odwracać od Nyks. Wciąż nie wrócili na właściwą drogę. Niezależnie od tego, czy to ich wybór czy też nie, są przepełnieni strachem, nienawiścią i zazdrością tak jak kiedyś ty!

Zachowywał się, jakby nie słyszał mojego krzyku.

— Uratowałaś Starka — rzekł po prostu. — Czy nie możesz uratować także mnie?

— Nie!!! — wrzasnęłam.

I usiadłam na łóżku.

— Zo, już wszystko dobrze. Jestem tu. — Heath jedną ręką wycierał mi oczy, a drugą gładził po plecach.

— O bogini!... — jęknęłam, wypuszczając długi drżący oddech.

— Co się stało? Zły sen?

— Tak. Dziwaczny i zły. — Zerknęłam na sąsiednie łóżko. Stevie leżała bez ruchu ze skuloną przy ramieniu Nalą, która bezczelnie na mnie kichnęła. — Zdrajczyni — mruknęłam, starając się, by mój głos brzmiał normalnie.

— Śpijmy. W końcu się przyzwyczaiłem do tej zamiany dnia z nocą i nie chcę wychodzić z wprawy — rzekł Heath, rozkładając ręce, bym mogła wrócić w jego objęcia.

— Dobra. Przepraszam. — Skuliłam się tak, że moja pozycja nieprzyjemnie przypominała pozycję embrionalną.

— Śpijmy — powtórzył z szerokim ziewnięciem Heath. — Wszystko w porządku.

Długo leżałam z otwartymi oczami, bardzo pragnąc, żeby to była prawda.

ROZDZIAŁ TRZYDZIESTY PIERWSZY

Zoey

Kiedy się zbudziłam o zmierzchu, nie mogłam znieść myśli o Kalonie i niedawnym śnie, więc szturchnęłam Heatha.

— Hej, czas zadzwonić do twoich starych i usłyszeć, że masz natychmiast wracać do domu.

— Nic ci nie jest, Zo? — zapytała Stevie, gdy już się umyłyśmy i spakowałyśmy do torby szkolnej trochę moich rzeczy. Dopiero wtedy sobie uświadomiłam, że odkąd wstałam, nie wypowiedziałam nawet dwóch słów, a na pytania jej i Heatha odpowiadałam monosylabami.

— Nie, nic. Po prostu będę tęsknić za Heathem — skłamałam. No, właściwie nie skłamałam, ale nie powiedziałam prawdy o tym, dlaczego milczę.

Milczałam z powodu Kalony. Bałam się, że jeśli zacznę gadać, rozkręcę się i opowiem Stevie cały sen, a nie chciałam tego robić w obecności Heatha. Zresztą nie, nie tylko to. W ogóle nie chciałam nikomu mówić o nowej wersji Kalony, która mi się ukazała.

Nie chciałam usłyszeć, że to wszystko jest jedną wielką ściemą.

Heath wziął mnie w objęcia tak niespodziewanie, że aż podskoczyłam.

— To cudownie z twojej strony, Zo — powiedział, nie mając pojęcia o moim okropnym oszustwie — ale nie będziesz musiała za mną tęsknić. Mam dobre przeczucia co do tego telefonu.

Pokręciłam głową.

— Matka w życiu ci nie pozwoli lecieć ze mną do Włoch.

— Z tobą może nie. Z twoją szkołą to inna sprawa.

Nim zdążyłam odpowiedzieć, wystukał coś na telefonie.

— Cześć, mamo — rzekł po chwili. — Tak, wszystko dobrze. Tak, cały czas jestem z Zoey. — Milczał chwilę, po czym spojrzał na mnie. — Pozdrowienia od mamy.

— Pozdrów ją też. — Po czym szepnęłam: — Przejdź do rzeczy!

Skinął głową.

— Słuchaj, mamo, skoro mówimy o Zo, to ona i część uczniów Domu Nocy lecą do Włoch, a konkretnie do Wenecji, na jakąś wyspę San Cle... coś tam. Tam gdzie się spotyka Najwyższa Rada Wampirów. Mogę się zabrać z nimi?

Słyszałam, jak jego mama podnosi głos, i musiałam powstrzymać uśmiech. Wiedziałam, że dostanie szału.

Nie wiedziałam jednak o karcie, którą Heath trzymał w rękawie.

— Daj spokój, mamo, przecież to nic takiego. Pamiętasz, jak w zeszłym roku chciałem pojechać na tę wycieczkę z nauczycielką hiszpańskiego, ale nie mogłem, bo zaczynały się treningi? — Kiwał głową, słuchając odpowiedzi. — Tak, to coś w tym stylu. Też ze szkoły. Trwa osiem dni, tak samo jak tamta wycieczka. I założę się, że będę miał okazję poćwiczyć hiszpański, bo włoski jest dość podobny. — Znowu zamilkł. — Dobra. Świetnie.

— Mówi, że musi spytać tatę — szepnął, zasłaniając ręką telefon.

Potem usłyszałam po drugiej stronie męski głos.

— Cześć, tato — powiedział Heath. — Tak, wszystko w porządku. — Przez chwilę słuchał ojca. — Tak, mniej więcej — kontynuował. — To szkolny wyjazd. Mogę odrabiać lekcje przez internet. — Uśmiechnął się. — Serio? Odwołali zajęcia z całego tygodnia przez problemy z prądem? — Zatrzepotał powiekami pod moim adresem. — No to świetny moment na wycieczkę! Tato, lecimy prywatnym odrzutowcem Domu Nocy i będziemy mieszkać na wampirskiej wyspie, więc nie muszę nic płacić.

Zgrzytnęłam zębami. Nie mogłam uwierzyć, że rodzice Heatha tak łatwo się zgodzili. Z drugiej jednak strony wiedziałam, że choć Nancy i Steve Luckowie to bardzo fajni ludzie, nie mają zielonego pojęcia o sprawach młodzieży. Serio. Heath od lat pił, a oni nic nie zauważali, nawet gdy wracał do domu, śmierdząc piwem i rzygami. Ohyda.

— Super, tato! Wielkie dzięki! — wytrącił mnie z rozmyślań radosny wrzask. — Jasne, codziennie będę do was dzwonił! — Zamilkł, słuchając kolejnych słów ojca. — O rany, prawie o tym zapomniałem. Zaraz przyjadę po paszport i ciuchy. Zo i reszta jeszcze się pakują. Powiedz mamie, że każdy może wziąć tylko małą torbę, więc niech nie szaleje. Już jadę! Narka! — Rozłączył się z uśmiechem dzieciaka, który właśnie wyprosił dodatkowy kartonik mleka czekoladowego.

— Cwane — mruknęła Stevie Rae.

— Zupełnie zapomniałam o tej wycieczce do Hiszpanii — przyznałam.

— A ja nie. No dobra, muszę skoczyć do domu po paszport i parę innych rzeczy. Widzimy się na lotnisku. Nie wylatujcie beze mnie! — Cmoknął mnie, chwycił kurtkę i wybiegł z pokoju, jakby chciał uciec, zanim zdążę mu powiedzieć, że niezależnie od tego co na ten temat myślą jego starzy, i tak z nami nie poleci.

— Serio chcesz go zabrać? — zapytała Stevie Rae.

— Na to wygląda — mruknęłam apatycznie.

— Cóż, cieszę się. Nie chcę być złośliwa ani nic, ale uważam, że to dobry pomysł z powodu krwi.

— Krwi?

— No, w końcu jesteście skojarzeni. Jego krew niesamowicie ci służy. Czeka cię niebezpieczna konfrontacja z Kaloną, Neferet i Najwyższą Radą, więc odrobina najlepszej krwi bardzo ci się przyda.

— Taaa, pewnie masz rację.

— Zo, co się dzieje?

Zamrugałam zdziwiona.

— Hm?

— Zachowujesz się jak zombie. Opowiedz mi o tym dziwacznym śnie, z którego zbudziłaś się z krzykiem.

— Myślałam, że spałaś.

— Udawałam na wypadek, gdybyś chciała się poobmacywać z Heathem.

— W życiu bym niczego takiego nie robiła, wiedząc, że jesteś obok. To po prostu obrzydliwe.

— Zgoda. Ale i tak chciałam być miła.

— Dziewczyno — mruknęłam zdegustowana — ja naprawdę bym tego nie zrobiła.

— A ja naprawdę nie pozwolę ci zmienić tematu. Opowiadaj ten sen.

Westchnęłam. Była moją najlepszą przyjaciółką, więc chyba jednak powinnam jej powiedzieć.

— Kalona — wyznałam.

— Dostał się do twojego snu, choć spałaś z Heathem?

— Nie — odparłam szczerze, aczkolwiek bez wdawania się w szczegóły. — To była raczej wizja niż sen.

— Wizja czego?

— Jego przeszłości. Bardzo dawnej. Sprzed upadku.

— Upadku skąd?

Wzięłam głęboki oddech i powiedziałam jej prawdę.

— Z królestwa Nyks. Był jej wojownikiem.

— O kurczę! — Stevie aż usiadła na łóżku. — Jesteś pewna?

— Tak... nie... Nie wiem! Wszystko wyglądało realnie, ale nie mam gwarancji. I nie wiem, jak mogłabym kiedykolwiek ją zdobyć. — Nagle coś do mnie dotarło. — O, nie!

— Co jest?

— We wspomnieniu A-yi, które mnie nawiedziło, było coś o tym, że Kalona nie został stworzony do chodzenia po tym świecie. — Przełknęłam ślinę i złożyłam ręce, by powstrzymać ich drżenie. — Poza tym A-ya nazwała go wojownikiem.

— Hm... Czyżby wiedziała, że przed upadkiem był zaprzysiężonym rycerzem Nyks?

— Na boginię, nie mam pojęcia! — skłamałam, w głębi duszy czując, że A-ya próbowała skusić Kalonę, oferując mu coś, co utracił i za czym tęsknił: możliwość bycia wojownikiem.

— Może powinnaś porozmawiać z Lenobią o... — zaczęła Stevie.

— Nie! Obiecaj mi, że nikomu nie powiesz! Wiedzą już, że nawiedziło mnie wspomnienie A-yi i jej związku z Kaloną. Dodaj do tego wizje Afrodyty, a zaczną sobie wyobrażać, że nagle stracę zmysły i znów z nim będę. Oczywiście nic takiego nigdy się nie stanie — zakończyłam stanowczo, nie zwracając uwagi na ucisk w żołądku. Nie mogłam być z Kaloną. Tak jak mu powiedziałam: to było po prostu niemożliwe.

Nie musiałam się jednak martwić o to, że Stevie na mnie doniesie. Kiwała głową i patrzyła na mnie ze zrozumieniem.

— Chcesz go sama rozgryźć, co?

— No. Choć pewnie wydaje się to głupie.

— Nie — odparła zdecydowanie. — Do niektórych spraw po prostu nikt nie powinien się wtrącać. Czasem coś, co sprawia wrażenie całkowicie niewiarygodnego, okazuje się prawdą.

— Serio tak myślisz?

— Mam nadzieję — odparła z powagą. Wyglądała, jakby chciała coś dodać, ale przeszkodziło jej pukanie do drzwi i głos Afrodyty.

— Streszczajcie się! Wszyscy już jedzą, a samolot czeka.

— Jesteśmy gotowe! — wrzasnęła Stevie, po czym rzuciła mi torbę. — Myślę, że powinnaś robić to, co ci podpowiada intuicja, tak jak zawsze radziła ci Nyks. Wiem, że w przeszłości czasem zawalałaś sprawę. Ja zresztą też. Obie jednak ostatecznie wybrałyśmy wierność naszej bogini i to się liczy.

Skinęłam głową, nagle nie mogąc wydobyć z siebie głosu.

Przytuliła mnie.

— Wierzę w ciebie. Wiem, że postąpisz właściwie — powiedziała.

Mój śmiech zabrzmiał niemal jak szloch.

— Pewnie tak — przyznałam — ale po ilu próbach?

Uśmiechnęła się.

— Życie składa się z prób i błędów. Zaczynam myśleć, że gdyby było idealne, nie byłoby takie ciekawe.

— Szczerze mówiąc, przydałaby mi się teraz odrobina nudy — stwierdziłam.

Ze śmiechem wyszłyśmy na korytarz i dołączyłyśmy do zniecierpliwionej Afrodyty. Zauważyłam, że jej „torba na książki" to szykowny neseserek od Betsey Johnson, tak wypchany, że niemal pękał w swych ekskluzywnych szwach.

— Oszukujesz — powiedziałam, wskazując go oskarżycielskim palcem.

— To nie oszustwo, tylko improwizacja.

— Fajna torba — stwierdziła Stevie. — Betsey jest całkiem w moim typie.

— Jesteś zbyt prowincjonalna na Betsey — odparła Afrodyta.

— Wcale że nie — sprzeciwiła się Stevie.

— Wcale że tak — rzekła Afrodyta. — Przykład A: te potworne dżinsy. Kowbojki? Nie do wiary. Mam ci do powiedzenia dwa słowa: ogarnij się!

— O, nie. Chyba się przesłyszałam. Niemożliwe, żebyś skrytykowała moje kowbojki...

I tak sobie gdakały przez całą drogę do stołówki. Snułam się za nimi, prawie nie słysząc, co mówią, bo myślami byłam bardzo daleko, na dachu zamku w samym środku snu.

Stołówka była pełna, ale wciąż dziwnie cicha. Przysiadłyśmy się do Bliźniaczek, Jacka i Damiena, którzy pałaszowali już jajka na bekonie. Tak jak się spodziewałam, przyciągałam wiele morderczych spojrzeń, zwłaszcza ze strony dziewczyn.

— Nie zwracaj na nie uwagi. To zazdrosne krowy — mruknęła Afrodyta.

— Dziwne, że Kalona wciąż potrafi im mieszać w głowach — powiedziała Stevie Rae, gdy nakładałyśmy sobie jedzenie, co rusz zerkając przez ramię na milczącą posępną salę.

— To także ich wybór! — wypaliłam, nim zdążyłam się powstrzymać.

— Jak to? — zdziwiła się Stevie.

Przełknęłam jajko.

— Chodzi o to, że ci adepci — urwałam i wskazałam widelcem resztę sali — którzy teraz mordują nas wzrokiem i zachowują się, jakby kompletnie oszaleli, sami o tym decydują. Owszem, Kalona wskazał im drogę, ale oni mogą wybrać inną.

— Może i tak, Zo — powiedziała Stevie ze zrozumieniem, choć także z naciskiem. — Musisz jednak pamiętać, że to przede wszystkim sprawka Kalony. No i oczywiście Neferet.

— Kalona to wredny gnojek i Zoey musi się z nim raz na zawsze rozprawić — stwierdziła Afrodyta.

Jajka nagle przestały mi smakować.

Gdy tak siedzieliśmy stłoczeni, jedząc i udając, że nie dostrzegamy zabójczych spojrzeń, dołączył do nas Stark. Wyglądał na zmęczonego, a w jego oczach dostrzegłam smutek — ten sam smutek, który miał w oczach Kalona, kiedy mówił o Nyks. Stark uważał, że mnie zawiódł!

Uśmiechnęłam się do niego, próbując dodać mu otuchy.

— Cześć — powiedziałam cicho.

— Cześć — odparł.

Wtedy zauważyliśmy, że przygląda nam się cały nasz stół, oczywiście razem z resztą sali. Stark odkaszlnął i przysunął sobie krzesło.

— Darius i Lenobia są już na lotnisku — rzekł cicho. — Ja mam was tam zawieźć hummerem. — Rozejrzał się wokół i jakby mu ulżyło. — Odesłałaś Heatha do domu?

— Po paszport — poinformowała go usłużnie Stevie Rae.

Wywołało to istną burzę przy stole. Westchnęłam i zaczekałam, aż wszyscy się uspokoją.

— Owszem, Heath leci z nami — oświadczyłam, gdy w końcu ucichli. — Koniec, kropka.

Afrodyta uniosła jasną brew.

— No cóż, pewnie targanie ze sobą ambulansu do transfuzji ma jakiś sens. Nawet obecny tu mały łucznik, któremu to wyraźnie nie w smak, musi mi przyznać rację.

— Powiedziałam: „koniec, kropka", bo nie zamierzam o tym dyskutować. I nie podoba mi się nazywanie Heatha ambulansem do transfuzji.

— To naprawdę niegrzeczne — poparła mnie Stevie Rae.

— Możesz mnie ugryźć — odparła Afrodyta, najwyraźniej bez namysłu, bo Bliźniaczki natychmiast zaczęły chichotać jak szalone.

— Stevie Rae zostaje — powiedziałam, przekrzykując je. — To oznacza, że nasz krąg uzupełni Afrodyta.

Bliźniaczki umilkły jak rażone gromem. Wszyscy wlepili wzrok w Stevie.

— Nie wiadomo, czy uda się ich uratować — rzekł z powagą Damien.

— Wiem, ale chcę jeszcze raz spróbować.

— Hej — wtrąciła Afrodyta — wyświadcz mi przysługę i nie daj się zabić. Po raz drugi. Jestem pewna, że byłoby to dla mnie denerwująco nieprzyjemne.

— Nie zamierzam dać się zabić — odparła Stevie.

— Obiecaj, że nie wrócisz tam sama — domagał się Jack.

— Faktycznie musisz nam to obiecać — poparł go Stark.

Ja milczałam, bo ostatnio przestałam uważać, że najlepiej wiem, jak należy postępować.

Na szczęście nikt nie zwrócił na mnie uwagi, ponieważ właśnie w tym momencie do stołówki weszli czerwoni adepci i wszyscy zebrani przenieśli wzrok z nas na nich, komentując coś szeptem.

— Sprawdzę, czy wszystko u nich w porządku — powiedziała Stevie, wstając i uśmiechając się do nas. — Załatwcie szybko sprawę jak należy i wracajcie do domu. — Przytuliła mnie. — Na pewno zrobisz, co będzie trzeba — szepnęła.

— Ty też — odszepnęłam.

Potem Stevie szybko się oddaliła. Patrzyłam, jak przejmuje dowodzenie nad czerwonymi adeptami (którzy pomachali do nas, przechodząc obok). Zachowywała się całkiem naturalnie, zupełnie ignorując fakt, że jej podopieczni właśnie weszli tu po raz pierwszy od swojej śmierci, więc czerwoni natychmiast zaczęli się rozluźniać i przestali zwracać uwagę na spojrzenia i szepty.

— Dobra z niej przywódczyni — pomyślałam na głos.

— Mam nadzieję, że nie wpędzi jej to w kłopoty — mruknęła Afrodyta, a kiedy przeniosłam na nią wzrok, wzruszyła ramionami. — Niektórymi ludźmi, a zwłaszcza złymi nieumarłymi, nie da się dowodzić.

— Zrobi, co będzie trzeba — powtórzyłam słowa Stevie.

— Tak — odparła Afrodyta — ale czy oni także?

Nie miałam na to odpowiedzi, więc udałam bardzo zainteresowaną jedzeniem.

— Gotowi? — zapytał Stark.

— Ja tak — odpowiedziałam.

Wszyscy inni pokiwali głowami. Chwyciliśmy swoje torby i ruszyliśmy do drzwi. Stark i ja zamykaliśmy pochód.

— Hej, Zoey — zatrzymał mnie głos Erika.

Stark został ze mną, bacznie obserwując mojego byłego.

— Cześć, Erik — powiedziałam ostrożnie.

— Powodzenia — rzekł.

— Dzięki. — Byłam przyjemnie zaskoczona jego neutralnym spojrzeniem i nieobecnością przyssanej do jego boku Venus. — Zostajesz w szkole? Będziesz znów uczył dramatu?

— Tak, ale tylko do czasu znalezienia nowego nauczyciela. Gdyby mnie tu nie było, kiedy wrócisz, to wiedz, że... — zerknął na Starka, potem na mnie, wreszcie dokończył: — Że życzyłem wam jak najlepiej.

— OK. Cóż, jeszcze raz dzięki.

Skinął głową i szybko wyszedł ze stołówki, prawdopodobnie udając się do nauczycielskiej jadalni.

— Hm. Trochę dziwne, choć miłe z jego strony.

— Za dużo gra — odparł Stark, przytrzymując mi drzwi.

— Tak, wiem, ale i tak się cieszę, że powiedział mi przed wyjazdem coś miłego. Nienawidzę niedokończonych spraw z byłymi.

— W takim razie tym bardziej się cieszę, że w sensie oficjalnym nie jestem twoim chłopakiem — rzekł Stark.

Reszta grupy szła kilka metrów przed nami, więc mieliśmy odrobinę prywatności. Właśnie się zastanawiałam, czy mój rozmówca nie jest odrobinę złośliwy, gdy nagle zapytał:

— Jak tam ostatnia noc? Wszystko w porządku? Raz mnie zbudziłaś.

— W porządku, w porządku.

Zawahał się na moment.

— Nie ugryzłaś Heatha — stwierdził w końcu.

To nie było pytanie, lecz i tak odpowiedziałam, a mój głos zabrzmiał nieco zbyt ostro.

— Nie. Czułam się dobrze, więc nie było mi to potrzebne.

— Jeśli będziesz chciała to zrobić, zrozumiem.

— Moglibyśmy teraz o tym nie rozmawiać?

— Hm, dobrze. — Byliśmy już prawie na parkingu, więc Stark zwolnił, najwyraźniej chcąc zamienić ze mną jeszcze kilka słów na osobności. — Gniewasz się na mnie? — zapytał.

— O co?

Uniósł ramiona.

— Weźmy choćby te wizje Afrodyty. Widzi cię w poważnych tarapatach i albo ja tam jestem, ale nic nie robię, albo w ogóle mnie nie ma. A teraz Heath ma lecieć z nami do Włoch... — Urwał sfrustrowany.

— Stark, wizje Afrodyty można zmienić. Zrobiliśmy to już kilka razy, w tym jeden raz w sprawie dotyczącej mnie bezpośrednio. Tę o utonięciu też zmienimy. Mówiąc konkretnie, prawdopodobnie ty ją zmienisz. Nie pozwolisz, żeby przydarzyło mi się coś złego.

— Mimo że nie mogę wychodzić na dwór, gdy świeci słońce?

Nagle zrozumiałam jeden z powodów jego niepokoju: Stark czuł, że może go nie być przy mnie, gdy znajdę się w potrzebie.

— Wykombinujesz, jak mi zapewnić bezpieczeństwo, nawet jeśli nie będziesz mógł fizycznie mi towarzyszyć.

— Naprawdę w to wierzysz?

— Całym sercem — odpowiedziałam szczerze. — Nie zamieniłabym cię na żadnego innego wampira. Ufam ci. I zawsze będę ufała.

Wyglądał, jakby z pleców zdjęto mu tysiąckilogramowy ciężar.

— Miło to słyszeć.

Spojrzałam mu w oczy.

— Powiedziałabym ci to wcześniej, ale myślałam, że wiesz.

— Chyba w głębi duszy wiedziałem. — Uderzył się w pierś. — Musiałem jednak to usłyszeć.

Wtuliłam się w niego i przycisnęłam twarz do jego szyi.

— Ufam ci i zawsze będę ufała — powtórzyłam.

— Dziękuję, pani — szepnął, przygarniając mnie silnymi ramionami.

Cofnęłam się o krok i uśmiechnęłam do niego. Kalona nagle wydał mi się bardzo odległy, bo to on, Stark, wypełnił całą teraźniejszość.

— Poradzimy sobie ze wszystkimi problemami i przez cały ten czas będziemy się trzymać razem. Wojownik i jego dama — powiedziałam.

— Tego właśnie pragnę — odparł stanowczo. — I do diabła ze wszystkim innym.

— Właśnie. Do diabła ze wszystkimi i ze wszystkim.

Zabroniłam sobie myśleć o Kalonie. Był tylko możliwością — wielką, groźną, niejasną możliwością. Stark był rzeczywisty. Wzięłam go za rękę i pociągnęłam w kierunku hummera. Razem, na zawsze razem.

— Chodź, wojowniku. Włochy czekają.

ROZDZIAŁ TRZYDZIESTY DRUGI

Zoey

— W Wenecji jest o siedem godzin później niż u nas — wyjaśniła Lenobia, z którą spotkaliśmy się przed bramką bezpieczeństwa dla VIP-ów. — Kiedy wylądujecie, będzie późne popołudnie. Starajcie się jak najdłużej pospać w samolocie, żebyście mogli się stawić zwarci i gotowi na zebranie Najwyższej Rady, które odbędzie się zaraz po zmroku.

— Jak Stark poradzi sobie ze słońcem? — zapytałam.

— Poinformowałam członkinie rady o jego potrzebach. Zapewniły mnie, że będzie chroniony przed światłem. Są bardzo zaciekawione nowym rodzajem wampira i nie mogą się doczekać spotkania z nim.

— Zaciekawione? To brzmi, jakby chciały ze mnie zrobić szczura laboratoryjnego — zauważył Stark.

— Na to nie pozwolimy — zapewnił go Darius.

— Myślę, że powinniście pamiętać, iż Najwyższa Rada składa się z siedmiu najmądrzejszych i najstarszych żyjących kapłanek. Nie postępują nieludzko ani nie działają pochopnie — rzekła Lenobia.

— Więc są kimś podobnym do Szechiny? — zapytał Jack.

— Szechina była arcykapłanką wszystkich wampirów, a więc kimś wyjątkowym, ale każdą z członkiń rady wybiera wampirskie zgromadzenie. Stanowiska są piastowane przez pięćdziesiąt lat, potem wybiera się nową kapłankę. Nikt nie może zasiadać w radzie przez dwie kadencje z rzędu. Członkinie rady pochodzą z całego świata i słyną ze swej mądrości.

— Co oznacza, że powinny być dostatecznie rozgarnięte, by nie dać się nabrać Kalonie i Neferet — powiedziałam.

— Nie o rozum powinniśmy się martwić — zauważyła Afrodyta — lecz o decyzję. W naszym Domu Nocy jest mnóstwo r o z g a r n i ę t y c h wampirów, które bez mrugnięcia okiem pozwoliły się stłamsić Kalonie i Neferet.

— Afrodyta ma słuszność — przyznał Damien.

— W takim razie musimy być gotowi na każdą ewentualność — stwierdził Darius.

— To samo pomyślałem — przytaknął Stark.

Lenobia z powagą pokiwała głową.

— Pamiętajcie, że wynik tej konfrontacji może zmienić cały znany nam świat.

— No, nieźle. Zero presji — mruknęła Afrodyta.

Nauczycielka rzuciła jej ostre spojrzenie, lecz nie odpowiedziała. Zamiast tego, ku mojemu zaskoczeniu, przeniosła wzrok na Jacka.

— Sądzę, że powinieneś zostać — rzekła.

— O, nie! Jadę z Damienem i już! — oburzył się chłopak.

— Tam będzie niebezpiecznie.

— Tym bardziej muszę z nim jechać!

— Moim zdaniem powinien — wtrąciłam. — Od początku uczestniczy w tym razem z nami. Poza tym — kontynuowałam, zawierzając intuicji i z poczucia wewnętrznej pewności wnioskując, że przemawia przeze mnie Nyks — Jack też ma dar komunikacji.

— Co? Ja mam dar?

Uśmiechnęłam się do niego.

— Moim zdaniem tak. Jest to dar komunikacji z nowoczesnością. Smykałka do techniki.

Damien uśmiechnął się od ucha do ucha.

— Rzeczywiście! Jack zna się na wszelkim sprzęcie audiowizualnym i komputerowym. Myślałem, że jest po prostu geniuszem, ale on jest geniuszem wspomaganym przez boginię!

— O kurczę! To chyba dobrze? — zapytał Jack.

— W takim razie masz rację, Zoey — zwróciła się do mnie Lenobia. — Jack powinien jechać z wami. Nyks nie bez przyczyny dała mu talent, który może się wam bardzo przydać.

— Tak. I jeszcze... — Kombinowałam, jak by tu jej powiedzieć o tym, że leci z nami ktoś jeszcze, lecz w tym właśnie momencie podbiegł do nas Heath we własnej osobie z torbą na ramieniu.

— Twój partner też leci? — dokończyła za mnie nauczycielka, unosząc brew.

— Jasne! — odparł Heath, otaczając mnie ramieniem. — Nigdy nie wiadomo, kiedy Zo będzie potrzebowała czegoś na wzmocnienie.

— Dobrze już, Heath, dobrze, wszyscy wiedzą, o co chodzi. — Czułam, że się czerwienię, i celowo unikałam wzroku Starka.

— Jako partner najwyższej kapłanki będziesz miał prawo wejść do sali obrad — poinformowała Heatha Lenobia — ale nie będzie ci wolno zabierać głosu.

— Jest wiele reguł określających zachowanie w sali obrad, prawda? — zapytał Damien.

Poczułam się jeszcze gorzej niż przed chwilą.

— Reguł?

— Owszem — przyznała Lenobia. — To bardzo stary system, zaprojektowany w taki sposób, by uniknąć chaosu, a zarazem stworzyć mówcom warunki do przedstawienia swoich racji. Jeśli nie będziecie przestrzegali zasad, zostaniecie usunięci z sali.

— Ale ja ich nie znam!

— Dlatego właśnie z lotniska odbierze was moja przyjaciółka Erce, mistrzyni jeździectwa wyspy San Clemente. Zawiezie was do waszych pokoi na wyspie i wprowadzi w etykietę Najwyższej Rady.

— Nie mogę zabierać głosu? — zapytał Heath.

— Upośledzony jesteś? — zapytała go Afrodyta. — Lenobia przed chwilą ci to powiedziała!

— Nie jestem pewna, czy ciebie w ogóle wpuszczą do sali — zwróciła się do niej nauczycielka.

— Co? Przecież jes... — zaczęła z impetem dziewczyna i nagle urwała.

Niestety, oficjalnie była tylko człowiekiem. Dziwnym, bo dziwnym, ale jednak.

— Erce ma poprosić radę o zgodę na twoją obecność — kontynuowała Lenobia. — Nie wiem jeszcze, jaka będzie decyzja kapłanek.

— Może wejdziecie już na pokład? — zaproponowałam.

— Chcę zamienić kilka słów z Lenobią.

— Musicie iść do wyjścia numer dwadzieścia sześć — powiedziała nauczycielka. — Bądźcie pozdrowieni i niech Nyks będzie z wami!

— Bądź pozdrowiona! — odkrzyknęli chórem i ruszyli w kierunku zygzakowatej kolejki.

— Jak się czują ranni adepci? — zapytałam.

— Znacznie lepiej. Dziękuję za to, co dla nich zrobiłaś — odparła Lenobia.

Machnęłam lekceważąco ręką.

— Cieszę się, że mogłam pomóc. A co ze Smokiem?

— Wciąż w głębokiej żałobie.

— Przykro mi — szepnęłam.

— Pokonaj Kalonę. Powstrzymaj Neferet. To mu pomoże.

Zignorowałam uczucie paniki i zmieniłam temat.

— Co zamierzasz zrobić z czerwonymi adeptami?

— Zastanawiałam się nad tym i doszłam do wniosku, że powinniśmy uszanować wolę ich najwyższej kapłanki. Po powrocie do szkoły porozmawiam ze Stevie Rae i zapytam, jakie ma plany wobec swoich podopiecznych.

Określenie „najwyższa kapłanka" użyte w odniesieniu do Stevie Rae zabrzmiało zabawnie, lecz sympatycznie.

— Musisz wiedzieć, że czerwonych adeptów jest więcej. Ci, których przyprowadziła Stevie, nie są jedynymi.

Skinęła głową.

— Darius mi o tym powiedział.

— Co chcesz zrobić w sprawie tych drugich?

— W podjęciu tej decyzji także musi uczestniczyć Stevie Rae. To trudna sytuacja. Nie wiemy nawet dokładnie, kim właściwie ci adepci się stali, a raczej kim się nie stali. — Położyła mi dłoń na ramieniu. — Zoey, nie możesz teraz myśleć o tym, co się tu dzieje. Skoncentruj się na Kalonie, Neferet i Najwyższej Radzie. W kwestii Domu Nocy zdaj się na mnie.

Westchnęłam.

— Dobrze. Spróbuję.

Uśmiechnęła się.

— Poinformowałam radę, że uważamy cię za swoją najwyższą kapłankę.

Zaskoczyła mnie.

— Serio?

— Serio. Jesteś nią, Zoey. Zasłużyłaś na to. I jesteś związana z Nyks bardziej niż jakikolwiek adept czy wampir przed tobą. Podążaj za boginią, a przysporzysz nam chwały — dokończyła.

— Zrobię co w mojej mocy.

— Tylko tyle od ciebie wymagamy. Bądź pozdrowiona, Zoey Redbird.

— Bądź pozdrowiona — powiedziałam i ruszyłam za pozostałymi do wyjścia numer dwadzieścia sześć, starając się nie myśleć za wiele o tym, że najwyższa kapłanka Nyks w żadnym razie nie powinna śnić o byłym wojowniku swojej bogini.

— Cześć, babuniu! Jak się czujesz?

— Zoey, kochanie! Już mi lepiej. Nawałnica ustała i to dodaje mi sił. Lód jest piękny, ale tylko w niewielkich dawkach — odparła babcia.

— Tylko niech ci nie przyjdzie do głowy, żeby od razu wracać na farmę! Proszę, obiecaj mi, że pozwolisz siostrze Mary Angeli opiekować się sobą jeszcze przez jakiś czas.

— Och, nie obawiaj się, *u-we-tsi-a-ge-ya*! Towarzystwo siostry bardzo mi przypadło do gustu. Wpadniesz do mnie dzisiaj? Co słychać w szkole?

— Właśnie dlatego dzwonię. Za chwilę wsiadam do szkolnego odrzutowca i lecę do Wenecji. Są tam Kalona i Neferet, którzy próbują namieszać w głowach Najwyższej Radzie.

— To nie brzmi dobrze, *u-we-tsi-a-ge-ya*. Chyba nie zamierzasz walczyć z nimi sama?

— No coś ty, babciu. Cała moja paczka i Heath lecą ze mną.

— Świetnie. Nie wstydź się wykorzystywać waszej więzi. To naturalna rzecz.

Ścisnęło mnie w gardle. Nieustająca miłość babci, niezależna od tego, jak bardzo wampiryczne, potworne i dziwaczne stało się życie, była teraz fundamentem całego mojego świata.

— Kocham cię, babuniu — powiedziałam łamiącym się głosem.

— A ja ciebie, *u-we-tsi-a-ge-ya*. Nie frasuj się o starą kobietę. Myśl tylko o tym, co masz do zrobienia. Będę tu na ciebie czekać, aż wygrasz swoją bitwę.

— Mówisz, jakbyś miała pewność, że tak się stanie.

— Mam pewność co do ciebie, *u-we-tsi-a-ge-ya*, i co do tego, że łaska bogini jest z tobą.

— Miałam bardzo dziwny sen o Kalonie — wyznałam, ściszając głos, choć i tak stałam w pewnej odległości od swoich czekających przy wejściu przyjaciół. — Zobaczyłam, że nie zawsze był zły. Kiedyś służył Nyks jako jej wojownik.

Babcia bardzo długo milczała.

— To przypomina raczej wizję niż sen — rzekła wreszcie.

W głębi duszy czułam, że ma rację.

— Wizję? Chcesz powiedzieć, że to jest prawda?

— Niekoniecznie, choć przywiązywałabym do wizji większe znaczenie niż do snu. A co ci podpowiada intuicja?

Przygryzłam wargę.

— Kiedy na to patrzyłam, miałam wrażenie, że oglądam rzeczywiste zdarzenia — przyznałam.

— Pamiętaj, żeby zawsze łagodzić uczucia rozsądkiem. Słuchaj swojego serca, umysłu i duszy.

— Staram się.

— Równoważ emocje logiką i dopiero wtedy wyciągaj wnioski. Nie jesteś A-yą. Jesteś Zoey Redbird i masz wolną wolę. Jeśli to cię za bardzo przytłoczy, szukaj wsparcia u przyjaciół, zwłaszcza u Heatha i Starka. Są związani z tobą, Zoey, a nie z duchem starożytnej czirokeskiej dziewczyny.

— Masz rację, babciu. Będę o tym pamiętać. Jestem sobą i to się nie zmieni.

— Zo, wsiadamy! — zawołał Heath.

— Babciu, muszę kończyć! Kocham cię.

— Moja miłość poleci wraz z tobą, *u-we-tsi-a-ge-ya*.

Wsiadając do samolotu, czułam się jak nowo narodzona dzięki słowom babci. Miała rację: musiałam zrównoważyć to, co wiedziałam o Kalonie, z tym, co wydawało mi się, że o nim wiem.

Jeszcze bardziej poweselałam na widok wnętrza odrzutowca. Wyglądał, jakby cały był pierwszą klasą, z obitymi skórą wielkimi siedzeniami, które rozkładały się aż do pozycji leżącej, i bardzo grubymi żaluzjami, które natychmiast spuściłam.

— Przecież nie ma słońca, wariatko — zauważyła Afrodyta.

— Wolę się tym zająć od razu, na wypadek gdybyście „zapomnieli" — narysowałam w powietrzu cudzysłów — zrobić to później.

— Nie zamierzam sfajczyć twojego wojownika — odparła — bo wtedy mój miałby stanowczo za wiele do roboty.

— Na ciebie zawsze znajdę czas — rzekł Darius, siadając obok niej i podnosząc dzielącą ich poręcz, by mogli się przytulić.

— Rzyg — mruknęła Erin.

— Idziemy do tyłu, żeby nie obrzydzać życia Afrodycie — dodała Shaunee.

— Będą roznosić napoje? — zapytał Damien.

— Mam nadzieję. Chętnie napiłabym się coli — powiedziałam, ciesząc się, że wszyscy zachowują się równie zwyczajnie, jak ja się czuję.

— Lenobia mówiła, że lecimy sami, ale założę się, że jak tylko wzbijemy się w powietrze i będziemy mogli wstać, znajdziemy coś do jedzenia i do picia — rzekł Darius.

— Ja wiem, gdzie trzymają napoje — wtrącił Stark. — Leciałem tym samolotem z Chicago do Tulsy. Jak tylko wystartujemy, przyniosę ci colę.

— Hej, Zo! — zawołał z tyłu Heath. — Trzymam tu dla ciebie miejsce!

Westchnęłam.

— Wiesz co, chyba jednak usiądę tu sama i spróbuję pospać. Nienawidzę zmiany stref czasowych — powiedziałam i wybrałam sobie miejsce w połowie drogi między nim a Starkiem.

— Ja biorę xanax. Latanie to moja specjalność — oznajmiła Afrodyta. — Jak tylko wylądujemy w Wenecji, będę świeżutka i gotowa ruszyć na podbój sklepów.

— Sklepów? — zawołała Shaunee.

— Zakupy w Wenecji? — zawtórowała jej Erin.

— Może powinnyśmy zrobić u Afrodupci wywiad — zasugerowała Shaunee.

— Doskonały pomysł, bliźniaczko.

Uśmiechnęłam się do siebie, gdy obie dziewczyny szybciutko przeniosły się na siedzenia obok Afrodyty, która w pierwszej chwili je wyśmiała, ale wkrótce zaczęła entuzjastycznie wyliczać, co można kupić w Wenecji.

— Proszę. — Stark podał mi koc i poduszkę. — Czasem w samolotach bywa zimno, zwłaszcza gdy próbuje się spać.

— Dzięki. — Chciałam mu powiedzieć, że wolałabym zasypiać w jego ramionach, lecz nie wiem, jak by na to zareagował Heath (który w tej chwili prowadził z Jackiem ożywioną dyskusję na temat, czy lepsze są pecety czy macintoshe).

— W porządku. — Stark najwyraźniej wyczuł moje wahanie. — Rozumiem.

— Jesteś najlepszym wojownikiem na świecie.

Rzucił mi mój ulubiony łobuzerski uśmiech i ucałował mnie w czubek głowy.

— Śpij. Będę nasłuchiwał twoich uczuć. Jeśli zrobią się dziwne, zbudzę cię.

— Liczę na to — odparłam.

Skuliłam się z kocem i poduszką, które dostałam od swojego wojownika, i zasnęłam, gdy tylko wzbiliśmy się w powietrze.

Jeśli coś mi się śniło, natychmiast odeszło w niepamięć.

ROZDZIAŁ TRZYDZIESTY TRZECI

Stevie Rae

— Nadal się z tobą nie zgadzam — rzekła Lenobia.

— Ale to ja decyduję, prawda? — zapytała Stevie.

— Tak. Chcę jedynie, żebyś to jeszcze raz przemyślała. Zabierz mnie ze sobą. A jeśli nie mnie, to Smoka.

— Smok wciąż jest zbyt przejęty śmiercią Anastasii, a ty musisz tu zostać i wszystkiego pilnować. Opuszczanie szkoły w takim momencie nie wydaje mi się zbyt rozsądne — powiedziała Stevie. — Nic mi nie będzie. Znam ich. Wiem, że nie zrobią mi krzywdy, a nawet jeśli stracili resztki rozumu i zaczną coś kombinować, nie uda im się. Przywołam ziemię i dam im wycisk. Bez obaw, zawsze sobie z nimi radziłam. Mam nadzieję, że tym razem uda mi się ich namówić do powrotu. Przebywanie w szkole na pewno by im pomogło.

Lenobia skinęła głową.

— Brzmi logicznie. Jeśli wrócą do miejsca, w którym po raz ostatni czuli się normalnie, być może znów odnajdą w sobie to uczucie.

— Tak mniej więcej myślałam. — Stevie umilkła na moment, po czym dodała łagodnie: — Sama wciąż się ze sobą zmagam. Czasem ciemność wydaje się tak bliska, że niemal mogę jej dotknąć. U swoich adeptów, tych, którzy odnaleźli człowieczeństwo, też to dostrzegam. Nie zawsze jest im łatwo.

— Może do końca będziecie mieli wybór. Może granica między dobrem a złem jest dla ciebie i twoich podopiecznych mniej wyraźna.

— Czy to znaczy, że jesteśmy źli? Albo bezwartościowi?

— Nie. Nic z tych rzeczy.

— W takim razie rozumiesz, dlaczego muszę wrócić na dworzec i jeszcze raz porozmawiać z tamtymi. Nie mogę się od nich odwrócić. Zoey nie odwróciła się od Starka, choć on do mnie strzelił, co było z jego strony wyjątkowo podłe, ale wszystko się dobrze skończyło.

— Będzie z ciebie dobra najwyższa kapłanka, Stevie Rae.

Stevie poczuła, że się czerwieni.

— Przecież nie jestem prawdziwą kapłanką. Po prostu nie mają nikogo innego.

— Owszem, jesteś. Uwierz w to. Uwierz w siebie. — Lenobia uśmiechnęła się do dziewczyny. — Kiedy zamierzasz wrócić na dworzec?

— Najpierw muszę zadbać o czerwonych adeptów, którzy są tutaj. Rozlokować ich, znaleźć dla nich ubrania i tak dalej. No i trzeba ich zapisać z powrotem na zajęcia, co nie będzie takie proste, bo przecież w nowym semestrze wszystko się pozmieniało. Tak czy owak mam nadzieję, że uda mi się wyruszyć jeszcze tej nocy.

— Tej nocy? Jesteś pewna, że nie powinnaś zaczekać do jutra? Przecież ledwo wróciłaś do domu.

— Nie jestem pewna, czy to miejsce nadal jest naszym domem.

— Oczywiście, że tak.

— Kiedyś nim było. Teraz wolimy spać pod ziemią. — Stevie rzuciła nauczycielce nerwowy uśmiech. — Gadam, jakbym wyskoczyła z jakiegoś krwawego horroru, co?

— Nie. Mówisz całkiem rozsądnie. Umarłaś. Kiedy to się przydarza komuś z nas, jego ciało wraca do ziemi. Zostałaś wskrzeszona, lecz wciąż czujesz z nią więź, której my nie mamy. — Lenobia zawahała się na moment. — Pod głównym budynkiem Domu Nocy jest piwnica — dodała. — Służy jako magazyn i nie za bardzo nadaje się do zamieszkania, ale gdyby ją wyremontować...

— Może — mruknęła Stevie. — Pozwól mi najpierw sprawdzić, co się dzieje z adeptami z dworca. Naprawdę nam się tam podobało i nieźle się urządziliśmy.

— Nie widzę powodu, żeby twoi adepci nie mogli dojeżdżać do szkoły. Ludzka młodzież robi to codziennie.

Stevie uśmiechnęła się od ucha do ucha.

— Wielka żółta limuzyna!

Lenobia parsknęła śmiechem.

— Na pewno znajdziemy rozwiązanie, które będzie dla was wygodne. Jesteście częścią naszej społeczności i tu jest wasz dom.

— Dom... brzmi nieźle — przyznała Stevie. — No cóż, jeśli mam pojechać na dworzec i wrócić przed świtem, chyba powinnam się ostro wziąć do roboty.

— Daj sobie spory zapas czasu. Nie chcę, żebyś tam utknęła, a prognozy zapowiadają słoneczny dzień. Travis Meyers mówił, że może się wystarczająco ocieplić, by część lodu stopniała.

— Travis to mój ulubiony prezenter. Ale nie martw się, wrócę przed świtem.

— Doskonale. Zdążysz mi jeszcze opowiedzieć, jak poszło.

— Przyjdę prosto tutaj. — Stevie zaczęła się podnosić, po czym usiadła z powrotem. Musiała zapytać. Lenobia na pewno nie uzna tego pytania za kompletnie idiotyczne. Na pewno. Po prostu musiała je zadać. — Bardzo złe były te kruki?

Na spokojnej dotąd twarzy nauczycielki pojawił się wyraz obrzydzenia.

313

— Modlę się do Nyks, żeby już nigdy nie pozwoliła im tu wrócić.

— Słyszałaś o nich wcześniej? To znaczy, zanim wyleciały spod ziemi?

Pokręciła głową.

— Nie. Nie miałam pojęcia o ich istnieniu. Nie znałam czirokeskiej legendy. Ale bez trudu rozpoznałam w nich jedno.

— Tak? Co takiego?

— Zło. Walczyłam z nim już wielokrotnie, a Kruki Prześmiewcy to tylko kolejne z jego wcieleń.

— Więc uważasz, że są na wskroś złe? Bo wiesz... w końcu są w połowie ludźmi.

— Nie ludźmi. Nieśmiertelnymi.

— Tak, o to mi chodziło.

— I ta ich nieśmiertelna część jest na wskroś zła.

— A jeśli Kalona nie zawsze był taki jak teraz? Skądś przecież się wziął. Może przed upadkiem był dobry, a jeśli tak, to może i w Krukach Prześmiewcach jest odrobina dobroci.

Lenobia przez chwilę przyglądała się dziewczynie w milczeniu.

— Kapłanko — powiedziała potem cicho, lecz pewnie — nie pozwól, by współczucie dla czerwonych adeptów zmieniło twoje postrzeganie zła. Ono istnieje zarówno w tym świecie, jak i w Zaświatach. I tam, i tu jest namacalne. Istnieje ogromna różnica między skrzywdzonym dzieckiem a istotą zrodzoną z gwałtu dokonanego przez czyste zło.

— Siostra Mary Angela powiedziała coś podobnego.

— Mądra z niej kobieta — stwierdziła Lenobia. — Stevie Rae, czy wyczułaś coś, o czym powinnam wiedzieć?

— Nie, nie! — zaprzeczyła pospiesznie dziewczyna. — Tak się tylko zastanawiałam. No wiesz, nad dobrem, złem i naszymi wyborami. I przyszło mi do głowy, że Kruki Prześmiewcy też mogą mieć możliwość wyboru.

— Jeśli nawet ją miały, już dawno temu wybrały zło.

— Tak. Na pewno masz rację. No cóż, lepiej już pójdę. Przed świtem wrócę i wpadnę do ciebie.

— Będę czekać. Niech Nyks ma cię w opiece, kapłanko. Bądź pozdrowiona.

— Bądź pozdrowiona. — Stevie pospiesznie opuściła stajnię, jakby oddalając się od miejsca rozmowy, mogła się także oddalić od dręczącego ją poczucia winy. Co ona sobie wyobrażała, praktycznie opowiadając Lenobii o Rephaimie? Musi trzymać gębę na kłódkę i zapomnieć o nim.

Ale jak niby miała zapomnieć, skoro było wysoce prawdopodobne, że kiedy się znajdzie w podziemiach dworca, znów go spotka?

Nie powinna była go tam wysyłać. Należało znaleźć inną kryjówkę... a może powinna go wydać?

Nie. Było już za późno, by się nad tym zastanawiać. Teraz mogła jedynie się starać o zminimalizowanie strat. Najpierw musi się skontaktować z czerwonymi adeptami, a potem ponownie stawić czoło problemowi Rephaima.

Może się oczywiście okazać, że nie ma żadnego problemu. Może czerwoni adepci nie znaleźli kruka. Nie pachniał jak jedzenie i nie był wystarczająco silny, by ich atakować. Pewnie schował się w najciemniejszym, najbardziej oddalonym tunelu i liże rany. A może nawet już nie żyje. Kto wie, co się stało z Krukiem Prześmiewcą, jeśli wdała się jakaś wstrętna infekcja?

Stevie westchnęła i wyjęła z kieszeni bluzy komórkę. Z nadzieją, że w tunelach znów jest zasięg, wstukała esemesa do Nicole.

MUSIMY SIE DZIS SPOTKAC

Odpowiedź przyszła prawie natychmiast.

ZAJETA. NIE WROCE PRZED SWITEM.

Stevie zmarszczyła brwi.

TO WAZNE.

W oczekiwaniu na kolejną odpowiedź chodziła nerwowo w tę i we w tę.

O 6.

Miała ochotę zgrzytać zębami. O szóstej? Półtorej godziny przed wschodem słońca? Niech to szlag! Nicole naprawdę ją wkurzała. Spośród wszystkich adeptów w tunelach sprawiała największe problemy. Inni tylko ją naśladowali. Nie byli zbyt sympatyczni, ale mimo wszystko lepsi. Stevie Rae pamiętała Nicole sprzed śmierci — już wtedy dziewczyna była naprawdę wredna. Potem stała się jeszcze gorsza. Stevie musiała jakoś do niej dotrzeć. Jeśli Nicole odwróci się od zła, pozostali prawdopodobnie pójdą za nią.

Odpisała.

DOBRA. COS NIE TAK?

Czekała z zapartym tchem. Gdyby Nicole znalazła kruka, na pewno by jej o tym napisała. Pewnie uważałaby, że Rephaim jest świetny. Albo może od razu by go zabiła. Tak czy inaczej wygadałaby jej się, bo dzięki temu mogłaby się poczuć potężna i ważna.

SZUKAMY ZARCIA. ZYWEGO. IDZIESZ Z NAMI?

Wiedziała, że nie ma sensu przypominać Nicole, że nie powinni jeść ludzi. Żadnych, nawet bezdomnych i kiepskich kierowców (których czerwoni adepci uwielbiali śledzić, a potem łapać, gdy ci wysiadali z samochodów). Napisała więc tylko:

NIE. HA, HA. DO 6.

Schowała komórkę do kieszeni. Zapowiadała się długa noc, a najdłuższe miało być ostatnie półtorej godziny przed świtem.

Rephaim

— Tak wygląda plan, ptakoludzie. Jesteś gotów? — Nicole weszła do zajętego przez Rephaima pokoju nieproszona i bez uprzedzenia, kopnęła w łóżko, by zbudzić kruka, i przedstawiła mu swój pomysł uwięzienia Stevie na dachu budynku.

— Nawet jeśli zdołacie przed świtem zwabić Czerwoną na dach, jak zamierzacie ją tam zatrzymać?

— Pierwszy etap jest prosty, bo nie chodzi o dowolny budynek, tylko o ten. Nad nami znajdują się dwie okrągłe wieże, kiedyś fajnie ozdobione i tak dalej. Nad nimi jest już tylko niebo. Znaleźliśmy dużą metalową kratę, którą możemy przytwierdzić łańcuchami do wierzchołka wieży. W życiu się nie wydostanie. Jest silna, ale metalu nie rozerwie. Poza tym na górze nie będzie mogła poprosić ziemi o pomoc. Utknie, a kiedy wyjdzie słońce, usmaży ją jak frytkę!

— Dlaczego miałaby wychodzić na dach, nawet w tym budynku?

— Ta część jest jeszcze prostsza. Pójdzie tam, bo ty ją zmusisz.

Rephaim milczał, dopóki nie udało mu się zapanować nad przerażeniem.

— Sądzisz, że zdołam zmusić Czerwoną do wyjścia na dach tuż przed świtem? — zapytał wreszcie, starannie dobierając słowa. — Dlaczego miałoby mi się to udać? Nie mam dość siły, by ją tam zawlec — mówił raczej znudzonym niż zaciekawionym głosem.

— Nie będziesz musiał. Już raz cię uratowała, choć musiała to ukryć przed wszystkimi. Dla mnie to oczywisty znak, że coś dla niej znaczysz. Może nawet całkiem sporo. — Nicole aż się skrzywiła na tę myśl. — Jest żałosna. Zawsze jej się zdaje, że może uratować świat i tym podobne duperele. I właśnie dlatego jest dostatecznie głupia, żeby tu przychodzić przed samym świtem. Chce nas ratować! Ha, ha. Tyle że my wcale nie chcemy być ratowani. — Nicole wybuchnęła szalonym, histerycznym niemal śmiechem, w trakcie którego na jej twarz na ułamek sekundy nałożył się obraz Neferet, a oczy do złudzenia przypominały oczy zbłąkanej kapłanki.

— Dlaczego miałaby was ratować?

Słowa Rephaima natychmiast otrzeźwiły Nicole, jakby kruk ją spoliczkował.

— Co? Uważasz, że nie zasługujemy na ratunek? — Błyskawicznie doskoczyła i schwyciła go za nadgarstek zdrowej ręki. — Sprawdźmy, co naprawdę myślisz.

Wpatrywała się w niego. Żar psychicznej przemocy wnikał w ciało i duszę Rephaima. Kruk skupił się na jednej emocji: na gniewie.

Nicole puściła jego rękę i cofnęła się o krok.

— No, no — zaśmiała się sztucznie — jesteś naprawdę wściekły. O co?

— O to, że jessstem ranny i muszę się użerać z dziećmi i ich głupimi zzzabawami!

Dziewczyna znów natarła na niego.

— Tylko nie głupimi! Musimy się pozbyć Stevie Rae, żeby nikt nam nie przeszkadzał w rozróbie, którą obiecaliśmy Neferet. Więc albo będziesz grzeczny i pomożesz nam ją uwięzić, albo poradzimy sobie bez ciebie i wdrożymy plan B.

— Co mam zrobić? — zapytał bez wahania Rephaim.

Uśmiech Nicole przywiódł mu na myśl jaszczurkę.

— Pokażemy ci schody prowadzące na wieżę. Tę bardziej oddaloną od tego durnego drzewa. Nie mam zamiaru ryzykować, że uda jej się jakoś przyciągnąć je do siebie i osłonić się na tyle, żeby przeżyć. No więc wejdziesz na drugą wieżę i będziesz czekał. Wyglądaj, jakbyśmy cię pobili i zawlekli tam prawie wykrwawionego. Bo taką właśnie historyjkę przedstawię Stevie. Musi myśleć, że jesteś zmasakrowany, ale żywy.

— Pójdzie tam, żeby mnie ratować — stwierdził Rephaim głosem absolutnie wyzutym z emocji.

— Właśnie. Znowu. Na to liczymy. Jak już wejdzie na wieżę, nie podnoś się, a my nałożymy kratę na szczyt i przymocujemy. Potem słońce wyjdzie i Stevie się usmaży. Wtedy cię wypuścimy. Proste, nie?

— Zadziała — powiedział Rephaim.

— W każdym razie wbij sobie do łba jedno: jeśli w ostatniej chwili dojdziesz do wniosku, że jednak nie jesteś z nami, Kurtis i Starr przestrzelą ci tę twoją pierzastą dupę, a potem i tak zawleczemy cię na wieżę. Dla nas ta wersja zadziała równie dobrze. Jak widzisz, odgrywasz rolę zarówno w planie A, jak i w planie B. Tyle że w jednym jesteś bardziej nieżywy niż w drugim.

— Jak już wspominałem, ojciec polecił mi sprowadzić Czerwoną.

— No cóż, jakoś nie widzę tu nigdzie twojego tatusia.

— Nie wiem, dlaczego grasz ze mną w tę grę. Jak już sama przyznałaś, wiesz, że ojciec mnie nie opuścił. Wróci po swego najukochańszego syna. A kiedy to zrobi, będę czekał na niego z czerwoną kapłanką.

— I nie będzie ci przeszkadzało, jak się okaże zwęglona?

— Stan jej ciała mnie nie obchodzi, jeśli tylko będę je miał.

— W takim razie możesz je sobie wziąć. Nie mam zamiaru jej jeść, więc nie potrzebuję ciała. — Przekrzywiła głowę i przyjrzała mu się uważnie. — Zajrzałam do tego twojego ptasiego móżdżku i wiem, że jesteś wściekły, ale wyczułam też, że czujesz się cholernie winny. Czemu?

— Powinienem być u boku ojca. Każda inna sytuacja jest nie do przyjęcia.

Parsknęła ponurym śmiechem.

— Niedaleko pada jabłko od jabłoni, co? — Ruszyła do wyjścia, podnosząc zastępujący drzwi koc. — Prześpij się trochę! — zawołała na odchodnym. — Masz jeszcze parę godzin. Jakbyś czegoś potrzebował, Kurtis ze swoją wielką spluwą będzie się kręcił w pobliżu. Daj mu znać, a sam siedź na tyłku, póki cię nie wezwę. Zrozumiano?

— Tak.

Czerwona adeptka wyszła, a Rephaim skulił się w swoim gnieździe, które kiedyś było łóżkiem Stevie Rae. Nim zapadł w kolejny kojący sen, w głowie kołatała mu się tylko jedna myśl: że byłoby znacznie lepiej, gdyby Czerwona pozwoliła mu umrzeć pod tamtym drzewem.

ROZDZIAŁ TRZYDZIESTY CZWARTY

Zoey

Zbudziłam się dosłownie nanosekundę przed lądowaniem w Wenecji. Przysięgam, że przespałam calutką podróż i śniłam jedynie o gigantycznym bobrze z jakiejś dziwnej reklamy środka nasennego, z którym grałam w scrabble (w które nie grałam jeszcze nigdy w życiu) i wygrałam od niego chyba ze sto milionów markowych butów (nie wiem, po co w ogóle bobrowi buty). Spałam smacznie jak dzieciak na wakacjach, bo sen był absolutnie niegroźny, choć przyznaję, że wariacki.

Zobaczyłam, że większość moich towarzyszy ociera łzy i wydmuchuje nosy.

— Co im jest, do diabła? — zapytałam Starka, gdy samolot kołował na płycie lotniska. Wojownik musiał się przesiąść podczas lotu, bo teraz siedział w tym samym rzędzie co ja, po drugiej stronie przejścia.

Zrobił ruch głową w stronę siedzących za nami (był wśród nich Heath i nawet on miał jakieś przymglone oczy).

— Oglądali *Milka* i łkali jak niemowlaki.

— No co chcesz, to świetny film. I bardzo smutny.

— Tak, widziałem go, gdy leciał w kinach, ale tym razem chciałem zachować męską powściągliwość, więc przesiadłem się tutaj i czytałem. — Uniósł trzymaną na kolanach książkę i zobaczyłam, że to *Fatalny sezon* Pata Conroya.

— Hej, ty naprawdę czytasz!

— Owszem, a co?

— *Fatalny sezon*? O czym to?

— Naprawdę chcesz wiedzieć?

— No pewnie! — powiedziałam.

— O tym, że cierpienie może dodawać sił.

— Mhm — mruknęłam niezbyt odkrywczo.

— To mój ulubiony pisarz — przyznał z pewną nieśmiałością Stark.

— Muszę do niego kiedyś zajrzeć.

— Nie pisze dla dziewczyn — ostrzegł mnie.

— Co za okropny stereotyp! — zaczęłam i już miałam rozpocząć wykład o mizoginistycznym (nauczyłam się tego słowa od Damiena, jak przerabialiśmy na literaturze *Szkarłatną literę*) wyobrażeniu, że „męskie" książki są dla facetów, a płytkie i bezideowe dla dziewczyn, gdy samolot lekko szarpnął i stanął.

Wszyscy rozglądaliśmy się, nie bardzo wiedząc, co robić, ale dosłownie po paru sekundach otworzyły się drzwi kokpitu i wyszła stamtąd uśmiechnięta druga pilot — oczywiście wampirka.

— Witamy w Wenecji — powiedziała. — Wiem, że co najmniej jedno z was ma szczególne potrzeby, więc podkołowaliśmy prosto do naszego prywatnego hangaru. — Usłyszałam, jak Bliźniaczki żartują sobie ze Starka i jego szczególnych potrzeb, a raczej przywilejów, lecz nikt nie zwracał na nie uwagi. — Spotkacie się tu z Erce, która zawiezie was na San Clemente. Nie zapomnijcie niczego i niech Nyks będzie z wami. — Podeszła do przednich drzwi i przesunęła kilka dźwigni. Drzwi otworzyły się z szumem. — Możecie wysiadać.

— Ja pierwsza — powiedziałam do Starka, który zdążył schować książkę do plecaka, przewiesić go sobie przez ramię i wstać. — Chcę się upewnić, że naprawdę nie dociera tam żaden promyk słońca, który mógłby być dla ciebie zabójczy.

Stark zamierzał się sprzeczać, lecz w tym momencie koło nas przemknął Darius.

— Czekajcie tu — rzucił szybko. — Dam znać, czy wszystko w porządku.

— Prawdziwy wojownik — mruknęła Afrodyta, blokując przejście swoją ekskluzywną torbą na kółkach. — Uwielbiam, jak testosteron uderza mu do głowy, ale mógłby jeszcze pamiętać, żeby wziąć moją torbę.

— Musi mieć wolne ręce, żeby w razie czego móc cię bronić — rzekł Stark, nie dodając „idiotko", choć to słowo wyraźnie wisiało w powietrzu.

Afrodyta zmrużyła powieki, lecz Darius zdążył już wrócić na pokład.

— Wszystko gra — powiedział, więc odwróciliśmy się i jak grzeczne stadko ruszyliśmy gęsiego w stronę wyjścia.

U stóp schodów stała wysoka dostojna wampirka. Choć w odróżnieniu od Lenobii miała ciemne włosy i karnację, bardzo przypominała mi naszą nauczycielkę jeździectwa. Łączył je ten specyficzny spokój charakteryzujący zwykle osoby zajmujące się końmi, które są najfajniejszymi (nie licząc kotów) zwierzętami na świecie i wybierają sobie do towarzystwa istoty mądre i łagodne.

— Jestem Erce. Bądź pozdrowiona, Zoey. — Jej ciemne oczy natychmiast mnie odnalazły, choć Darius i Stark szli przede mną.

— Bądź pozdrowiona — odparłam.

Kobieta przeniosła wzrok na Starka. Zobaczyłam, jak oczy jej okrągleją na widok czerwonego tatuażu i misternie wyrysowanych strzał po obu stronach półksiężyca zdobiącego środek czoła.

— To Stark — wyjaśniłam, czując potrzebę przerwania niezręcznej ciszy.

— Bądź pozdrowiony, Stark.

— Bądź pozdrowiona — odpowiedział odruchowo, choć wyczułam w jego głosie napięcie.

Rozumiałam, jak musi się czuć, choć sama powoli już przywykałam do tego, że ludzie gapią się na moje dziwaczne tatuaże.

— Zadbałam o to, by nasza łódź miała zaciągnięte zasłony i przyciemnione okna, choć została tylko godzina do zmroku, a do tego od rana sypie śnieg, więc i tak słońca jest niewiele.

Tak się zasłuchałam w jej miły, melodyjny głos, że dopiero po chwili dotarło do mnie, co powiedziała.

— Łódź? — zapytałam. — Ale jak on ma się na nią dostać?

— Jest tu, Zo. — Ześlizgujący się z rękami na zimnych śliskich barierkach i nogami w powietrzu Heath wskazał brodą skraj hangaru, gdzie w podłogę wdzierał się duży prostokątny dok z wielką bramą podobną do garażowej. Na drugim końcu budynku zobaczyłam zgrabną łódź z czarnego drewna z przeszklonym przodem pokładu, na którym przy desce rozdzielczej stały dwa wysokie wampiry. Za nimi znajdowały się lśniące drewniane schody prowadzące w dół, prawdopodobnie do części pasażerskiej. Mówię „prawdopodobnie", bo choć wzdłuż burty rozmieszczone były okna, we wszystkich, zgodnie z zapowiedzią Erce, widniały zaciągnięte kotary.

— Jeśli słońce jest za chmurami, przeżyję — rzekł Stark.

— Więc to prawda, że słońce powoduje u ciebie coś więcej niż dyskomfort? Mogłoby cię dosłownie spalić? — zapytała Erce z zaciekawieniem, ale nie wścibsko. Nie zabrzmiało to, jakby właśnie zobaczyła wybryk natury. Była autentycznie zatroskana.

— Bezpośrednie zetknięcie z promieniami słonecznymi by mnie zabiło — odparł rzeczowym tonem chłopak. — Zachodzące albo przysłonięte chmurami mogłoby być zarówno nieprzyjemne, jak i niebezpieczne.

— To naprawdę ciekawe — mruknęła Erce.

— Może i ciekawe. Dla mnie raczej denerwujące i uciążliwe.

— Będziemy mieli trochę czasu na zakupy przed spotkaniem Najwyższej Rady? — przerwał im kolejny głos.

— Och, ty zapewne jesteś Afrodyta.

— Owszem, bądź pozdrowiona i tak dalej. To co z tymi zakupami?

— Obawiam się, że nie zdążycie. Dotarcie na wyspę zajmie pół godziny, a potem muszę was rozlokować i co ważniejsze, wprowadzić w etykietę rady. Szczerze mówiąc, musimy już ruszać. — I poprowadziła nas w stronę łodzi.

— Dopuszczą mnie przed swoje szlachetne oblicza czy też jako z w y k ł y człowiek nie jestem dla nich dość dobra?

— Zasada dotycząca ludzi w żadnym razie nie oznacza, że nie są dość dobrzy, by przemawiać do rady — rzekła Erce, idąc wraz z nami przez „portową" część hangaru na pokład, z którego zeszliśmy do przyciemnionej luksusowej kabiny. — Partnerzy wampirów od dawna są dopuszczani do uczestnictwa w spotkaniach z powodu roli, jaką odgrywają w ich życiu. — Uśmiechnęła się do Heatha, którego nie sposób było pomylić z adeptem. — Nie wolno im przemawiać do Najwyższej Rady, ponieważ polityka i problemy wampirskiej społeczności leżą wyłącznie w gestii samych wampirów.

Heath westchnął dramatycznie i przylepił się do mnie, otaczając mnie zaborczo ramieniem i całkowicie ignorując siedzącego po mojej drugiej stronie Starka.

— Zabierz tę łapę i zachowuj się albo tak cię zdzielę, że pożałujesz — szepnęłam.

Uśmiechnął się zawstydzony i cofnął rękę, lecz nie odsunął się.

— To znaczy, że mogę wejść na zebranie wszechmogącej Najwyższej Rady, ale muszę trzymać gębę na kłódkę tak jak ten tu krwiodawca? — zapytała Afrodyta.

— Zrobiono dla ciebie wyjątek. Możesz wejść i wolno ci przemawiać, lecz musisz się podporządkować wszystkim pozostałym regułom.

— No to na razie nici z zakupów — stwierdziła.

— W istocie — przytaknęła Erce.

Byłam zdumiona jej cierpliwością. Lenobia prawdopodobnie już dawno zmyłaby Afrodycie głowę za te jej bezczelne uwagi.

— A czy pozostali też mogą przyjść na zebranie? O, przepraszam, witaj, bądź pozdrowiona. Jestem Jack.

— Wszyscy zostaliście zaproszeni do udziału w spotkaniu.

— Co z Neferet i Kaloną? Oni również tam są? — zapytałam.

— Istotnie, choć Neferet nazywa siebie teraz wcieleniem Nyks, a Kalona twierdzi, że jego prawdziwe imię brzmi „Ereb".

— To kłamstwo — rzekłam.

Erce uśmiechnęła się ponuro.

— Właśnie dlatego tu jesteś, moja młoda niezwykła adeptko.

Przez resztę drogi niewiele rozmawialiśmy. Gdy uruchomiono silnik łodzi, w ciemnym wnętrzu zrobiło się głośno i nieprzyjemnie. Mocno rzucało, więc mówiąc szczerze, skupiałam się głównie na walce z mdłościami.

W końcu łódź zwolniła i kołysanie osłabło. Najwyraźniej dobiliśmy do wyspy.

— Zoey! — usłyszałam przez ryk silnika głos Dariusa.

Oboje z Afrodytą siedzieli dwa rzędy za mną, więc musiałam się odwrócić, by na nich spojrzeć. Stark zrobił to samo i jednocześnie zerwaliśmy się na równe nogi.

— Afrodyto, co ci jest?

Podbiegłam do niej. Ściskała głowę rękoma, jakby się bała, że czaszka jej za chwilę eksploduje. Darius sprawiał wrażenie bezradnego. Dotykał jej ramion, mamrotał niesłyszalne dla mnie słowa i usiłował ją nakłonić, by na niego spojrzała.

— O bogini! Mój łeb! Co się, kurwa, dzieje?

— Ma wizję? — zapytała zza moich pleców Erce.

— Nie wiem. Pewnie tak — odparłam i przyklękłam przed Afrodytą. — To ja, Zoey. Mów, co widzisz.

— Jest za gorąco. Cholernie gorąco — mówiła, rzeczywiście rozgorączkowana i spocona, mimo że na łodzi było dość chłodno. Rozglądała się rozszerzonymi przerażonymi oczyma, choć byłam prawie pewna, że wcale nie widzi wnętrza ekskluzywnej łodzi.

— Afrodyto, mów do mnie! Co jest w tej wizji?

Wtedy wreszcie na mnie spojrzała i zobaczyłam, że jej oczy wyglądają normalnie. Nie były przekrwione jak wtedy, gdy przytomniała po swoich strasznych objawieniach.

— Nic. — Spazmatycznie wciągała powietrze, wachlując spoconą twarz. — To nie wizja. To Stevie Rae i nasze cholerne Skojarzenie. Coś się z nią dzieje. Coś bardzo, ale to bardzo złego.

ROZDZIAŁ TRZYDZIESTY PIĄTY

Stevie Rae

Wiedziała, że umrze. Tym razem na zawsze. Bała się nawet bardziej niż wtedy, gdy wykrwawiała się na śmierć w ramionach Zoey w otoczeniu przyjaciół. Teraz było inaczej. Teraz umierała w wyniku zdrady, a nie zrządzenia natury.

Ból był nie do zniesienia. Stevie uniosła rękę i ostrożnie macała tył głowy. Gdy ją odsunęła i spojrzała, palce miała umazane krwią. W mózgu mętlik — co się właściwie stało? Próbowała usiąść, ale świat zawirował jej przed oczami i osunęła się z jękiem, wymiotując potwornie i płacząc z bólu. Potem odtoczyła się od wymiocin i leżała na boku. Dopiero wtedy załzawione oczy dostrzegły metalową kratę w górze, a nad nią niebo, które z każdą chwilą stawało się mniej szare, a bardziej niebieskie.

Nagle przypomniała sobie wszystko i za gardło ścisnęło ją przerażenie. Oddychała szybko, płytko. Uwięzili ją tu, a słońce już wyłaniało się zza horyzontu! Mimo kraty nad głową i świeżego wspomnienia zdradzieckich działań swoich niedawnych przyjaciół Stevie nie chciała w to uwierzyć.

Znów chwyciły ją mdłości. Zamknęła oczy, a wtedy zawroty głowy osłabły i mogła nieco pozbierać myśli.

To robota czerwonych adeptów. Stevie bardzo długo czekała na Nicole i rozzłoszczona już miała wrócić do Domu

Nocy, gdy ta wreszcie pojawiła się w piwnicy w towarzystwie Starr. Obie śmiały się i żartowały, a płonące policzki i jarzące się czerwono oczy wskazywały, że niedawno posiliły się świeżą krwią. Próbowała z nimi rozmawiać, więcej — próbowała przemówić im do rozsądku i nakłonić je, by wróciły do Domu Nocy.

Dwie adeptki najpierw długo się z niej nabijały, kpiąc i wymyślając głupkowate wymówki w stylu: „Oj tam, wampiry nie pozwolą nam jeść śmieciowego jedzenia, a my lubimy sobie od czasu do czasu skonsumować jakiegoś śmieciucha" albo: „Tu niedaleko, na Piątej, jest liceum Willa Rogersa. Jak nam się zachce iść do szkoły, to się tam wybierzemy — oczywiście po zmroku, na kolację".

Stevie mimo wszystko starała się im wytłumaczyć, dlaczego powinny wrócić, przekonywała, że po pierwsze, szkoła jest ich domem, a po drugie, muszą się jeszcze dowiedzieć o wampirskim życiu wielu rzeczy, których nawet ona nie wie.

Wyśmiały ją, nazwały staruszką i powiedziały, że nie widzą powodu do wynoszenia się z tuneli, zwłaszcza teraz, gdy zwolniło się sporo miejsca i nikt im już nie truje dupy.

Potem do piwnicy wparował zziajany podekscytowany Kurtis, którego Stevie nie cierpiała od samego początku — wielki głupi hodowca świń z północno-wschodniej Oklahomy, według którego kobieta jest niewiele więcej warta od jego wieprzy.

— Juhuuu! Znalazłem go i podgryzłem! — zawył radośnie.

— Tego śmierdziela? Żartujesz? Chyba się porzygam — stwierdziła Nicole.

— Ciekawe, jak go unieruchomiłeś na czas podgryzania — mruknęła Starr.

Kurtis otarł usta rękawem, na którym pojawiła się plama krwi. Jej zapach uderzył Stevie w nozdrza, wywołując wstrząs. Rephaim! To jego krew!

— Najpierw go ogłuszyłem. Co wcale nie było trudne, biorąc pod uwagę złamane skrzydło itepe.

— O czym ty gadasz? — wybuchnęła Stevie.

Kurtis zamrugał, wlepiając w nią tępe spojrzenie. Już chciała go chwycić za ubranie, potrząsnąć nim i może wezwać ziemię, żeby pochłonęła jego durny pysk, gdy w końcu raczył odpowiedzieć.

— O tym ptakoludzie. Jak wy ich nazywacie?... Kruki Przecośtam? Jeden tu przylazł. Ganiamy go po całym dworcu. Nikki i Starr już się tym znudziły i poszły poskubać żarłoków z Taco Bell, ale ja miałem ochotę na drób, więc zapędziłem kolesia na dach tej wieży po drugiej stronie dworca.

— Wskazał w górę i w lewo. — No i go dorwałem.

— I co? — zapytała Nicole z obrzydzeniem i zaciekawieniem jednocześnie. — Smakuje tak ohydnie jak pachnie?

Wzruszył mięsistymi ramionami.

— Ja tam mogę zjeść wszystko. I wszystkich.

Dwie dziewczyny zaniosły się potwornym chichotem.

— Macie na dachu Kruka Prześmiewcę? — zapytała Stevie.

— No. Nie wiem, skąd on się tu w ogóle wziął, zwłaszcza że był nieźle pokiereszowany. — Nicole uniosła brew.

— Mówiłaś, że powrót do Domu Nocy jest bezpieczny, bo Neferet i Kalona uciekli? Cóż, najwyraźniej coś tu po sobie zostawili. Może jednak nie wynieśli się na dobre?

— Wynieśli się — powiedziała Stevie, idąc w kierunku wyjścia. — To jak? Żadne z was nie chce iść ze mną?

Cała trójka kręciła w milczeniu głowami, nie spuszczając z niej czerwonych oczu.

— A inni? Gdzie w ogóle są?

Nicole wzruszyła ramionami.

— Gdzie im się podoba. Jak ich spotkam, przekażę od ciebie, że mają wracać do szkoły.

— Hej, super! — roześmiał się Kurtis. — Wracajmy do budy! O niczym innym nie marzę!

— Słuchajcie, muszę już iść. Zbliża się świt. Ale jeszcze pogadamy. Powinniście też wiedzieć, że może wrócę tu z innymi czerwonymi adeptami, chociaż oficjalnie będziemy mieszkać w Domu Nocy. A jeśli tak, to albo będziecie z nami i zaczniecie się odpowiednio zachowywać, albo będziecie musieli się stąd wynieść.

— A co powiesz na to: ty ze swoimi cipowatymi adeptami zostajesz w szkole, a my zostajemy tutaj, bo to teraz nasz dom? — zapytał Kurtis.

Stevie zatrzymała się w drodze do wyjścia i odruchowo wyobraziła sobie, że jest drzewem z korzeniami wrastającymi bardzo, bardzo głęboko w glebę. *Ziemio, przybądź.* W piwnicy, w otoczeniu tego żywiołu, łatwo jej było zaczerpnąć jego mocy. Gdy się odezwała, grunt pod ich stopami zagrzmiał i zadrżał od jej gniewu.

— Powtórzę to jeszcze tylko raz. Jeśli przyprowadzę tu z powrotem moich adeptów, to będzie n a s z dom. Możecie w nim zostać, jeśli będziecie się odpowiednio zachowywać. Jeśli nie, wynocha. — Tupnęła i cały dworzec zadrżał w posadach, a z niskiego sufitu piwnicy zaczął się sypać tynk. Stevie Rae wzięła głęboki oddech, uspokoiła się i wyobraziła sobie, że cała przywołana przed chwilą energia wypływa z jej ciała i cofa się w głąb ziemi. Gdy znów się odezwała, jej głos brzmiał normalnie, a ziemia nie drżała. — Decyzja należy do was. Wrócę jutro w nocy. Na razie.

Nie zaszczycając ich kolejnym spojrzeniem, szybkim krokiem opuściła piwnicę, przebyła labirynt gruzu i metalowych krat rozsianych tu i ówdzie po porzuconych podziemiach i wyszła po schodach z parkingu na naziemny poziom ruchliwego niegdyś dworca. Musiała uważać, bo chociaż przestało padać, a wczoraj wyszło nawet słońce, w nocy temperatura spadła i niemal wszystko, co przedtem stopniało, zamarzło na nowo.

Przeszła pod dużą wiatą, pod którą przy złej pogodzie oczekiwali niegdyś podróżni. Zadarła głowę i spojrzała wysoko w górę.

Budynek dworcowy wyglądał wprost makabrycznie. Zoey twierdziła, że jest żywcem wyjęty z Gotham City, ale w oczach Stevie przypominał raczej skrzyżowanie *Blade Runnera* z *Amityville*. Owszem, uwielbiała rozciągające się pod nim tunele, lecz kamienna fasada ze swoją mieszaniną art déco i futuryzmu budziła w niej grozę.

Oczywiście część tej grozy mogła wynikać z faktu, że czarne dotąd niebo zaczynało już szarzeć, zwiastując nadejście świtu. Patrząc z perspektywy, powinna była wtedy pójść po rozum do głowy, odwrócić się, zbiec z powrotem na parking, wsiąść do pożyczonego ze szkoły auta i jechać prosto do Domu Nocy.

Zamiast tego ruszyła na spotkanie przeznaczenia i — jak by to eufemistycznie ujęła Zoey — wdepnęła w niezłą kupkę.

Stevie wiedziała, że do każdej z wież prowadzą spiralne schody znajdujące się w głównej części dworca. Kiedy jeszcze mieszkała w podziemiach, poświęcała sporo czasu na eksplorację okolicy. Nie miała jednak najmniejszego zamiaru wracać do tego potwornego budynku i ryzykować, że jakiś adept, który włóczy się, zamiast spać, zobaczy ją, przyciśnie do muru i wyciągnie z niej prawdę.

Plan B zaprowadził ją do drzewa, które kiedyś z całą pewnością było ozdobne, ale już dawno rozrosło się poza przeznaczone dla niego betonowe kółko, przebijając korzeniami parking, odsłaniając mnóstwo zmrożonej ziemi i rosnąc swobodnie dalej. Nie miała pojęcia, co to za drzewo, bo chwilowo było pozbawione liści, liczył się jednak fakt, że sięgało gałęziami dachu dworca w miejscu położonym blisko pierwszej z dwóch wyrastających z fasady wież.

Stevie Rae podeszła do niego szybko i podskoczyła, chwytając się rękoma najbliższej gałęzi. Wspinała się po śliskim nagim konarze, balansując ciałem, póki nie dotarła do miejsca, gdzie gałąź odchodziła od pnia. Potem pięła się w górę po pniu, dziękując Nyks za to, że jako czerwoną wampirkę obdarzyła ją wyjątkową siłą, bo zwykły adept, a może nawet wampir z pewnością by sobie nie poradził z niebezpieczną wspinaczką.

Gdy już dotarła najwyżej, jak tylko się dało, skoncentrowała się i przeskoczyła na dach. Nawet nie spojrzała na pierwszą wieżę. Świniopas powiedział, że trzymają Rephaima w tej bardziej oddalonej, więc potruchtała po dachu na drugi kraniec budynku i wspięła się na niewielką wieżyczkę, by zajrzeć do wnętrza.

Był tam. Skulony w rogu, nieruchomy i pokrwawiony.

Bez wahania przerzuciła nogi na drugą stronę muru i zeskoczyła z niespełna półtorametrowej wysokości.

Leżał zwinięty w kulkę, zdrową ręką podtrzymując tę chorą, spoczywającą na brudnym temblaku. Na przedramieniu miał krwawą plamę, prawdopodobnie w miejscu, gdzie ugryzł go Kurtis. Z otwartej rany bił niezdrowy zapach jego nieludzkiej krwi. Unieruchamiający skrzydło bandaż poluzował się i wyglądał jak sterta pokrwawionych szmat.

— Rephaim, słyszysz mnie?

Na dźwięk jej głosu kruk natychmiast otworzył oczy.

— Nie! — rzucił, usiłując się podnieść. — Wynoś się stąd! To pułap....

Potem coś uderzyło ją w tył głowy. Poczuła potworny ból i wokół zapadła ciemność.

— Stevie Rae, musisz się obudzić! Rusz się!

W końcu poczuła, że ktoś ją szarpie za ramię, i rozpoznała głos Rephaima. Ostrożnie otworzyła oczy i świat nie wywrócił się do góry nogami, choć głowa pulsowała jej w rytm uderzeń serca.

— Rephaim... — wychrypiała. — Co się stało?

— Wykorzystali mnie, żeby cię uwięzić — powiedział.

— Chciałeś mnie uwięzić? — Wprawdzie mdłości nieco osłabły, ale miała wrażenie, że jej umysł pracuje na zwolnionych obrotach.

— Nie. Chciałem mieć spokój, by dojść do siebie, a potem wrócić do ojca. Nie dali mi wyboru. — Wstał, poruszając się sztywno, zgięty w pasie z powodu metalowej kraty tworzącej niski, acz nieprawdziwy sufit. — Rusz się. Masz mało czasu. Słońce już wschodzi.

Spojrzała w niebo i zobaczyła pastelowe barwy przedświtu, które niegdyś tak jej się podobały. Teraz jaśniejące niebo przepełniało ją trwogą.

— O bogini! Pomóż mi wstać.

Rephaim chwycił ją za rękę i podniósł. Stanęła zgarbiona obok niego, wzięła głęboki oddech, uniosła ręce, chwyciła chłodny metal kraty i pchnęła. Krata zagrzechotała lekko, lecz nie przesunęła się.

— Jak oni ją przymocowali? — zapytała Stevie.

— Łańcuchami. Przełożyli je przez metalową ramę i przypięli kłódkami do czego tylko się dało.

Raz jeszcze pchnęła kratę, która znów jedynie zagrzechotała. Myśląc tylko o tym, że słońce wkrótce wzejdzie i że musi się stąd wydostać, Stevie na przemian pchała i ciągnęła, usiłując przesunąć kratę w jedną lub drugą stronę i może jakoś się prześliznąć pomiędzy nią a murem. Niebo z każdą sekundą jaśniało, a jej skóra drgała jak skóra konia próbującego zrzucić natrętną muchę.

— Przełam metal! — rzucił natarczywie Rephaim. — Masz dość siły!

— Może dałabym radę, gdybym była pod ziemią albo chociaż na niej — wysapała, nie przestając siłować się bezradnie z kratą. — Ale tu jestem oddalona od swojego żywiołu o całą wysokość tego budynku. To mnie osłabia. — Przeniosła wzrok z nieba na szkarłatne oczy kruka. — Chyba powinieneś się ode mnie odsunąć. Stanę w ogniu, a nie wiem, jak duże będą płomienie. Może się tu zrobić naprawdę gorąco.

Patrzyła, jak kruk się odsuwa, po czym z narastającym poczuciem beznadziei wróciła do walki z nieporuszonym metalem. Jej palce zaczynały już skwierczeć i musiała przygryźć wargi, by nie zacząć wrzeszczeć jak opętana.

— Tu. Tu metal jest zardzewiały i cieńszy.

Opuściła ręce, odruchowo wciskając je pod pachy, i pochylona ruszyła w stronę kruka. Zauważyła zardzewiały pręt i chwyciła go obiema rękami, po czym z całej siły pociągnęła do siebie. Lekko się ugiął, ale jej dłonie i nadgarstki zaczęły dymić.

— O bogini! — jęknęła. — Nie dam rady. Cofnij się, Rephaim, bo ja już...

Zamiast jednak uciec od niej, podszedł tak blisko, jak tylko zdołał, rozpościerając zdrowe skrzydło, by nieco ją ocienić. Potem uniósł zdrową rękę i schwycił zardzewiałą kratę.

— Myśl o ziemi. Skoncentruj się. Zapomnij o słońcu i niebie. Ciągnij razem ze mną. Teraz!

Osłonięta przez jego skrzydło Stevie chwyciła kratę po obu stronach ręki Rephaima. Zamknęła oczy i zignorowała ból płonących palców oraz mrowienie całej skóry, która wołała do niej: „Uciekaj! Uciekaj dokądkolwiek, byle dalej od słońca!". Myślała o ziemi, chłodnej, ciemnej i czekającej na nią jak kochająca matka. Pociągnęła.

Z metalicznym trzaskiem krata pękła, tworząc otwór dość duży, aby się przecisnąć.

— Idź! — rzekł Rephaim, odsuwając się. — Szybko!

Gdy tylko cofnął skrzydło, jej ciało poczerwieniało i dosłownie zaczęło dymić. Odruchowo opadła na podłogę i zwinęła się w kłębek, zakrywając twarz rękoma.

— Nie mogę! — krzyknęła obezwładniona bólem i przerażeniem. — Spalę się!

— Spalisz się, jeśli tu zostaniesz — odparł.

Potem przecisnął się przez otwór i zniknął. Zostawił ją. Wiedziała, że miał rację: musiała się stąd wydostać, ale nie potrafiła pokonać paraliżującego strachu. Ból był zbyt dojmujący. Miała wrażenie, że krew w jej ciele wrze. I kiedy myślała, że już dłużej nie wytrzyma, padł na nią niewielki chłodny cień.

— Chwyć moją rękę.

Mrużąc oczy w obronie przed okrutnym słońcem, uniosła głowę. Rephaim kucał na kracie, rozłożywszy zdrowe skrzydło, by blokowało jak najwięcej światła. Wyciągał do niej rękę.

— Dalej, Stevie Rae. Zrób to!

Posłuchała go, schłodzona cieniem. Schwyciła jego dłoń, lecz kruk nie mógł sam jej wyciągnąć. Była zbyt ciężka, a on miał do dyspozycji tylko jedną rękę. Wyrzuciła więc w górę drugą dłoń, chwyciła pręt i podciągnęła się.

— Chodź, osłonię cię. — Rephaim otulił ją skrzydłem, a ona bez wahania wtuliła się w niego, ukrywając głowę w porastających kruczą pierś piórach, otaczając go ramionami i pozwalając się unieść.

— Zanieś mnie do drzewa!

Ruszył biegiem, kuśtykając i podrygując, ale szybko posuwając się po dachu. Część rąk, szyi i ramion Stevie była odsłonięta i płonęła. Półprzytomna dziewczyna dopiero po dłuższej chwili uświadomiła sobie, że ten straszny ogłuszający dźwięk, który dudni jej w uszach, to jej własny krzyk — krzyk bólu, przerażenia i furii.

— Trzymaj się! — zawołał kruk, gdy znaleźli się na krawędzi dachu. — Skaczę na drzewo!

Skoczył, przekoziołkował w powietrzu, mając problemy ze złapaniem równowagi, i uderzył o pień.

Adrenalina pomogła Stevie go utrzymać i podciągnąć. Wdzięczna bogini za to, że ciało kruka jest tak lekkie, przycisnęła go do siebie i opierając się plecami o korę, powiedziała:

— Staraj się trzymać drzewa, a ja nas spuszczę.

I znów spadali. Szorstka kora raniła i tak już pokrytą bąblami, krwawiącą skórę dziewczyny, która zamknęła oczy i sięgnęła myślą ku spokojnej, wyczekującej ziemi.

— Ziemio, przybądź! Otwórz się i uratuj mnie!

Rozległ się głośny odgłos pękania i podłoże u stóp drzewa rozstąpiło się w samą porę, by wpuścić Stevie Rae i Rephaima do chłodnej ciemnej jamy.

ROZDZIAŁ TRZYDZIESTY SZÓSTY

Zoey

Gdy Afrodyta zaczęła krzyczeć, wiedziałam, że mogę zrobić tylko jedno.

— Duchu, przybądź! — zawołałam i duch natychmiast wypełnił mnie swoim spokojem. — Pomóż Afrodycie się uspokoić. — Poczułam, jak żywioł opuszcza moje ciało, i niemal natychmiast krzyki Afrodyty ustąpiły miejsca cichym jękom i szlochom.

— Dariusie, daj mi numer telefonu Lenobii!

Choć nie było mu wygodnie, bo trzymał Afrodytę w ramionach, natychmiast spełnił polecenie, wyjmując komórkę z kieszeni dżinsów i rzucając mi.

— Jest w kontaktach.

Wcisnęłam przycisk książki telefonicznej i wstukałam imię Lenobii, starając się zapanować nad drżeniem rąk. Odebrała po pierwszym dzwonku.

— Darius?

— Tu Zoey. Mamy problem. Gdzie jest Stevie Rae?

— Pojechała na dworzec. Chciała przemówić do rozumu adeptom, którzy tam zostali. Przyznam jednak, że trwa to dłużej, niż się spodziewałam. Już prawie świt.

— Ma kłopoty.

— Płonie! — wyszlochała Afrodyta. — Ona płonie!

— Jest na zewnątrz. Afrodyta twierdzi, że płonie.

— O bogini! Wie coś jeszcze?

Ze zmiany w głosie Lenobii wnioskowałam, że biegnie.

— Afrodyto, jesteś w stanie określić, gdzie jest Stevie?

— N...nie. Gdzieś na dworze.

— Nic więcej nie wie. Tylko że na dworze.

— Znajdę ją — rzekła nauczycielka. — Zadzwoń, jeśli Afrodyta wyczuje coś jeszcze.

— A ty daj nam znać, jak tylko Stevie będzie bezpieczna — powiedziałam, nie potrafiąc sobie nawet wyobrazić innego zakończenia. Lenobia się rozłączyła.

— Zaprowadźmy Afrodytę do środka — zarządziła Erce. — Tam łatwiej sobie z tym poradzimy.

Ruszyła przodem. Opuściliśmy łódź i znaleźliśmy się w budynku, tyle że tym razem nie był to hangar lotniczy, ale stary kamienny gmach. Ledwie zdążyłam poczuć ulgę, że Stark ma ochronę przed słońcem, a już musieliśmy pędzić za Erce przez łukowato sklepiony łącznik.

Darius z Afrodytą w ramionach podążał za nami, a Stark i ja staraliśmy się dotrzymać kroku przewodniczce.

— Afrodyta jest skojarzona z czerwoną wampirką Stevie Rae — wyjaśniłam.

Erce skinęła głową i przytrzymała ogromne drewniane drzwi, dając Dariusowi znak, by wniósł przez nie dziewczynę.

— Lenobia mi o tym wspominała.

Weszliśmy do olbrzymiego, urządzonego z niesamowitym przepychem holu z mnóstwem żyrandoli pod niewiarygodnie wysokim sufitem. Erce szybko zagnała nas do mniejszego pokoju.

— Połóż ją na kanapie.

Stłoczyliśmy się dookoła, obserwując Afrodytę w milczeniu.

— Nic się nie da zrobić dla człowieka skojarzonego z cierpiącym wampirem — powiedziała do mnie Erce. — Będzie odczuwała ból Stevie Rae do chwili zażegnania kryzysu lub do śmierci.

— Do śmierci? — wychrypiałam. — Śmierci Stevie czy swojej?

— Którejkolwiek. Lub obu. Wampiry potrafią niekiedy przeżyć wypadki, które zabijają ich partnerów.

— O w mordę... — mruknął Heath.

— Moje ręce! — jęknęła Afrodyta. — Płoną!

Nie mogłam już tego znieść.

Podeszłam do niej. Darius siedział obok, wciąż ją obejmując i przemawiając do niej łagodnie. Miał bladą posępną twarz. Spojrzał na mnie z niemym błaganiem w oczach. Wzięłam ją za rękę, która rzeczywiście była nadzwyczaj ciepła.

— Nie płoniesz. Spójrz na mnie, Afrodyto. To nie przydarza się tobie, lecz Stevie Rae.

— Wiem, jak się czujesz. — Heath przykląkł na jedno kolano obok mnie i ujął cierpiącą dziewczynę za drugą rękę. — To okropne, gdy jesteś skojarzona i coś złego przydarza się twojemu wampirowi. Ale to nie ty płoniesz, choć tak ci się wydaje.

— Tu nie chodzi o to, że Stevie się z kimś pieprzy — burknęła Afrodyta słabym drżącym głosem.

— Nieważne, co konkretnie się dzieje — odparł niezrażony Heath. — Ważne, że cię to rani. Musisz pamiętać, że nie jesteś nią, choć czujesz się niemal jej częścią.

Chyba zdołał jakoś dotrzeć do Afrodyty, bo spojrzała na niego.

— Ale ja tego nie chciałam! — wydusiła wśród szlochów. — Nie chciałam być związana ze Stevie, a ty chcesz być związany z Zoey!

Heath ścisnął mocno jej dłoń, a ona trzymała się go jak tonący brzytwy. Wszyscy patrzeli na nich, lecz chyba tylko ja czułam się jak nieproszony gość.

— Czy się tego chce czy nie, skutki bywają trudne do zniesienia. Musisz się nauczyć zachowywać w sobie coś własnego. Musisz wiedzieć, że nie dzielisz z nią duszy, choćby Skojarzenie podpowiadało ci coś innego.

— Właśnie! — Afrodyta wyrwała rękę z mojego uścisku i przykryła nią dłoń Heatha. — Czuję się, jakbyśmy miały wspólną duszę. I nie mogę tego znieść.

— Możesz. Po prostu pamiętaj, że to tylko wrażenie, a nie rzeczywistość.

Cofnęłam się o kilka kroków.

— Afrodyto, jesteś bezpieczna. Jesteśmy przy tobie. — Damien dotknął jej ramienia.

— Wszystko w porządku. A twoje włosy wciąż są piękne — sekundował mu Jack.

Wydała z siebie parsknięcie, które na moment rozproszyło chaos i przywróciło normalność.

— Od razu mi lepiej — powiedziała.

— Świetnie — stwierdziła Shaunee — bo już się bałam, że zrobisz nam numer i przekręcisz się.

— A przecież potrzebne nam twoje doświadczenie w zakupach — dodała Erin. Obie zachowywały się jakby nigdy nic, ale widać było, że w głębi duszy martwią się jej stanem.

— Nic jej nie będzie. Wyjdzie z tego — rzekł Stark, jak zawsze stojąc obok mnie. Jego obecność uspokajała mnie i dodawała mi sił.

— Co się dzieje ze Stevie? — szepnęłam do niego.

Otoczył mnie ramieniem i uścisnął.

Do pokoju weszła piękna wampirka o jasnorudych włosach, niosąca na tacy dzbanek wody z lodem, szklankę i kilka złożonych mokrych ręczników. Podeszła prosto do stojącej obok kanapy Erce, która gestem poleciła jej postawić tacę na najbliższym stoliczku do kawy. Zauważyłam, że nowo przybyła sięga do kieszeni, wyjmuje buteleczkę tabletek i podaje ją Erce. Potem wyszła z pokoju równie cicho, jak przedtem weszła.

Nasza gospodyni wysypała z buteleczki jedną tabletkę i podeszła do Afrodyty. Nim się zorientowałam, co robię, instynktownie schwyciłam ją za nadgarstek.

— Co jej dajesz?

Spojrzała mi w oczy.

— Coś na uspokojenie.

— A jeśli straci przez to kontakt ze Stevie?

— Wolisz mieć dwie martwe przyjaciółki zamiast jednej? Wybieraj, najwyższa kapłanko.

Zdławiłam w sobie krzyk pierwotnej furii. Nie zamierzałam tracić żadnej z nich! Ale mój umysł rozumiał, że Afrodyta bynajmniej nie musi umierać wraz ze Stevie Rae, dla której niewiele mogłam zrobić, bo znajdowała się za oceanem i połową kontynentu. Puściłam rękę Erce.

— Masz, kochanie. Weź to. — Podała Afrodycie tabletkę i pomogła Dariusowi przytrzymać przy jej ustach szklankę z zimną wodą. Dziewczyna połknęła tabletkę i duszkiem wypiła wodę, jakby przed chwilą przebiegła maraton.

— Na boginię, mam nadzieję, że to xanax — powiedziała drżącym głosem.

Pomyślałam, że sytuacja się poprawia, bo Afrodyta przestała płakać, a większość mojej ekipy rozsiadła się na grubo obitych krzesłach w różnych częściach pokoju. Zostali tylko Heath i Stark. Stark stał obok mnie, a Heath wciąż trzymał Afrodytę za rękę i wraz z Dariusem przemawiał do niej cicho.

Nagle jednak Afrodyta krzyknęła, wyrwała się obu chłopakom i skuliła w pozycji embrionalnej.

— Palę się!

Heath spojrzał na mnie.

— Nie możesz jej jakoś pomóc?

— Cały czas tchnę w nią ducha. Tylko tyle mogę zrobić. Stevie Rae jest w Oklahomie, jak mam do niej dotrzeć?! — krzyknęłam bezradnie, przekuwając frustrację w gniew.

Stark otoczył mnie ramieniem.

— Już dobrze. Wszystko się ułoży.

— Nie wiem jak — odparłam. — Jakim cudem obie mają z tego wyjść cało?

— A jakim cudem zły facet mógł zostać wojownikiem najwyższej kapłanki? — zapytał z uśmiechem. — Nyks czuwa nad obiema. Zaufaj jej.

Stałam tam więc, przekierowując ducha w ciało Afrodyty, patrząc na jej cierpienie i ufając bogini.

Afrodyta znów krzyknęła, chwyciła się za ramiona, zawołała: „Otwórz się i uratuj mnie", po czym łkając z ulgą, osunęła się w ramiona Dariusa.

Przysunęłam się niepewnie i pochyliłam, by spojrzeć jej w twarz.

— Nic ci nie jest? Czy Stevie żyje?

Uniosła na mnie załzawione oczy.

— Skończyło się. Znów ma kontakt z ziemią. Żyje.

— Dzięki bogini! — powiedziałam, dotykając łagodnie jej ramienia. — A co z tobą? Wszystko dobrze?

— Chyba tak. Albo i nie. Nie wiem. Dziwnie się czuję. Jakby coś było nie tak z moją skórą.

— Jej wampirka ucierpiała — rzekła bardzo cicho Erce. — Być może jest teraz bezpieczna, ale stało jej się coś bardzo złego.

— Wypij to, kochanie. — Darius wziął z rąk kobiety kolejną szklankę wody i uniósł do ust Afrodyty. — Pomoże.

Wypiła wodę. Dobrze, że wojownik przytrzymywał jej szklankę, bo drżała tak bardzo, że z całą pewnością rozlałaby sporą część zawartości. Potem odchyliła się w jego ramionach, oddychając zachłannie, lecz płytko, jakby każdy głębszy oddech mógł jej sprawić potworny ból.

— Wszystko mnie boli — szepnęła do Dariusa.

Podeszłam do Erce, chwyciłam ją za przegub i odciągnęłam na dostateczną odległość, by tamci nie mogli nas usłyszeć.

— Czy mogłabyś wezwać jakąś wampirską uzdrowicielkę? — zapytałam.

— Ona nie jest wampirką, kapłanko — odparła łagodnie kobieta. — Nasza uzdrowicielka jej nie pomoże.

— Ale jej stan jest odzwierciedleniem stanu wampirki.

— Każdy partner wampira podejmuje takie ryzyko. Ich losy są sprzężone. Bardzo często partner umiera na długo przed wampirem, dla którego taki stan jest bolesny. Odwrotna sytuacja zdarza się rzadziej.

— Stevie Rae żyje — skarciłam ją szeptem.

— Na razie tak, lecz z obserwacji jej partnerki wnoszę, że to życie wisi na włosku.

— Zostały partnerkami przez przypadek — mruknęłam. — Afrodyta tego nie chciała. Stevie też nie.

— Chciały czy nie, więc jest faktem — odparła Erce.

— O bogini! — Afrodyta usiadła prosto i odsunęła się od Dariusa. Na jej twarzy malował się szok, który po chwili ustąpił miejsca bólowi, a potem zaprzeczeniu. Zatrzęsło nią tak, że usłyszałam, jak szczęka zębami, po chwili zakryła twarz dłońmi i wybuchnęła rozdzierającym płaczem.

Darius spojrzał na mnie błagalnie. Przygotowując się na najgorsze, podeszłam do Afrodyty i usiadłam obok niej na kanapie.

— Afrodyto? — odezwałam się, bezskutecznie walcząc ze łzami. — Czy ona umarła?

Jak mogła umrzeć? Co miałam teraz zrobić, oddalona od niej o pół świata i doszczętnie skołowana? Usłyszałam płacz Bliźniaczek i zobaczyłam, jak Damien obejmuje Jacka. Afrodyta odsunęła dłonie od twarzy i ze zdumieniem ujrzałam przebijający zza łez znajomy sarkastyczny uśmieszek.

— Umarła? Nie, do diabła. Żyje. Właśnie się skojarzyła z kimś innym.

ROZDZIAŁ TRZYDZIESTY SIÓDMY

Stevie Rae

Gdy ziemia ją połknęła, przez chwilę się zdawało, że wszystko będzie dobrze. Chłodna ciemność przyniosła ulgę spalonej skórze. Stevie pojękiwała cicho.

— Czerwona? Stevie Rae?

Dopiero gdy się odezwał, uświadomiła sobie, że wciąż tkwi zakleszczona w jego ramionach. Oswobodziła się i odsunęła, lecz zaraz krzyknęła z bólu, gdy jej plecy dotknęły ściany jamy, którą jej żywioł otworzył i znów zasklepił, by ją ochronić.

— Nic ci nie jest? N...nie widzę cię — niepokoił się Rephaim.

— Wszystko w porządku. Chyba — odpowiedziała zdumiona brzmieniem własnego głosu, tak słabego i niezwykłego, że od razu poczuła niepokój. Uciekła przed słońcem, ale być może nie uniknęła zgubnych skutków jego działania.

— Nic nie widzę — powtórzył kruk.

— To dlatego, że ziemia zasklepiła się nad nami, żeby uchronić mnie przed słońcem — wyjaśniła.

— Jesteśmy uwięzieni? — W jego głosie nie było paniki, choć wydawał się lekko zaniepokojony.

— Nie, w każdej chwili mogę nas wydostać — powiedziała. — Poza tym — dodała po namyśle — sklepienie nad nami nie jest zbyt grube. Jeśli padnę trupem, bez trudu je rozkopiesz. A ty jak się czujesz? Skrzydło musi bardzo boleć.

Zignorował jej pytanie.

— Myślisz, że możesz umrzeć?

— Chyba nie. W sumie nie wiem. Czuję się jakoś dziwnie.

— Dziwnie? To znaczy jak?

— Jakbym się oddzieliła od własnego ciała.

— Boli?

Zastanowiła się.

— Nie — odparła zdumiona tym odkryciem. — Ani trochę.

Naprawdę ją to dziwiło, biorąc pod uwagę, że jej głos stawał się coraz słabszy.

Nagle dłoń kruka dotknęła twarzy dziewczyny, ześlizgnęła się na szyję, na ramię, na...

— Au!

— Jesteś bardzo poparzona. Potrzebujesz pomocy.

— Nie mogę stąd wyjść, bo spłonę do reszty — powiedziała, zachodząc w głowę, dlaczego ziemia wokół niej nagle zaczęła wirować.

— Co ja mogę dla ciebie zrobić?

— Załatwić wielką plandekę albo coś w tym stylu, owinąć mnie w nią i zanieść do banku krwi w mieście. To byłoby świetne. — Chyba nigdy w życiu nie była tak spragniona. Leżała tam, z beznamiętnym zaciekawieniem zastanawiając się, czy rzeczywiście umiera. Szkoda by było, zważywszy, ile Rephaim dla niej zrobił.

— Potrzebujesz krwi?

— Owszem. Może to obrzydliwe, ale ona trzyma mnie przy życiu. Niech umrę, jeśli jest inaczej. — Zachichotała nieco histerycznie, zaraz jednak spoważniała. — Zebrało mi się na żarty, co?

— Umrzesz, jeśli się nie napijesz?

— Możliwe — odparła, nie troszcząc się o to zbytnio.

— Jeśli krew cię uleczy, weź moją. Zawdzięczam ci życie. Dlatego uratowałem cię na dachu. Jeśli tu umrzesz, mój dług pozostanie niespłacony. Napij się ze mnie — nalegał.

— Źle pachniesz — wypaliła.

Z ciemności dobiegł jego zirytowany urażony głos.

— Czerwoni adepci też to mówili. Moja krew źle dla was pachnie, bo nie jest mi pisane stać się waszą ofiarą. Jestem synem nieśmiertelnego.

— Hej, ja nie poluję — zaprotestowała słabo. — Już nie.

— Ale reszta się nie zmienia — rzekł. — Pachnę inaczej, bo jestem inny. Nie zostałem stworzony po to, by stać się twoim obiadem.

— Czy kiedyś tak twierdziłam? — zapytała, chcąc, by to zabrzmiało gniewnie, lecz była zbyt słaba. Miała wrażenie, że jej głowa strasznie się rozdęła i lada chwila odczepi się od szyi, wyskoczy na powierzchnię ziemi i uleci w przestworza niczym olbrzymi urodzinowy balon.

— Pachnąca czy śmierdząca, zawsze to krew. Zawdzięczam ci życie, więc napijesz się jej i przeżyjesz.

Krzyknęła, gdy schwycił ją w ciemnościach i przyciągnął do siebie. Czuła, jak skóra odpada jej od poparzonych ramion i wtapia się w ziemię. Przylgnęła do jego miękkich piór i westchnęła głęboko. Nie byłoby tak źle, gdyby wyzionęła ducha tu, w otoczeniu ziemi i w kołysce z pierza. Kiedy się nie ruszała, ból był całkiem znośny.

Ona się nie ruszała, natomiast Rephaim tak. Uświadomiła sobie, że kruk rozrywa dziobem ranę po ugryzieniu Kurtisa na swoim ramieniu. Zdążyła się zagoić, ale teraz znów zaczęła krwawić, wypełniając ciasną kryjówkę gęstym aromatem nieśmiertelnej szkarłatnej posoki.

Kruk znów się przesunął, przyciskając krwawiącą rękę do ust dziewczyny.

— Pij — wychrypiał. — Pomóż mi pozbyć się tego długu.

Instynktownie zaczęła ssać, starając się nie myśleć o tym, że jego krew ma ohydny, absolutnie nieznośny zapach.

Potem poczuła jej smak na języku. Nigdy dotąd nie kosztowała czegoś podobnego. To zupełnie nie przypominało zapachu Rephaima: było rozkosznie smaczne, niosło ze sobą bogactwo nieznanych jej dotąd doznań.

Kruk syknął i mocniej ścisnął ją za kark drugą ręką. Stevie jęknęła. Picie krwi Kruka Prześmiewcy nie mogło być doznaniem seksualnym, lecz nie było także całkowicie aseksualne. Przemknęło jej przez głowę, że gdyby przynajmniej miała jakieś doświadczenie z chłopakami oprócz obmacywania się w ciemnościach z Dallasem, może wiedziałaby, co właściwie się teraz dzieje w jej umyśle i ciele. Było to przyjemne, mocne i elektryzujące, ale w niczym nie przypominało tego, co czuła, gdy była z Dallasem.

Tak czy owak podobało jej się. Na moment zapomniała, że Rephaim jest skrzyżowaniem nieśmiertelnego ze zwierzęciem, istotą zrodzoną z przemocy i żądzy. Istniała tylko rozkosz płynąca z jego dotyku i siła jego krwi.

Właśnie wtedy jej więź z Afrodytą uległa zerwaniu i Stevie Rae, pierwsza czerwona kapłanka Nyks, skojarzyła się z Rephaimem, ukochanym synem upadłego nieśmiertelnego.

Wyrwała się krukowi. Oboje milczeli, a jedynym odgłosem wypełniającym ciszę niewielkiej jamy były ich ciężkie oddechy.

— Ziemio, znów cię potrzebuję — rzekła w ciemność Stevie. Jej głos brzmiał już normalnie. Czuła ból poparzonej skóry, ale krew Rephaima pozwoliła jej rozpocząć proces zdrowienia. Wiedziała, że chwilę wcześniej była o krok od śmierci.

Ziemia odpowiedziała na wezwanie, wypełniając niewielką przestrzeń aromatami wiosennej łąki. Stevie wskazała sklepienie po przeciwległej stronie kryjówki.

— Otwórz się tu tylko odrobinkę, tak by wpuścić światło, lecz nie spalić mnie.

Żywioł usłuchał. Ziemia nad nimi zadrżała, sypiąc deszczem piachu, i do środka wpadła odrobina światła.

Wzrok dziewczyny niemal natychmiast przywykł do jasności. Patrzyła, jak zaskoczony nagłą zmianą Rephaim mruży oczy. Siedział blisko niej, zakrwawiony, posiniaczony i w każdym calu prezentujący się okropnie. Bandaż zrobiony z ręczników zupełnie się zsunął ze złamanego skrzydła, które teraz bezwładnie zwisało. Gdy tylko kruk zaczął coś widzieć, spojrzał na nią oczami w szkarłatnych obwódkach.

— Opatrunek ze skrzydła znów ci spadł — powiedziała.

Stęknął, co zapewne miało oznaczać przytaknięcie.

— Najlepiej będzie, jak zaraz je przywiążę. — Zaczęła wstawać, powstrzymał ją jednak gestem.

— Nie powinnaś się ruszać. Odpoczywaj na swojej ziemi i zdrowiej.

— Nie muszę. Może nie jestem jeszcze w pełni sił, ale znacznie mi lepiej. — Zawahała się. — Nie czujesz tego? — zapytała wreszcie.

— Dlaczego miałbym... — Kruk umilkł gwałtownie. Stevie Rae patrzyła, jak jego oczy rozszerzają się ze zdumienia.

— Jak to możliwe? — zapytał.

— Nie wiem — odparła, wstając i zaczynając rozwijać poplątane bandaże. — Nie sądziłam, że to możliwe. Najwyraźniej tak.

— Skojarzenie — powiedział.

— Między nami — dodała.

Potem długo milczeli.

— No dobrze — odezwała się Stevie, kiedy już rozplątała bandaże. — Teraz przymocuję skrzydło do ciała tak jak przedtem. Znów będzie bolało. Wybacz. Oczywiście tym razem ja też będę odczuwała ból.

— Naprawdę? — zapytał.

— Tak. Wiem co nieco o tym, jak działa Skojarzenie, bo byłam skojarzona z ludzką dziewczyną. Ona wie o mnie mnóstwo rzeczy. Teraz skojarzyłam się z tobą, więc będziesz dzielił ze mną część swoich doznań, w tym potworny ból.

— Nadal jesteś z nią skojarzona?

Pokręciła głową.

— Nie. Zerwało się, dzięki czemu ona z całą pewnością będzie w skowronkach.

— W skowronkach?

— To takie powiedzenie mojej mamy. Oznacza, że ktoś jest bardzo zadowolony.

— A ty? Też się cieszysz?

Spojrzała mu w oczy i odpowiedziała szczerze:

— Jeśli chodzi o nas, to jestem kompletnie oszołomiona, ale bynajmniej nie martwi mnie to, że więź z Afrodytą została zerwana. A teraz nie ruszaj się i pozwól mi dokończyć robotę. — Rephaim znieruchomiał, a Stevie zabrała się do bandażowania. I zamiast niego to ona postękiwała i wydawała okrzyki bólu. — Cholerka — powiedziała, gdy już skończyła, blada i drżąca na całym ciele. — To skrzydło naprawdę strasznie boli.

Rephaim wpatrywał się w nią, kręcąc głową.

— Rzeczywiście je czułaś?

— Niestety tak. Było chyba gorzej niż wtedy, gdy umierałam. — Spojrzała mu w oczy. — Zagoi się?

— Tak.

— Ale? — Wiedziała, że chciał coś dodać.

— Ale nie sądzę, bym jeszcze kiedyś miał latać.

Bez mrugnięcia odwzajemniała jego spojrzenie.

— To zła wiadomość, prawda?

— Prawda.

— Może będzie lepiej, niż myślisz. Gdybyś wrócił ze mną do Domu Nocy, mogłabym...

351

— Nie mogę tam iść. — Choć nie podniósł głosu, jego słowa zabrzmiały bardzo stanowczo.

Spróbowała ponownie.

— Kiedyś też tak myślałam, ale wróciłam, a oni mnie zaakceptowali. No, przynajmniej niektórzy.

— Ze mną byłoby inaczej i dobrze o tym wiesz.

Spuściła wzrok i zwiesiła ramiona.

— Zabiłeś profesor Anastasię. Była naprawdę miła. Jej partner, Smok, bardzo cierpi po stracie.

— Zrobiłem to, co musiałem zrobić dla ojca.

— A on cię opuścił — zauważyła.

— Zawiodłem go.

— Omal nie zginąłeś!

— Wciąż jest moim ojcem — rzekł cicho kruk.

— Rephaimie, czy czujesz coś w związku z tym Skojarzeniem? Czy tylko we mnie nastąpiła zmiana?

— Zmiana?

— No tak. Przedtem nie czułam twojego bólu, a teraz go czuję. Nie potrafię usłyszeć twoich myśli, ale wyczuwam pewne rzeczy. Chyba potrafiłabym powiedzieć, gdzie jesteś i co się z tobą dzieje, nawet gdybyś był daleko stąd. To dziwne. Inne niż więź, która łączyła mnie z Afrodytą, a jednak zmiana jest wyraźna. A u ciebie?

Długo się wahał, a gdy przemówił, wydawał się stropiony.

— Czuję troskę o ciebie.

— Cóż — uśmiechnęła się — zatroszczyłeś się o mnie wystarczająco, by uratować mi życie.

— To była spłata długu. Teraz jest inaczej.

— Jak?

— Nie mogę znieść myśli o tym, jak bliska byłaś śmieci — przyznał obronnym i rozgniewanym tonem.

— Tylko tyle?

— Nie. Tak. Nie wiem! Nie przywykłem do tego. — Uderzył się pięścią w pierś.

— Do czego?

— Do tego u c z u c i a, które się tu zalęgło. Nie wiem nawet, jak je nazwać.

— Może „przyjaźń"?

— To niemożliwe.

Uśmiechnęła się szeroko.

— Całkiem niedawno mówiłam Zoey, że świat nie jest taki czarno-biały, jak nam się kiedyś zdawało, i rzeczy pozornie niemożliwe mogą się okazać możliwe.

— Nie chodzi o czerń i biel, tylko o dobro i zło. Ty i ja znajdujemy się po dwóch stronach barykady.

— Nie sądzę, żeby to było takie niezmienne.

— Jestem synem swego ojca.

— I co w związku z tym?

Nim Rephaim zdążył odpowiedzieć, przez maleńką szczelinę w ziemi przedarły się gorączkowe nawoływania.

— Stevie Rae! Jesteś tu?

— To Lenobia — rzekła dziewczyna.

— Stevie Rae! — Do głosu nauczycielki dołączył drugi.

— O kurczę! To Erik. Wie, jak się dostać do tuneli. Jeśli tam wejdą, rozpęta się piekło.

— Ochronią cię przed słońcem?

— Tak, chyba tak. Przecież nie chcą, żebym się spaliła.

— W takim razie ich zawołaj. Powinnaś z nimi iść — rzekł kruk.

Skoncentrowała się, po czym machnęła ręką i sklepienie po drugiej stronie jamy zadrżało. Szczelina zaczęła się powiększać. Stevie przycisnęła plecy do piaskowej ściany, przyłożyła ręce do ust i zawołała:

— Lenobia! Erik! Tutaj!

Potem schyliła się szybko, kładąc dłonie na ścianie po obu stronach Rephaima.

— Ukryj go dla mnie, ziemio. Nie pozwól, by go znaleźli.

Pchnęła i piach za krukiem zaczął się osypywać, tworząc niszę w jego kształcie, w którą Rephaim niechętnie wpełzł.

— Stevie Rae? — dobiegł z bardzo bliska głos Lenobii.

— Tu jestem, ale nie mogę wyjść, jeśli nie przykryjecie tego odcinka ziemi namiotem czy czymś.

— Zaraz coś znajdziemy. Siedź tam, póki nie zażegnamy niebezpieczeństwa.

— Nic ci nie jest? Przynieść ci coś? — dodał Erik.

Stevie Rae domyśliła się, że tym czymś miałby być woreczek albo i dziesięć woreczków krwi z lodówki w tunelach. Nie miała najmniejszego zamiaru pozwolić mu tam wejść.

— Nie! Wszystko w porządku. Przynieście tylko coś, co ochroni mnie przed słońcem.

— Jasne. Zaraz wracamy — rzekł chłopak.

— Nigdzie się nie wybieram! — zawołała za nim, po czym przeniosła wzrok na Rephaima. — A co z tobą?

— Zostanę ukryty w tym kącie. Jeśli im o mnie nie powiesz, nie będą wiedzieli, że tu jestem.

Pokręciła głową.

— Pewnie, że im nie powiem. Ale co potem? Dokąd pójdziesz?

— W każdym razie nie do tuneli — rzekł.

— Fakt. To raczej nie byłby dobry pomysł. Niech no pomyślę. Jak Lenobia i Erik sobie pójdą, bez trudu się stąd wydostaniesz. Czerwoni adepci nie będą mogli polować na ciebie w dzień, a większość ludzi jeszcze śpi. — Zastanowiła się. Chciała mieć Rephaima blisko siebie nie tylko dlatego, że zamierzała mu pomagać w zdobywaniu jedzenia i zmienić potwornie zabrudzone bandaże. Wiedziała też, że musi go mieć na oku. Co zrobi kruk, kiedy wyzdrowieje i odzyska siły?

Nie mówiąc już o drobiazgu, jakim było ich Skojarzenie sprawiające, że sama myśl o rozłące zdawała jej się torturą.

Dziwne, że nie odczuwała tego samego w stosunku do Afrodyty...

— Stevie Rae, oni już wracają — rzekł Rephaim. — Gdzie mam iść?

— Kurczę... no... znajdź tu w pobliżu jakieś miejsce, które będzie dobrą kryjówką. Najlepiej, żeby miało złą sławę, bo wtedy ludzie będą się od niego trzymać z daleka albo przynajmniej nie zdziwią się za bardzo, gdy zobaczą tam w nocy jakiegoś dziwaka. Już wiem! Po Halloween pojechałam z Zo i resztą ekipy starym autobusem turystycznym na wycieczkę po różnych nawiedzonych miejscach.

— Stevie Rae, wszystko w porządku? — rozległ się w górze głos Erika.

— Tak! — odkrzyknęła.

— Rozkładamy nad tą szczeliną i wokół drzewa coś w rodzaju namiotu. Wystarczy, żeby cię wydostać?

— Bylebym tylko była osłonięta, sama dam radę wyjść.

— OK! Dam ci znać, jak będziemy gotowi! — powiedział.

Stevie odwróciła się do Rephaima.

— Słuchaj. Ostatnim przystankiem autobusu było Muzeum Gilcrease'a. To na północy Tulsy. W samym środku znajduje się wielki stary opuszczony dom. Ciągle gadają o jego remoncie, ale jak dotąd nie uzbierali forsy. Możesz się tam ukryć.

— I ludzie mnie nie zobaczą?

— No przecież mówię, że nie! Pod warunkiem że będziesz w dzień siedział w domu. Jest zamknięty i zabity deskami, żeby turyści się tam nie kręcili, a co najlepsze, jest totalnie nawiedzony! Podobno regularnie pojawiają się tam duchy samego Gilcrease'a, jego drugiej żony, a nawet dzieciaków, więc jak ktoś usłyszy coś dziwnego, w sensie ciebie, to spanikuje, bo będzie myślał, że to duch.

— Duchy przodków...

Uniosła brwi.

— Ty się ich nie boisz, co?

— Nie. Aż nazbyt dobrze je rozumiem. Przez wieki trwałem w tej postaci.

— Kurczę. Przepraszam. Zapomniałam o...

— Stevie Rae! Jesteśmy gotowi! — rozległ się w górze głos Lenobii.

— Dobra, już wychodzę! Cofnijcie się, żeby nie wpaść, jak powiększę szczelinę! — Wstała i podeszła bliżej otworu w sklepieniu, z którego nie dochodziło już zbyt wiele światła. — Zaraz ich stąd wywabię — szepnęła do Rephaima.

— Musisz dotrzeć do torów kolejowych i iść drogą numer 244 na wschód, a potem skręcić na północ w OK 51. Idź, aż zobaczysz po prawej drogowskaz do muzeum. Gdy już tam dotrzesz, powinieneś mieć spokój, bo wokół jest mnóstwo drzew, wśród których można się skryć. Gorzej z autostradą. Poruszaj się najszybciej, jak możesz, najlepiej poboczem lub rowem. Jak się skulisz, będziesz wyglądał na jakieś ogromne ptaszysko...

Kruk prychnął z niesmakiem, lecz Stevie go zignorowała.

— Dom stoi dokładnie pośrodku terenu muzeum. Ukryj się tam, a ja w nocy przyniosę ci jedzenie.

Zawahał się.

— Nie powinnaś się ze mną więcej spotykać — rzekł po chwili. — To niemądre.

— Jak się zastanowić, robimy same niemądre rzeczy.

— Cóż, w takim razie pewnie zobaczymy się w nocy, skoro żadne z nas nie potrafi zachować rozsądku, gdy w grę wchodzi druga osoba.

— No to na razie.

— Uważaj na siebie — powiedział Rephaim. — Jeśli coś ci się stanie, chyba... chyba to poczuję — mówił z wahaniem, jakby miał trudność z wypowiedzeniem tych słów.

— Ja tak samo. — Nim uniosła ręce, by otworzyć sklepienie, dodała jeszcze: — Dzięki za uratowanie mi życia. Całkowicie spłaciłeś dług.

— Dziwne, ale wcale nie czuję się od niego uwolniony — rzekł cicho Rephaim.

— Tak — mruknęła Stevie. — Wiem, co masz na myśli.

Kruk schował się głębiej w swojej norce, a ona przywołała żywioł, otworzyła sklepienie i z pomocą Lenobii i Erika wydostała się na powierzchnię.

Żadnemu z jej wybawców nie przyszło do głowy, by zajrzeć w głąb nory. Żadne nie zobaczyło, jak pół kruk, pół człowiek wypełza na górę i kieruje się w stronę Muzeum Gilcrease'a, by znaleźć schronienie wśród duchów.

ROZDZIAŁ TRZYDZIESTY ÓSMY

Zoey

— Stevie Rae! Naprawdę nic ci nie jest? — Trzymałam mocno telefon, żałując, że nie mogę się teleportować do Tulsy i na własne oczy sprawdzić, czy moja najlepsza przyjaciółka jest cała i zdrowa.

— Zo! Nie musisz się tak o mnie martwić, już wszystko w porządku. Przysięgam! To był głupi wypadek. Na boginię, ależ ze mnie idiotka!

— Co właściwie się stało?

— Za późno wyszłam z Domu Nocy. Jestem taka głupia! Powinnam była zaczekać do jutra z pójściem do tuneli. No ale poszłam. I wyobraź sobie, że nagle usłyszałam kogoś na dachu! Od razu tam pobiegłam, bo był już prawie świt i bałam się, że któryś z czerwonych adeptów utknął na górze. Na boginię, powinnam sobie zbadać słuch. To był tylko kot! Wielki, grubaśny, rozwrzeszczany trzykolorowy kociak! Zaczęłam się wycofywać i jak przystało na taką łamagę jak ja, przewróciłam się i tak mocno trzasnęłam w głowę, że aż straciłam przytomność! Nie uwierzyłabyś, ile tam było krwi! Dosłownie koszmar!

— Przewróciłaś się na dachu i straciłaś przytomność? Krótko przed świtem? — Gdyby nie odległość, natychmiast bym ją udusiła.

— Wiem, wiem. To było wyjątkowo głupie. Zwłaszcza że jak się ocknęłam, słońce świeciło mi prosto w twarz.

— Poparzyłaś się? — Nagle ogarnęły mnie mdłości. — To znaczy... czy nadal masz ślady?

— Zaczęłam się palić i pewnie to mnie zbudziło. Wciąż jestem trochę przysmażona. Ale mogło być znacznie gorzej. Udało mi się dobiec do tego drzewa przy dachu, kojarzysz je?

Pewnie, że kojarzyłam. Swego czasu ukryło się na nim coś, co omal mnie nie zabiło.

— Tak.

— No więc wskoczyłam na nie, ześliznęłam się na dół i ziemia otworzyła się, żeby mnie ukryć. Trochę tak, jakbym mieszkała w przyczepie i chciała się ochronić przed tornadem.

— I tam znalazła cię Lenobia?

— Znaleźli. Lenobia i Erik. Nawiasem mówiąc, Erik był naprawdę w porządku. Nie mówię, że masz z nim znowu być, ale chciałam, żebyś to wiedziała.

— Hm. Świetnie. Cieszę się, że jesteś już bezpieczna. — Nie bardzo wiedziałam, jak ująć resztę. — Słuchaj, Stevie, Afrodyta bardzo źle to zniosła. Zerwanie waszego Skojarzenia i tak dalej.

— Strasznie mi przykro, jeśli ją zraniłam.

— Zraniłaś? Żartujesz sobie? Myśleliśmy, że nam tu wykituje! Płonęła razem z tobą, Stevie!

— O bogini! Nie miałam o tym pojęcia!

— Stevie Rae, zaczekaj chwilę. — Odwróciłam się plecami do wszystkich, którzy usiłowali podsłuchać naszą rozmowę, i wyszłam do przepięknego holu. Białe żyrandole z włókna szklanego z prawdziwymi świecami w środku rzucały na kremowo-złotą tapicerkę ciepłe migotliwe światło. Czułam się w tej scenerii jak Alicja rozmawiająca przez króliczą norkę z kimś z zupełnie innego świata. — Dobra, teraz możemy gadać — kontynuowałam. — Afrodyta mówiła, że jesteś uwięziona. Była tego pewna.

— Zo, potknęłam się i rozbiłam głowę. Na pewno wyczuła mój strach. Rozumiesz, ocknęłam się w ogniu! Poza tym upadłam na jakieś druty i trochę się w nie zaplątałam. Serio, byłam przerażona jak diabli! Pewnie dlatego tak się czuła.

— Więc nikt cię nie uwięził? Nie byłaś w żadnej klatce ani nic takiego?

— Nie, Zo — zaśmiała się. — To wariactwo, chociaż na pewno ciekawsze niż potknięcie się o własne nogi.

Pokręciłam głową, wciąż nie mogąc tego ogarnąć.

— To było straszne, Stevie Rae. Przez chwilę myślałam, że stracę was obie.

— Wszystko już w porządku. Nie stracisz ani mnie, ani tej upierdliwej francy Afrodyty. Choć szczerze mówiąc, wcale mi nie żal, że nasze Skojarzenie się zerwało.

— No właśnie, to kolejna zagadka. Jak do tego doszło? Nawet kiedy Darius pił jej krew, wasza więź przetrwała, a sama wiesz, że między nimi coś jest.

— Jedyne co mi przychodzi do głowy, to że byłam bliższa śmierci, niż mi się zdawało. To musiało zerwać Skojarzenie. Dodatkowo pewnie pomógł fakt, że żadna z nas go nie chciała. I jej związek z Dariusem też.

— Hm — powiedziałam. — Wasze Skojarzenie wydawało mi się całkiem mocne.

— Skoro tak łatwo się zerwało, to najwyraźniej wcale takie nie było — zauważyła.

— Dla mnie bynajmniej nie wyglądało to na łatwe — zauważyłam.

— Jako osoba, która omal się nie spaliła, też nie wspominam tamtej chwili zbyt miło.

Od razu poczułam wyrzuty sumienia z powodu bombardowania jej tymi wszystkimi pytaniami. Dziewczyna omal nie umarła (tym razem na dobre), a ja zamiast dać jej odsapnąć, jeszcze dodatkowo ją dręczyłam.

— Słuchaj, przepraszam. Po prostu strasznie się o ciebie martwiłam. A patrzenie na Afrodytę doświadczającą twojego bólu było potworne.

— Chcesz, żebym z nią pogadała? — zapytała Stevie.

— Nie, nie teraz. Kiedy ostatnio ją widziałam, Darius niósł ją niewiarygodnie szerokimi schodami do czegoś, co prawdopodobnie jest wysoce ekskluzywnym apartamentem, by mogła się wyspać po tabletkach uspokajających, które dostała od wampirów.

— Aha. Znając Afrodytę, musiała być bardzo zadowolona, że ją faszerują prochami.

Zaśmiałyśmy się.

— Zoey? — dobiegł z drugiego końca sali głos Erce. — Najwyższa Rada wzywa na sesję.

— Muszę iść — powiedziałam do telefonu.

— Tak, słyszałam. Pamiętaj o jednym, Zo: podążaj za głosem serca. Nawet jeśli wydaje ci się, że wszyscy są przeciwko tobie i że możesz totalnie wszystko spieprzyć, rób to, co ci podpowiada intuicja. Zdziwisz się, co może z tego wyniknąć — rzekła Stevie.

Zawahałam się, po czym powiedziałam pierwszą rzecz, jaka mi przyszła do głowy:

— Czy to coś może uratować twoje życie?

— Może — odparła.

— Musimy pogadać, jak wrócę do domu.

— Będę na ciebie czekała. Skop im tyłki!

— Spróbuję — mruknęłam. — Trzymaj się, Stevie. Cieszę się, że nie umarłaś po raz drugi.

— Ja też.

Rozłączyłyśmy się. Wzięłam głęboki oddech, uniosłam ramiona i przygotowałam się na spotkanie z Najwyższą Radą.

*

Rada spotykała się w bardzo starej katedrze położonej zaraz obok przepięknego pałacu San Clemente. Było jasne, że to dawny kościół katolicki, i zastanawiałam się, co by pomyślała siostra Mary Angela o zmianach wprowadzonych w nim przez wampiry, które całkowicie wybebeszyły wnętrze, pozostawiając jedynie ogromne żyrandole zwisające z sufitu na grubych brązowych łańcuchach i wyglądające jak żywcem wyjęte ze stołówki Hogwartu, i dobudowały koliste trybuny w stylu starożytnego teatru — takie, o jakich uczyłam się na dramacie w czasach przerabiania *Medei*. Na granitowej podłodze stało obok siebie siedem marmurowych tronów. Uznałam, że są bardzo piękne, choć zdawały się należeć do tych, na których tyłek może nieźle ścierpnąć i zmarznąć.

Sceny na witrażach pierwotnej katedry zastąpiono nowymi — zamiast krwawiącego Jezusa na krzyżu i paru katolickich świętych umieszczono na nich między innymi Nyks z uniesionymi rękami obejmującymi półksiężyc. Obok wyrysowano ozdobny pentagram, a w kolejnych oknach cztery emblematy odpowiadające kolejnym formatowaniom w Domu Nocy. Rozglądałam się wokół zachwycona witrażami, gdy nagle mój wzrok padł na obraz widniejący dokładnie naprzeciw podobizny Nyks.

Zamarłam. To był Kalona! Z rozpostartymi skrzydłami i nagim silnym, opalonym ciałem. Przeszedł mnie dreszcz.

Stark ujął mnie pod ramię niczym dżentelmen prowadzący swoją panią po kamiennym amfiteatrze do wyznaczonych im miejsc na parkiecie. Trzymał jednak mocno i pewnie.

— To nie on — szepnął. — To tylko pradawne wyobrażenie Ereba.

— Ale jest do niego tak podobny, że one z pewnością uwierzą w brednie Kalony! — szepnęłam gorączkowo.

— Może i tak. Właśnie dlatego tu jesteś — rzekł Stark.

— Zoey, Stark, te miejsca są dla was. — Erce wskazała krzesła w przednim rzędzie nieco w bok od siedmiu tronów. — Reszta może usiąść tutaj. — Posadziła Damiena, Jacka i Bliźniaczki kilka rzędów za nami. — Pamiętajcie, że możecie się odzywać jedynie wtedy, gdy rada udzieli wam głosu — pouczyła nas.

— Tak, tak, pamiętam — odparłam. Coś w tej kobiecie mnie denerwowało. Owszem, była przyjaciółką Lenobii, więc starałam się ją polubić, lecz od czasu ataku paniki Afrodyty Erce strasznie się rządziła i rozstawiała nas po kątach. Ponieważ Darius na moją prośbę został z Afrodytą, najwyraźniej nasza przewodniczka uważała się za jedyną dorosłą w gronie i bez przerwy nadawała o tym, co nam wolno, a czego nie wolno robić przed obliczem Najwyższej Rady.

Wszystko pięknie, ale skoro upadły nieśmiertelny i zbuntowana najwyższa kapłanka usiłowali manipulować Najwyższą Radą, to czy uświadomienie im tego nie było przypadkiem nieco ważniejsze od etykiety?

Oczywiście Damien, Jack i Bliźniaczki przytaknęli grzecznie.

— Będę siedział zaraz za tobą, koło Damiena i Jacka — odezwał się Heath. — Czuję, że ludzie nie są w tym miejscu zbyt mile widziani, więc nie zamierzam się rzucać w oczy.

Stark wymienił z nim spojrzenie.

— Ubezpieczaj ją — rzekł.

— Zawsze to robię — odparł Heath.

— Świetnie. Ja zajmę się całą resztą.

— Jasne.

Nie żartowali. To nie był pokaz sarkazmu, testosteronu i zaborczości. Byli tak przejęci, że naprawdę zaczęli współpracować.

Ogarnęła mnie prawdziwa paranoja.

Wiem, że to śmieszne i niedojrzałe, ale strasznie zatęskniłam za babcią. Marzyłam jedynie o tym, by móc usiąść z podkulonymi nogami w jej domku na lawendowej farmie w Oklahomie, jeść zbyt tłusty popcorn i oglądać maraton musicali Rodgersa i Hammersteina, martwiąc się co najwyżej tym, jak bardzo nie jestem w stanie pojąć geometrii.

— Najwyższa Rada Nyks!

— Pamiętaj, żeby wstać! — szepnęła do mnie Erce przez ramię.

Miałam ochotę przewrócić oczami. W wielkiej sali zaległa absolutna cisza. Wstałam razem ze wszystkimi i gapiłam się na siedem najcudowniejszych istot, jakie widziałam w życiu.

Oczywiście rada składała się wyłącznie z kobiet. Całe nasze społeczeństwo jest matriarchalne, więc rządzące nim kolegium siłą rzeczy musiało być żeńskie. Wiedziałam, że członkinie rady są stare nawet jak na wampirki, ale ich wygląd bynajmniej o tym nie świadczył — były niewiarygodnie piękne i emanowała od nich ogromna moc. Z jednej strony poczułam pewną ulgę, że choć wampiry się starzeją, a w końcu nawet umierają, nie stają się pod koniec życia pomarszczone jak psy shar pei. Z drugiej jednak strony bijąca od nich wszechmoc sprawiła, że poczułam się mała i sama myśl o przemawianiu do nich, nie mówiąc już o reszcie zgromadzonych w katedrze posępnych wampirów, wywołała u mnie potworne mdłości.

Stark położył dłoń na mojej i ścisnął. Odwzajemniłam uścisk, myśląc, że chciałabym być starsza, mądrzejsza i bardziej elokwentna.

Usłyszałam kolejne kroki i odwróciłam się — zobaczyłam Neferet i Kalonę kroczących pewnie po schodach, a następnie zajmujących miejsca w tym samym rzędzie co my, tyle że dokładnie naprzeciw rady. Kapłanki usiadły, jakby dopiero teraz mogły to zrobić, dając sygnał, że i nam wolno już spocząć.

Trudno było oderwać wzrok od Neferet i Kalony. Nasza dawna kapłanka zawsze była piękna, ale w ciągu tych kilku dni, które minęły, odkąd ostatnio ją widziałam, zmieniła się. Powietrze wokół niej zdawało się wibrować mocą. Miała na sobie zwiewną, podobną do togi suknię kojarzącą mi się ze starożytnym Rzymem. Wyglądała jak królowa. Kalona też prezentował się niesamowicie. Choć zabrzmi to głupio, jak zawsze był półnagi: miał na sobie jedynie czarne spodnie — żadnej koszuli ani butów — lecz bynajmniej nie wyglądał niestosownie. Był niczym bóg, który postanowił zstąpić na ziemię. Jego skrzydła powiewały jak peleryna. Wiedziałam, że wszyscy wpatrują się w niego, kiedy jednak nasze spojrzenia się skrzyżowały, cały świat gdzieś odpłynął i pozostaliśmy tylko my dwoje.

Przed oczami rozbłysło mi wspomnienie ostatniego snu. Widziałam Kalonę jako niesamowitego wojownika Nyks, który stał u boku bogini, póki nie został strącony za to, że zbyt mocno ją kochał. W jego oczach dostrzegłam obawę i pytanie: „Wierzysz mi?".

„A jeśli jestem zły tylko u boku Neferet? — usłyszałam głos w głowie. — Jeśli będąc z tobą, mógłbym wybrać dobro?"

Mój umysł odmówił rozważenia tych słów, ale serce nie pozostało obojętne i choć wiedziałam, że będę musiała zaprzeczyć, przez moment pragnęłam, by Kalona ujrzał w moich oczach prawdę. Pokazałam mu ją. Zakomunikowałam mu wzrokiem to, co powinno pozostać w ukryciu.

Uśmiechnął się tak łagodnie, że natychmiast odwróciłam spojrzenie.

— Zoey? — szepnął Stark.

— Wszystko w porządku — odszepnęłam automatycznie.

— Bądź silna. Nie dopuszczaj go do siebie.

Skinęłam głową. Czułam, że ludzie przyglądają mi się z czymś więcej niż tylko zwykłym zaciekawieniem moimi nietypowymi tatuażami. Obejrzałam się przez ramię i zobaczyłam, że Damien, Jack i Bliźniaczki gapią się na Kalonę. Potem pochwyciłam wzrok Heatha. Nie patrzył na nieśmiertelnego. Patrzył na mnie wyraźnie zaniepokojony. Próbowałam się do niego uśmiechnąć, lecz wyszedł z tego raczej zawstydzony grymas.

Potem przemówiła jedna z członkiń rady i z ulgą przeniosłam uwagę na nią.

— Najwyższa Rada zgromadziła się na specjalną sesję. Ja, Duantia, otwieram niniejsze spotkanie i proszę Nyks, by wspierała nas swoją mądrością.

— Prośmy Nyks, by wspierała nas swoją mądrością — zaintonowała reszta sali.

Erce podała nam imiona wszystkich kapłanek zasiadających w radzie i opisała każdą z nich. Duantia była najstarsza, więc otwieranie i zamykanie sesji należało do jej obowiązków. Przyglądałam jej się, nie mogąc uwierzyć, że liczy kilkaset lat. Jedyną oznaką wieku oprócz emanującej od niej pewności i mocy były siwe pasemka wśród gęstych brązowych włosów.

— Mamy kolejne pytania do Neferet i tego, który nazywa siebie Erebem.

Neferet kiwnęła wdzięcznie głową, ale zauważyłam, że zmrużyła odrobinę swoje zielone oczy.

Kalona wstał i skłonił się radzie.

— Bądź pozdrowiona — rzekł do Duantii, po czym pokłonił się pozostałym kapłankom. Niektóre odpowiedziały skinieniem głowy.

— Chcemy zapytać o twoje pochodzenie — powiedziała Duantia.

— Oczywiście — odparł spokojnie Kalona.

Mówił głębokim dźwięcznym głosem, który brzmiał skromnie i bardzo, bardzo szczerze. Myślę, że i ja, i wszyscy inni obecni na sali po prostu chcieliśmy go słuchać niezależnie od tego, czy mu wierzyliśmy czy nie.

I wtedy zrobiłam coś głupiego i zupełnie dziecinnego. Zamknęłam oczy i niczym mała dziewczynka modliłam się do Nyks bardziej intensywnie niż kiedykolwiek dotąd. *Proszę, spraw, by mówił tylko prawdę. Jeśli ją powie, może jest dla niego nadzieja.*

— Twierdzisz, że jesteś Erebem, który zstąpił na ziemię — rzekła Duantia.

Otworzyłam oczy i zobaczyłam wykwitający na twarzy Kalony uśmiech.

— Istotnie, jestem nieśmiertelnym.

— Czy jesteś Erebem, małżonkiem Nyks?

Mów prawdę! — krzyczałam w duchu. — *Prawdę!*

— Niegdyś stałem u boku Nyks. Potem upadłem na ziemię. Teraz jestem tu, u...

— U boku ucieleśnienia bogini — wtrąciła stojąca obok niego Neferet.

— Neferet, znamy już twoją opinię na temat tożsamości tego nieśmiertelnego — powiedziała Duantia. Nie podniosła głosu, ale w jej słowach kryło się wyraźne ostrzeżenie. — Teraz chcemy usłyszeć więcej z jego ust.

— Jak każdy małżonek, kłaniam się swojej wampirskiej pani — rzekł Kalona, skłaniając się lekko przed Neferet, która uśmiechała się tak triumfalnie, że aż zacisnęłam zęby z wściekłości.

— Oczekujesz, że uwierzymy, iż ziemska postać Ereba jest pozbawiona własnej woli?

— Czy to na ziemi, czy u boku Nyks w krainie bogini, Ereb jest oddany swojej pani i jego pragnienia odzwierciedlają to, czego pragnie ona. Mogę was zapewnić, że wiem to z osobistego doświadczenia — oznajmił Kalona.

Mówił prawdę. Jako wojownik Nyks był świadkiem oddania, z jakim Ereb służył bogini. Oczywiście sformułował swoją odpowiedź tak, jakby twierdził, że to on jest Erebem, ale nie było to kłamstwo w dosłownym tego słowa znaczeniu.

Czy jednak nie o to się modliłam? Czy nie prosiłam Nyks, by mówił wyłącznie prawdę?

— Dlaczego opuściłeś królestwo bogini? — zapytała inna członkini rady, jedna z tych, które nie odpowiedziały skinieniem na jego powitanie.

— Upadłem. — Przeniósł wzrok z kapłanki na mnie i dalej mówił tak, jakbyśmy znajdowali się na tej sali sami. — Postanowiłem odejść, bo przestałem wierzyć, że dobrze służę swojej bogini. Początkowo zdawało mi się, że popełniłem potworny błąd, lecz potem powróciłem spod ziemi, by znaleźć nowe królestwo i nową panią. Ostatnio uwierzyłem, że znów mogę mieć szansę służyć swojej bogini, tym razem poprzez jej przedstawicielkę na ziemi.

Duantia uniosła z wdziękiem brwi i spojrzała w kierunku, w którym patrzył Kalona. Jej oczy zaokrągliły się tylko odrobinę.

— Zoey Redbird, rada udziela ci głosu.

ROZDZIAŁ TRZYDZIESTY DZIEWIĄTY

Zoey

Zlana zimnym potem oderwałam wzrok od Kalony i popatrzyłam w stronę rady.

— Dziękuję. Bądźcie pozdrowione — rzekłam.

— Bądź pozdrowiona — odparła Duantia. — Nasza siostra Lenobia poinformowała nas, że pod nieobecność Neferet w Domu Nocy zostałaś mianowana najwyższą kapłanką i że mamy cię traktować jako wyrazicielkę woli mieszkańców waszego domu.

— Mianowanie adeptki najwyższą kapłanką jest niedopuszczalne — wtrąciła Neferet. Wiedziałam, że jest wściekła jak diabli, ale zamiast to okazać, uśmiechnęła się do mnie protekcjonalnie, jakbym była małą dziewczynką przyłapaną na przymierzaniu maminych sukni. — Funkcję najwyższej kapłanki Domu Nocy w Tulsie wciąż pełnię ja.

— Nie, jeśli rada twego rodzimego domu cię zdymisjonowała — zauważyła Duantia.

— Przybycie Ereba i śmierć Szechiny bardzo wstrząsnęły Domem Nocy w Tulsie, zwłaszcza że nastąpiły krótko po tragicznych morderstwach dwojga profesorów dokonanych przez miejscową ludność. Przykro mi, ale członkinie naszej rady nie myślą teraz zbyt jasno.

— Nie przeczymy, że w tamtejszym Domu Nocy panuje obecnie zamęt — przyznała Duantia. — Mimo to szanujemy prawo lokalnej rady do obrania nowej najwyższej kapłanki, choć powierzenie tej roli adeptce istotnie jest bardzo niezwykłe.

— Bo to bardzo niezwykła adeptka — wtrącił Kalona i choć nie potrafiłam na niego spojrzeć, słyszałam w jego głosie uśmiech.

Głos zabrała kolejna członkini rady. Jej ciemne oczy błyszczały, a głos miała ostry, niemal sarkastyczny. Pomyślałam, że to pewnie Tanatos, której imię pochodzi od greckiego słowa oznaczającego śmierć.

— Ciekawe, że wstawiasz się za nią, Erebie. Lenobia twierdzi, że Zoey uważa, iż nie jesteś tym, za kogo się podajesz.

— Powiedziałem, że jest niezwykła, a nie nieomylna — odparł. Kilka członkiń rady zachichotało wraz z częścią widowni, choć sama Tanatos nie wyglądała na rozbawioną. Czułam napięcie siedzącego obok mnie Starka.

— Powiedz nam zatem, niezwykła i bardzo młoda Zoey Redbird, kim twoim zdaniem jest ten skrzydlaty osobnik.

W gardle tak mi zaschło, że musiałam dwa razy przełknąć ślinę, nim zdołałam wydobyć z siebie głos, a gdy w końcu się odezwałam, byłam zaskoczona własnymi słowami, jak gdyby moje serce wypowiedziało je bez pytania umysłu o zgodę.

— Sądzę, że był już wieloma różnymi istotami. Kiedyś służył Nyks, lecz nie jest Erebem.

— Skoro nie Erebem, to kim?

Skoncentrowałam się na mądrości płynącej z oczu Duantii, zignorowałam wszystko inne i powiedziałam prawdę.

— W starej legendzie ludu mojej babci, Czirokezów, nosi imię Kalona. Po upadku z krainy Nyks mieszkał wśród tego plemienia, ale myślę, że nie był wtedy sobą. Robił potworne rzeczy czirokeskim kobietom. Wiem od babci, że uwięziono go w ziemi i utrwalono tę historię w pieśni, która mówiła też o tym, jak można go stamtąd oswobodzić. Neferet wykorzystała te wskazówki i sprawiła, że Kalona stoi teraz przed wami. Moim zdaniem skrzydlaty związał się z nią tylko dlatego, że chciał być małżonkiem bogini. Pomylił się jednak. Ona nie jest boginią. Nie jest już nawet najwyższą kapłanką bogini.

W odpowiedzi rozległy się okrzyki wściekłości i niedowierzania, z których najgłośniejsze wydobywały się z ust samej Neferet.

— Jak śmiesz! Skąd ty, adeptka, dziecko, możesz wiedzieć, kim jestem dla Nyks?

— Istotnie nie wiem, Neferet. — Spojrzałam na nią poprzez salę zebrań. — Nie wiem, kim t e r a z jesteś dla Nyks. Nawet nie zaczęłam jeszcze rozumieć, kim się stałaś. Ale wiem, kim już nie jesteś. Nie jesteś jej kapłanką.

— Bo wydaje ci się, że zajęłaś moje miejsce?

— Nie. Bo odwróciłaś się od niej. To nie ma nic wspólnego ze mną — powiedziałam.

Zignorowała mnie i zwróciła się do rady.

— Ona oszalała na punkcie Ereba. Dlaczego mam znosić oszczerstwa jakiejś zazdrosnej dziewczynki?

— Neferet, skoro pragniesz objąć stanowisko wampirskiej arcykapłanki, a wyraźnie dałaś nam do zrozumienia, że tak jest, to musisz mieć dość mądrości, by sobie radzić z wszelkiego typu kontrowersjami, także tymi związanymi z twoją osobą — upomniała ją Duantia, po czym przeniosła wzrok na Kalonę. — Jak skomentujesz słowa Zoey?

Czułam, że na mnie patrzy, lecz nie odrywałam wzroku od Duantii.

— Z pewnością wierzy, że mówi prawdę. Przyznaję również, że mam za sobą burzliwą przeszłość. Nigdy nie twierdziłem, że jestem idealny, ale niedawno odnalazłem swoją drogę i jest ona związana z Nyks.

Nie mogłam zanegować bijącej z jego słów prawdy i wbrew sobie przeniosłam na niego wzrok.

— Właśnie z powodu swych doświadczeń tak bardzo pragnę przywrócić dawny porządek, w którym wampiry i ich wojownicy chodzili po ziemi, dumni i silni, zamiast ukrywać się w zamkniętych szkołach i wypuszczać młodzież na zewnątrz jedynie pod warunkiem, że zakryje tatuaże, jakby półksiężyc bogini był czymś wstydliwym. Wampiry są dziećmi Nyks, a ona nigdy nie chciała, by kuliły się w ciemnościach. Wyjdźmy z ukrycia!

Był niesamowity. Gdy mówił, jego skrzydła poczęły się rozwijać. Głos promieniował pasją. Wszyscy wpatrywali się w Kalonę jak zaczarowani, tak bardzo pragnęli wierzyć w jego słowa.

— A gdy będziecie gotowi, by dać się poprowadzić wcieleniu Nyks i jej małżonkowi Erebowi, przywrócimy stary świat i staniemy dumnie, nie chyląc czoła przed ludźmi i ich zabobonami — dodała Neferet, zaborczo otaczając go ramieniem, równie olśniewająca jak on. — A na razie możecie sobie słuchać skomlących dzieci, gdy Ereb i ja będziemy odbijać Capri z rąk tych, którzy stanowczo zbyt długo zajmują nasz dawny dom.

— Neferet, rada nie zezwoli na wojnę z ludźmi. Nie możecie ich wygnać z domów, które wybudowali na wyspie — rzekła Duantia.

— Wojnę? — Neferet parsknęła zdumionym śmiechem. — Duantio, ja kupiłam zamek Nyks od starszego człowieka, który pozwolił mu popaść w ruinę. Gdyby którakolwiek z was się tym zainteresowała, mogliśmy odzyskać nasz dawny dom już dwadzieścia lat temu! — Omiotła salę spojrzeniem zielonych oczu, hipnotyzując zebranych swoją charyzmą. — Byłam tam, gdy wampiry tworzyły piękno Pompejów. Byłam na wybrzeżu Amalfi, gdy przez wieki dobrobytu rządził tam nasz mądry szczodry lud. Tam znajdziecie serce i duszę Nyks oraz bogactwo życia, którego pragnie dla swego ludu! Tam znajdziecie Ereba i mnie.

Dołączcie do nas, jeśli macie dość odwagi, by znów zacząć żyć!

Odwróciła się i opuściła salę, szeleszcząc jedwabiami.

Kalona z szacunkiem skłonił się radzie, przykładając pięść do serca, po czym spojrzał na mnie.

— Bądź pozdrowiona i do zobaczenia — rzekł.

Gdy oboje opuścili salę, rozpętało się piekło. Wszyscy mówili jeden przez drugiego, jedni ewidentnie pragnąc zawołać Neferet i Kalonę z powrotem, inni obrażeni na nich za to, że wyszli. Ale ani jeden wampir nie kwestionował ich zamiarów, a ilekroć wspominano o Kalonie, nazywano go Erebem.

— Oni mu wierzą — stwierdził Stark.

Skinęłam głową.

— A ty? — zapytał, przyglądając mi się badawczo.

Otworzyłam usta, nie wiedząc, jak wytłumaczyć swemu wojownikowi, że nie tyle wierzę Kalonie, ile zaczynam wierzyć w to, kim kiedyś był i kim znów może się stać.

Grzmiący głos Duantii uciszył zebranych.

— Dość tego! Proszę o natychmiastowe opuszczenie sali. Nie zachowujcie się jak przekupki na rynku.

Pod nadzorem wojowników, którzy poczęli wyłaniać się z tłumu, wciąż żywo rozprawiająca publiczność ruszyła do wyjścia.

— Zoey Redbird, porozmawiamy z tobą jutro. Przybądź tu po zmroku ze swoim kręgiem. O ile nam wiadomo, wieszczka, która z adeptki przeobraziła się w człowieka, przeżyła dziś traumę zerwanego Skojarzenia. Jeśli dojdzie do siebie przed jutrzejszym wieczorem, niech do nas dołączy.

— Dobrze, pani — powiedziałam.

Potem szybko opuściłam salę w towarzystwie Starka. Damien zawołał nas do bocznego ogródka obok głównej drogi, gdzie czekali już na nas pozostali.

— Co tam się stało? — zapytał prosto z mostu. — To zabrzmiało, jakbyś wierzyła w tę historię o Kalonie jako wojowniku Nyks, który utracił jej łaskę.

— Musiałam powiedzieć im prawdę. — Wzięłam głęboki oddech i wyjawiłam przyjaciołom resztę. — Kalona pokazał mi wizję przeszłości, w której zobaczyłam go u boku Nyks.

— Co??! — wybuchnął Stark. — Jego? To idiotyzm! Spędziłem z nim trochę czasu. Widziałem go, gdy nie grał. Zobaczyłem, kim jest. Z pewnością nie wojownikiem naszej bogini.

— Nie, już nie. — Starałam się mówić spokojnie, choć w głębi duszy miałam ochotę wrzeszczeć. Stark nie uczestniczył w mojej wizji. Jakim prawem wyrokował, co jest prawdą? — Postanowił ją opuścić. Owszem, był to błąd. Owszem, robił potem straszne rzeczy. Mówiłam o tym.

— Ale mu wierzysz — wycedził przez zęby.

— Nie! Nie wierzę, że jest Erebem! Nigdy tego nie powiedziałam.

— A jednak to co powiedziałaś, zabrzmiało, jakbyś zamierzała się do niego przyłączyć, jeśli porzuci Neferet — wtrącił Heath.

Miałam tego dość. Ci faceci jak zwykle działali mi na nerwy.

— Czy moglibyście łaskawie przestać to postrzegać z perspektywy moich chłopaków? Moglibyście wyłączyć zazdrość i zaborczość i postarać się być wobec niego sprawiedliwi?

— Ja nie jestem zazdrosny ani zaborczy wobec ciebie, a jednak uważam, że jeśli zaczynasz wierzyć w dobroć Kalony, popełniasz błąd — rzekł Damien.

— Namącił ci w głowie — stwierdziła Shaunee.

— Jego czar ewidentnie na ciebie podziałał — przytaknęła Erin.

— Zwariowaliście? Nie zamierzam się do niego przyłączać! Ja tylko staram się dostrzec prawdę. A jeśli rzeczywiście był kiedyś po właściwej stronie? Może mógłby znowu na nią przejść.

Stark kręcił głową.

— Z tobą tak było! — natarłam na niego. — Jak możesz być taki pewny, że z nim będzie inaczej?

— On wykorzystuje twój związek z A-yą, by cię mamić. Postaraj się myśleć jasno, Zoey. — Spojrzał na mnie błagalnie.

— Właśnie to robię. Staram się myśleć jasno i dociec prawdy, nie kierując się niczyimi uprzedzeniami, w tym uprzedzeniami A-yi. Tak samo jak było w twoim przypadku.

— To co innego! Ja nie byłem zły przez wieki. Nie zniewoliłem całego plemienia ludzi i nie gwałciłem jego kobiet — zauważył Stark.

— Zgwałciłbyś Rebeccę, gdybyśmy cię nie powstrzymali! — wybuchnęłam, nim zdążyłam ugryźć się w język.

Cofnął się o krok, jakbym go uderzyła.

— On to zrobił. Wwiercił ci się do głowy. A skoro Kalona tam jest, to dla twojego wojownika nie ma już miejsca. — Po tych słowach odwrócił się i odszedł w mrok.

Nie wiedziałam, że płaczę, póki nie poczułam, że coś kapie mi z brody na koszulę. Drżącą dłonią otarłam twarz. Potem spojrzałam na pozostałych przyjaciół.

— Kiedy Stevie Rae zmartwychwstała, początkowo była taka okropna, że ledwie ją poznawałam. Była zła, naprawdę zła. Ale nie odwróciłam się od niej, bo wierzyłam w jej człowieczeństwo, i dzięki temu w końcu je odzyskała — powiedziałam.

— Zoey, Stevie Rae przed śmiercią była dobra. Wszyscy to wiemy. A jeśli Kalona nigdy nie miał w sobie żadnej dobroci ani człowieczeństwa, które mógłby utracić? Jeśli zawsze wybierał zło? — zapytał cicho Damien. — To co ci pokazał, w twoich oczach wyglądało na prawdę, lecz musisz przynajmniej rozważyć możliwość, że twoja wizja była jedynie mistyfikacją. Być może „prawda", którą zobaczyłaś, stanowiła zaledwie odpowiednio przyozdobiony fragment całości.

— Zastanawiałam się nad tym — przyznałam.

— Powtórzę za Starkiem: a czy pomyślałaś, że twoje powiązanie z A-yą i jej wspomnienia mogą ci mieszać w głowie? — zapytała Erin.

Kiwnęłam głową, coraz bardziej zapłakana. Heath wziął mnie za rękę.

— Zo, jego ukochany syn zabił Anastasię i był bliski zabicia wszystkich adeptów, którzy stanęli do walki z nim.

— Wiem — wyszlochałam.

„A jeśli zrobił to tylko dlatego, że Neferet tak chciała?" — pomyślałam. Nie powiedziałam tego na głos, lecz on jakby czytał w moich myślach.

— Kalona próbuje cię przekabacić, bo tylko ty miałaś dość sił, by zgromadzić wszystkich i wygnać go z Tulsy.

— A do tego wizja Afrodyty pokazuje, że tylko ty masz dość sił, by pokonać go na zawsze — dodał Damien.

— Część ciebie została stworzona po to, by go zniszczyć — zauważyła Shaunee.

— I ta sama część ciebie powstała po to, by go kochać — dokończyła Erin.

— Musisz o tym pamiętać, Zo — podsumował Heath.

— Moim zdaniem powinnaś porozmawiać z Afrodytą — rzekł Damien. — Obudzę ją. Przyprowadzę też Dariusa. Trzeba to wszystko omówić. Opowiesz nam dokładnie, co Kalona pokazał ci w tamtej wizji.

Skinęłam głową, choć wiedziałam, że nie mogę zrobić tego, o co mnie proszą. Nie mogłam rozmawiać z Afrodytą i Dariusem teraz, gdy to wszystko było tak świeże.

— Dobra, ale dajcie mi chwilkę. — Otarłam twarz rękawem. Jack, który przyglądał się wszystkiemu szeroko otwartymi zmartwionymi oczami, otworzył torebkę i podał mi paczuszkę chusteczek. — Dzięki — chlipnęłam.

— Zostaw sobie resztę. Pewnie jeszcze trochę popłaczesz — powiedział, klepiąc mnie po ramieniu.

— Może pójdziecie już po Afrodytę? Trochę się ogarnę i zaraz do was dołączę.

— Tylko nie zwlekaj za długo, dobrze? — poprosił Damien.

Kiwnęłam głową, a oni powoli odeszli. Spojrzałam na Heatha.

— Chcę zostać sama.

— Tak, wiem. Najpierw jednak chciałbym ci coś powiedzieć. — Ujął mnie za oba ramiona i zmusił, bym spojrzała mu w oczy. — Musisz walczyć z tym, co czujesz do Kalony. Mówię to nie dlatego, że jestem zazdrosny czy coś w tym stylu. Kocham cię od dzieciństwa. Nie opuszczę cię. Nie odwrócę się od ciebie, cokolwiek powiesz lub zrobisz, ale pamiętaj, że Kalona nie jest taki jak Stevie Rae czy Stark. Jest nieśmiertelny. Pochodzi z zupełnie innego świata, Zo, i wyczuwam w nim ogromne pragnienie zawładnięcia naszym. Tylko ty możesz go powstrzymać, więc aby zrealizować plan, musi cię mieć po swojej stronie. Dlatego przenika do twoich snów, do twojego umysłu, a częściowo nawet do twojej duszy. Rozumiem to, bo sam jestem związany z twoją duszą.

Przebywanie sam na sam z Heathem uspokajało mnie. Był tak znajomy, tak bliski, i zawsze niewzruszenie wskazywał mi to co dla mnie najlepsze.

— Przepraszam, że nazwałam cię zazdrosnym i zaborczym — chlipnęłam, po czym wydmuchałam nos.

Uśmiechnął się szeroko.

— No, trochę jestem. Ale zawsze pamiętam, że to co nas łączy, jest wyjątkowe. — Wskazał brodą kierunek, w którym poszedł Stark. — Twój wojownik nie ma tyle pewności co ja.

— Bo nie poznał mnie jeszcze tak dobrze.

Jego uśmiech stał się jeszcze szerszy.

— Nikt nie zna cię tak dobrze jak ja, kochanie!

Westchnęłam, pozwoliłam mu się objąć i przylgnęłam do niego mocno.

— Jesteś dla mnie jak dom, Heath.

— I zawsze będę, Zo. — Odsunął głowę i ucałował mnie delikatnie. — Dobrze, zostawię cię teraz samą, bo widzę, że ciągle smarkasz i łzawisz. A zanim doprowadzisz się do porządku, co powiesz na to, żebym dogonił Starka, powiedział mu, że jest zazdrosnym palantem, i może nawet dał mu w pysk?

— W pysk?

Wzruszył ramionami.

— Dobry prosty poprawia samopoczucie.

— O ile się go daje, a nie dostaje — zauważyłam.

— Świetnie. W takim razie znajdę kogoś, kogo z kolei on mógłby walnąć. — Poruszył brwiami. — Bo chyba nie chcesz, żeby zepsuł moją piękną buźkę?

— Jeśli znajdziesz Starka, przyprowadź go do pokoju Afrodyty, dobrze?

— Taki miałem zamiar — odparł i zmierzwił mi włosy. — Kocham cię, Zo.

— Ja też cię kocham, ale nienawidzę, jak psujesz mi fryzurę — odparłam.

Uśmiechnął się do mnie przez ramię, mrugnął i ruszył na poszukiwanie Starka.

Czułam się już nieco lepiej. Usiadłam na ławce, wydmuchałam nos, otarłam oczy i zagapiłam się w dal. Potem do mnie dotarło, na co patrzę i gdzie siedzę.

To była ławka z jednego z moich pierwszych snów o Kalonie. Stała na pagórku, dzięki czemu mogłam wyjrzeć poza otaczający wyspę ogromny mur i dostrzec w oddali oświetlony plac Świętego Marka, który przypominał baśniową krainę pośród zimowej nocy. Za plecami miałam tonący w blasku lamp pałac San Clemente, a na prawo od niego katedrę przerobioną na miejsce spotkań Najwyższej Rady. Tyle piękna i potęgi wokół, a ja byłam tak skupiona na sobie, że nawet tego nie dostrzegałam.

Może przez to skupienie na sobie nie dostrzegałam także prawdziwego Kalony...

Wiedziałam, jak by to podsumowała Afrodyta. Powiedziałaby, że sama doprowadzam do ziszczenia się złej wizji. I może miałaby rację.

Uniosłam głowę i wbiłam wzrok w nocne niebo, usiłując przez warstwy chmur dostrzec księżyc. Potem się pomodliłam.

Nyks, potrzebuję cię. Chyba się zgubiłam. Proszę, pomóż mi. Pokaż mi coś, co sprawi, że wszystko stanie się wyraźniejsze. Nie chcę znów nawalić...

ROZDZIAŁ CZTERDZIESTY

Heath

Zastanawiał się, czy Zo wiedziała, że łamie mu serce. Bynajmniej nie zamierzał przestać się z nią spotykać. Wręcz przeciwnie, chciałby ją mieć jeszcze bardziej dla siebie. Z drugiej jednak strony zawsze, od czasów podstawówki, pragnął dla niej tego co najlepsze. Pamiętał dzień, kiedy się w niej zakochał. Jej mama wściekła się na nią i zaprowadziła ją do jakiejś swojej koleżanki, która pracowała w salonie piękności. Obie — to znaczy mama Zo i ta fryzjerka — uznały, że powinno się ściąć długie ciemne włosy dziewczynki, bo w krótkich będzie jej bardziej do twarzy. No i następnego dnia, a było to w trzeciej klasie, pojawiła się w szkole z bardzo krótkimi, sterczącymi na wszystkie strony nieco kędzierzawymi włoskami.

Wszyscy wokół szeptali coś po kątach i naśmiewali się z niej. Miała wielkie, przestraszone brązowe oczy, a Heath doszedł do wniosku, że jeszcze nigdy nie widział nikogo tak ładnego. Podczas lunchu, w obecności wszystkich w jadalni, powiedział jej, że podobają mu się jej włosy. Wyglądała, jakby zaraz miała się rozpłakać, więc wziął od niej tackę z jedzeniem i usiedli razem, choć siedzenie z dziewczyną nie było mile widziane. Tamtego dnia Zo zrobiła coś z jego sercem. I robiła to do dziś.

Teraz szedł po faceta, któremu oddała część swego serca. Musiał go do niej sprowadzić dla jej dobra. Przeczesał palcami włosy. Kiedyś to wszystko się skończy. Kiedyś Zo wróci do Tulsy i chociaż sporą część czasu będzie spędzała w Domu Nocy, poświęci mu go tyle, ile tylko zdoła wygospodarować. Znów będą chodzili do kina. Będzie mu kibicowała podczas rozgrywek drużyny uniwersyteckiej. Wszystko wróci do normy — na tyle, na ile to możliwe.

Mógł zaczekać. Kiedy całe to zamieszanie z Kaloną się skończy — bo nie miał wątpliwości, że Zo w końcu pójdzie po rozum do głowy — będzie lepiej. Odzyska swoją dziewczynę, a przynajmniej taką jej część, jaką będzie mogła mu ofiarować. To mu wystarczało.

Szedł ścieżką wiodącą od strony pałacu w kierunku, w którym oddalił się Stark. Rozglądał się, ale widział niewiele z wyjątkiem wielkiego kamiennego muru po lewej stronie, a po prawej parku z żywopłotem niemal tak wysokim jak on. Doszedł do wniosku, że żywopłot tworzy jakiś kręty poplątany wzór. To musiał być labirynt, taki jak ten ze starego greckiego mitu o Minotaurze na wyspie bogatego króla, którego imienia za skarby świata nie mógł sobie przypomnieć.

Do licha, nie miał pojęcia, jak bardzo jest ciemno, póki nie wyszedł poza zasięg świateł pałacu. W dodatku było tak cicho, że słyszał uderzenia fal o brzeg po drugiej stronie muru. Zastanawiał się, czy zawołać Starka, lecz doszedł do wniosku, że podobnie jak Zo potrzebuje odrobiny czasu dla siebie.

Te wszystkie wampirskie sprawy trochę go przytłaczały i nie dało się ich przetrawić raz-dwa. Owszem, jakoś tam sobie radził ze Starkiem i pozostałymi. W sumie polubił niektóre wampiry i adeptów; nawet do samego Starka nic nie miał. To Kalona wprowadzał złą atmosferę.

Nagle, jakby te myśli przyciągnęły nieśmiertelnego, Heath usłyszał jego głos niesiony wiatrem przez nocną ciszę. Zwolnił, stąpając ostrożnie, by nie chrzęścić na żwirze ścieżki.

— Wszystko idzie zgodnie z planem — mówił Kalona.

— Nienawidzę tego podstępu! Nie mogę znieść, że udajesz przed nią kogoś, kim nie jesteś.

Heath rozpoznał głos Neferet i w najgłębszej ciemności powoli posuwał się naprzód wzdłuż muru. Rozmowa dobiegała z prawej strony, gdzieś z terenu parku. Po chwili ujrzał przerwę w żywopłocie, prawdopodobnie jedno z wyjść z labiryntu, a za przerwą dostrzegł Kalonę i Neferet. Stali przy fontannie. Heath wydał ciche westchnienie ulgi. Plusk wody musiał zagłuszyć jego kroki. Chłopak przylgnął do zimnego kamiennego muru, przyglądał się i słuchał.

— Ty nazywasz to udawaniem, a ja innym punktem widzenia — rzekł Kalona.

— Dzięki czemu możesz ją okłamywać, sprawiając zarazem wrażenie, że mówisz prawdę! — rzuciła oskarżycielsko kapłanka.

Kalona wzruszył ramionami.

— Zoey żąda prawdy, więc ją dostaje.

— Wybiórczo — zadrwiła Neferet.

— Oczywiście. Ale czyż wszyscy śmiertelnicy, czy to wampiry, adepci czy ludzie, nie wybierają swoich własnych prawd?

— Śmiertelnicy... mówisz to w taki sposób, jakby byli od nas bardzo odmienni.

— Ja jestem nieśmiertelny, a to czyni mnie odmiennym. Nawet od ciebie, choć moc Tsi Sgili zapewni ci coś bliskiego nieśmiertelności.

— Owszem. Ale Zoey nie jest nieśmiertelna. Nadal uważam, że powinieneś ją zabić.

— Niesamowita jest ta twoja żądza krwi — zaśmiał się Kalona. — Co byś zrobiła? Odcięła jej głowę i nabiła ją na pal, tak jak zrobiłaś z tamtą dwójką, która ci przeszkodziła?

— Nie bądź śmieszny. Nie zabiłabym jej w taki sam sposób. To byłoby zbyt oczywiste. Mogłaby po prostu ulec nieszczęśliwemu wypadkowi podczas zwiedzania Wenecji jutro czy pojutrze.

Serce waliło Heathowi tak mocno, że był niemal pewien, iż za chwilę go usłyszą. To Neferet zabiła dwoje nauczycieli Zoey! Kalona o tym wiedział i uważał to za z a b a w n e! Jak tylko Zo to usłyszy, zaraz klapki spadną jej z oczu i przestanie wierzyć, że nieśmiertelny ma w sobie choć odrobinę dobra.

— Nie — mówił tymczasem Kalona. — Nie będziemy musieli jej zabijać. Wkrótce sama do mnie przyjdzie. Zasiałem już ziarno w jej duszy; teraz musimy tylko poczekać, aż wykiełkuje, a wtedy jej moce, tak wielkie mimo jej śmiertelnego charakteru, będą do mojej dyspozycji!

— Do naszej dyspozycji — poprawiła go kapłanka.

Wyciągnął przed siebie jedno z ciemnych skrzydeł i pogłaskał ją, a ona przylgnęła do niego.

— Oczywiście, królowo — szepnął i ucałował ją.

Heath czuł się, jakby oglądał film erotyczny, ale był jak zahipnotyzowany. Nie potrafił się ruszyć. Pomyślał, że powinien poczekać, aż przejdą do rzeczy, a wtedy wymknąć się, pobiec do Zoey i opowiedzieć jej o wszystkim, co usłyszał.

Neferet zaskoczyła go jednak, odsuwając się od Kalony.

— Nie. Nie może być tak, że kochasz się z Zoey w jej snach, potem pieścisz ją wzrokiem na oczach wszystkich, a jednocześnie oczekujesz, że oddam się tobie. Tej nocy tak nie będzie. Ona za bardzo nam przeszkadza. — Odsunęła się jeszcze dalej. Nawet Heath był zauroczony jej pięknem. Gęste kasztanowe włosy unosiły się na wietrze. Okrywający ciało jedwab był jak druga skóra, a piersi miała niemal całkowicie odsłonięte. — Wiem, że nie jestem nieśmiertelna — wyrzuciła z siebie, dysząc ciężko — ani że nie nazywam się Zoey Redbird, ale ja także dysponuję potężną mocą. Nie zapominaj, że zabiłam ostatniego mężczyznę, który chciał mieć jednocześnie mnie i ją.

Odwróciła się, machnięciem ręki utworzyła otwór w żywopłocie przed sobą i wyszła, pozostawiając Kalonę samotnego na pogrążonej w półmroku polanie i spoglądającego za nią.

Heath już miał zacząć się wycofywać, gdy nieśmiertelny odwrócił głowę i spojrzał swymi bursztynowymi oczami wprost na niego.

— Cóż, człowieczku, teraz będziesz miał co opowiadać mojej Zoey — rzekł.

Chłopak spojrzał mu prosto w oczy i natychmiast zrozumiał dwie rzeczy. Po pierwsze, że Kalona go zabije. Po drugie, że zanim umrze, musi jakoś zakomunikować Zoey prawdę. Nie przestraszył się spojrzenia stojącej przed nim istoty; zamiast tego wykorzystał całą siłę woli, jakiej nauczył się na całkiem innym polu bitwy — na boisku piłkarskim — by poprzez wiążące ich krew Skojarzenie odnaleźć żywioł, który był Zoey najbliższy: ducha. *Duchu, przybądź!* — zawołały w noc jego serce i dusza. — *Zanieś Zo moją wiadomość! Powiedz, że musi mnie odnaleźć!*

— Ona nie jest „twoją Zoey" — rzekł spokojnie do Kalony.

— Ależ jest — odparł tamten.

Zo, przyjdź do mnie! — wołała dusza Heatha.

— Nie. Nie znasz mojej dziewczyny.

— Dusza twojej dziewczyny należy do mnie i nie pozwolę tego zmienić Neferet, tobie ani nikomu innemu. — Nieśmiertelny ruszył w jego stronę.

Zo! Tylko ty i ja, kochanie! Przyjdź do mnie!

— Jak brzmi to powiedzenie, którego używają wampiry? — zapytał nieśmiertelny. — Zdaje się, że „ciekawość to pierwszy stopień do piekła". W obecnej sytuacji wydaje się szczególnie trafne.

Stark

— Idiota ze mnie — mruknął do siebie, przechodząc przez okazałe wrota pałacu.

— Czy potrzebujesz pomocy, sir? — zapytał stojący zaraz za nimi wojownik.

— Tak. Jak trafić do pokoju Afrodyty? Chodzi o tę ludzką wieszczkę, która wczoraj przybyła tu z nami. Och, przepraszam. Jestem Stark, wojownik najwyższej kapłanki Zoey Redbird.

— Wiemy, kim jesteś — odparł wojownik, przenosząc wzrok na czerwony tatuaż Starka. — To fascynujące.

— Cóż... sam użyłbym innego słowa.

Wojownik odpowiedział uśmiechem.

— Jesteś z nią związany od niedawna, prawda?

— Tak. Od kilku dni.

— Z czasem robi się lepiej... i gorzej.

— Dzięki. Chyba. — Westchnął przeciągle. Wiedział, że choć Zoey doprowadziła go do szału, nie powinien był się od niej oddalać. Był jej wojownikiem i niezależnie od tego, jak trudne by to było, powinien stać u jej boku.

Jego rozmówca się roześmiał.

— Apartament, którego szukasz, znajduje się w północnym skrzydle pałacu. Proszę iść w lewo, a potem schodami po prawej stronie wejść na pierwsze piętro. Przeznaczono tam dla waszej grupy cały segment.

— Jeszcze raz dziękuję.

Ruszył szybko w kierunku wskazanym przez wojownika. Czuł dziwne mrowienie na karku. Nienawidził tego uczucia. Oznaczało, że dzieje się coś złego i że zdecydowanie nie powinien się w takim momencie dąsać na Zoey.

Tyle że było mu trudno. Czuł jej fascynację Kaloną! Dlaczego, u diabła, ta dziewczyna nie dostrzega, że facet jest zły? Nie pozostało w nim nic, co można by uratować, i prawdopodobnie nigdy niczego takiego w sobie nie miał.

Stark musiał ją przekonać do swoich racji. A skoro miał to zrobić, nie mógł dopuścić do tego, by uczucia mieszały mu w głowie. Zoey jest inteligentną dziewczyną. Trzeba po prostu spokojnie z nią porozmawiać. Wysłucha. Od pierwszego spotkania, zanim jeszcze coś zaczęło ich łączyć, zawsze go słuchała. Wiedział, że i tym razem potrafi ją do tego skłonić.

Pokonywał po trzy stopnie naraz. Pierwsze drzwi po lewej były uchylone, ukazując bogato urządzony pokój z kilkoma zbyt małymi kanapami i niewygodnymi krzesłami w złotych i kremowych barwach. Nigdy się nie brudzą czy co? Usłyszał głosy i zaczął szerzej otwierać drzwi, gdy emocje Zoey uderzyły w niego jak nagły przypływ.

Strach! Gniew! Konsternacja!

Miała w głowie taki zamęt, że nie potrafił wyłowić niczego z wyjątkiem kilku podstawowych emocji.

— Stark, co się dzieje?

Przed nim stał Darius.

— Zoey! — wychrypiał chłopak. — Ma kłopoty! — I dosłownie zachwiał się pod naporem tej fali. Upadłby, gdyby Darius go nie podtrzymał.

— Weź się w garść! Gdzie ona jest? — Chwycił go za ramiona i potrząsał nim.

Stark podniósł wzrok na zaniepokojone twarze przyjaciół Zo i potrząsnął głową, próbując się przedrzeć przez grozę, która zawładnęła jego umysłem.

— Nie mogę... jestem...

— Musisz! Nie próbuj myśleć. Pozwól się prowadzić intuicji. Wojownik zawsze zdoła odnaleźć swoją panią. Zawsze.

Drżący na całym ciele Stark zdołał kiwnąć głową. Odwrócił się, wziął trzy głębokie oddechy i wypowiedział jedno słowo:

— Zoey!

Jej imię zdawało się wibrować w powietrzu wokół niego. Skoncentrował się na nim, ignorując chaos w głowie. „Zoey Redbird, moja pani" — myślał jedynie.

I niczym linka ratownicza te słowa pociągnęły go naprzód.

Pobiegł.

Czuł za sobą obecność Dariusa i pozostałych. Zarejestrował zdumienie na twarzy stojącego przy drzwiach wojownika, z którym niedawno rozmawiał, ale ignorował to wszystko, myśląc jedynie o Zoey i dając się prowadzić sile wiążącego ich ślubowania.

Miał wrażenie, że frunie. Nie pamiętał, jak znalazł drogę w labiryncie, lecz później przypomniał sobie chrzęszczące pod stopami kamienie, gdy w nadludzkim pędzie zostawił w tyle nawet Dariusa.

A mimo to się spóźnił.

Nawet gdyby miał żyć jeszcze pięćset lat, nigdy nie zapomniałby chwili, w której wypadł zza zakrętu na niewielką polankę. Ten widok miał płonąć w jego duszy po wsze czasy.

Po drugiej stronie polany, przy murze okalającym wyspę i ukrywającym ją przed oczami wenecjan, stali Kalona i Heath.

Zoey była bliżej, zaledwie o kilka metrów od niego. Ale ona też biegła. Stark patrzył, jak unosi ręce.

— Duchu, przybądź! — zakomenderowała.

Kalona także uniósł dłonie, otaczając nimi twarz Heatha niemal tak, jakby go głaskał. Potem jednym szybkim, silnym ruchem przekręcił jego głowę, bez wątpienia łamiąc mu kark i zabijając go na miejscu.

— Nie!!! — krzyknęła Zoey tak przejmująco, że Stark ledwo rozpoznał jej głos. Rzuciła w Kalonę rozjarzoną kulą ducha.

Nieśmiertelny puścił Heatha i odwrócił się gwałtownie twarzą do niej. Na jego twarzy malowało się niewiarygodne zdumienie. Wtedy dopadł go żywioł, wyrzucając w powietrze i ciskając ponad murem do oceanu. Z krzykiem rozpaczy Kalona uniósł się ponad wodę na swych olbrzymich skrzydłach i odleciał w zimną noc.

Ale Starka ani trochę nie obchodził Kalona ani nawet Heath. Podbiegł do Zoey, która leżała bezwładnie, twarzą do ziemi, w pobliżu ciała swego chłopaka. Nie musiał jej dotykać, by zrozumieć potworną prawdę. Mimo to opadł na kolana i łagodnie obrócił dziewczynę. Jej oczy były otwarte, lecz nieruchome i bez wyrazu.

Nie licząc szafirowego półksiężyca zdobiącego czoło każdego adepta, wszystkie tatuaże zniknęły.

Darius podbiegł do klęczącego Starka, ukłąkł przy Zoey i zaczął szukać pulsu.

— Żyje — powiedział. Dopiero potem dotarło do niego, co widzi. — Na boginię! Jej tatuaże! — Łagodnie dotknął twarzy Zoey. — Nie rozumiem. — Pokręcił głową w oszołomieniu i spojrzał na Heatha. — A chłopak?

— Zabity — rzekł Stark zdumiony, że jego głos brzmi zwyczajnie, podczas gdy wszystko w środku krzyczało.

Na miejsce dotarli Afrodyta i Damien.

— O bogini! — Afrodyta przykucnęła przy głowie Zoey. — Jej tatuaże!

— Zoey! — krzyknął Damien.

Stark słyszał, jak nadbiegają Jack i Bliźniaczki. Wszyscy płakali. On jednak potrafił tylko przygarnąć ją mocniej do serca. Musiał ją chronić. Musiał.

Wreszcie przez jego rozpacz przedarł się głos Afrodyty.

— Stark! Zoey żyje. Musimy ją zanieść do pałacu. Tam ktoś się nią zajmie.

Spojrzał jej w oczy.

— Jej ciało jeszcze oddycha, ale nic poza tym.

— O czym ty gadasz? Ona żyje! — upierała się dziewczyna.

— Zoey zobaczyła, jak Kalona zabija Heatha. Przywołała ducha, by pomógł jej go ratować, lecz było za późno. — „Tak jak ty przybyłeś za późno, by ją ratować", wołał jego umysł. Głos jednak kontynuował spokojnie: — Już w momencie rzutu zrozumiała, że się spóźniła, i jej dusza rozpadła się na kawałki. Wiem to, bo jestem sprzężony z jej duszą i czułem, jak się rozpada. Zoey już z nami nie ma. To tylko pusta skorupa.

A potem James Stark, wojownik Zoey Redbird, pochylił głowę i zapłakał.

EPILOG

Zoey

Z moich płuc wyrwało się długie, radosne westchnienie. Spokój... Naprawdę nie pamiętałam, żebym kiedykolwiek czuła się tak beztroska. Na boginię, jaki cudowny dzień! Niesamowite złote słońce jarzyło się na niebie tak błękitnym, że powinno ranić moje oczy. Powinno — ale nie raniło.

Było to nieco dziwne. Jaskrawe słońce nie sprawia mi bólu?

Hm.

A zresztą, co tam.

Łąka była przeurocza. I coś mi przypominała. Przez chwilę próbowałam to sobie przypomnieć, lecz doszłam do wniosku, że nie chce mi się zbytnio wytężać umysłu. Dzień był na to zbyt piękny. Chciałam jedynie oddychać słodkim letnim powietrzem i pozbyć się całego napięcia zwiniętego w moim wnętrzu jak sprężyna.

Trawa głaskała moje nogi łagodnie niczym pióra.

Pióra?

Czemu akurat pióra?

— Nie. Żadnego myślenia. — Uśmiechnęłam się, bo moje słowa przybrały formę połyskujących fioletowych wzorów w powietrzu.

Przed sobą miałam sznur drzew porośniętych białym kwieciem przywodzącym na myśl płatki śniegu. Wiatr łagodnie poruszał ich gałęziami, wywołując w powietrzu muzykę, przy której tańczyłam, pląsałam i wirowałam, wciągając głęboko słodki aromat kwiatów.

Przez moment zadawałam sobie pytanie, gdzie jestem, ale to nie wydawało się ważne. W każdym razie nie tak ważne jak spokój, muzyka i taniec.

Potem zaczęłam się zastanawiać, jak tu trafiłam. To mnie zatrzymało. No, może nie tyle zatrzymało, ile spowolniło.

I wtedy to usłyszałam. Brzmiało jak „szuuu... plum!" i wydawało się pokrzepiająco znajome, więc ruszyłam w stronę, z której dobiegało. Gdy szłam przez zagajnik, spomiędzy drzew zaczęło się wyłaniać coś niebieskiego, tym razem w bardziej akwamarynowym odcieniu. Woda!

Z wesołym okrzykiem wybiegłam z lasku i znalazłam się na brzegu zdumiewająco czystego jeziora.

Szuuu... plum!

Dźwięk dochodził zza łagodnego zakrzywienia linii brzegowej. Podążyłam za nim, nucąc cicho swoją ulubioną melodię z filmu *Lakier do włosów*.

W głąb jeziora wrzynał się idealny do wędkowania pomost — i rzeczywiście na jego końcu siedział jakiś facet, rzucając wędkę z cichym „szuuu" zakończonym „plum", gdy uderzała o taflę wody.

Dziwne: nie wiedziałam, kim on jest, ale gdy tylko go zobaczyłam, w beztroskę tego cudownego dnia wdarła się panika. Nie chciałam go widzieć! Pokręciłam głową i zaczęłam się wycofywać, lecz pod moimi stopami trzasnęła gałązka i chłopak się obrócił.

Ledwie mnie dostrzegł, szeroki uśmiech natychmiast zniknął z jego twarzy.

— Zoey!

Pod wpływem głosu Heatha odzyskałam pamięć. Zrozpaczona osunęłam się na kolana, on jednak już biegł w moją stronę i zdążył mnie złapać.

— Nie powinno cię tu być! Nie żyjesz! — załkałam wtulona w jego pierś.

— Zo, kochanie, to Zaświaty! To ciebie nie powinno tu być.

Wspomnienie zawładnęło mną do reszty, zalewając rozpaczą, ciemnością i straszliwą prawdą. Mój świat rozprysnął się na kawałki i wszystko znikło.
